CW00405896

LA MAISON AUX ORANGERS

Claire Hajaj est née en 1973, à Londres. Elle a grandi partagée entre les cultures israélienne et palestinienne, et travaille pour l'ONU, dans des zones de guerre. *La Maison aux orangers*, son premier roman, est un best-seller.

CLAIRE HAJAJ

La Maison aux Orangers

TRADUIT DE L'ANGLAIS PAR JULIE GROLEAU

LES ESCALES

Titre original :

ISHMAEL'S ORANGES

© Claire Hajaj, 2015.
© Éditions Les Escales, un département d'Édi8, 2018.
ISBN : 978-2-253-25964-0 – 1re publication LGF

À ma famille, proche et lointaine
Avec mon admiration et mon amour.

Sophie chérie,

Je ne m'attends pas à ce que tu me pardonnes ni que tu me comprennes. Dès le départ, tu as toujours été la fille bien. La conciliatrice.

Mais tout devient clair, maintenant que je suis ici et que je la vois, que je la vois en vrai, Sophie, après l'avoir imaginée toutes ces années. Elle est exactement comme sur la photo. Blanche. Aussi blanche que la craie. Il y a des arbres derrière le portail et, partout, de la terre dorée.

Je devrais la haïr, n'est-ce pas ? Mais elle est si belle, là toute seule. Et paisible, comme dans un rêve. Comme dans les films familiaux que nous tournions dans le désert, lorsque nous étions enfants. Te souviens-tu ? Des images sans le son. Et nous riions en agitant la main, et lui nous encourageait derrière la caméra. Ce furent les seuls moments où nous ne faisions pas semblant, où nous étions presque une vraie famille.

Tu sais ce qui fait le plus mal ? Tous les soirs, avant d'aller dormir, quand maman nous faisait la lecture – tu sais, « il était une fois », et « maintenant l'his-

toire est terminée». Tu te rappelles comme on adorait ça ? Eh bien, ce n'était qu'un mensonge. Les histoires n'ont ni début ni fin. Elles continuent, c'est tout. Toi, moi, eux, tous les autres avant nous, nous dansons sur l'air de la même maudite chanson. Et je suis fatigué, tellement fatigué. Mais je ne vois pas comment nous pourrions nous arrêter un jour.

Et le pire, c'est que nous aurions peut-être été heureux dans cette maison. N'est-ce pas le plus fou ? Si ce vieux cinglé avait raison, finalement, si cet endroit était réellement notre foyer ? J'imagine déjà les photos de nos meilleurs souvenirs accrochées aux murs. Mon premier spectacle. Toi et moi main dans la main sur la plage. Maman dans sa robe de mariée. Et même un cliché de lui, peut-être en train de jouer au football ici, pieds nus dans la poussière, entouré par la mer. Tout ce que j'aurais pu aimer chez lui, que j'ai continué à aimer même après qu'il m'a rejeté.

J'aimerais t'expliquer cela plus clairement, Sophie. Je veux trouver une manière de l'exprimer afin que tout prenne son sens, afin que tu me comprennes sans que nous ayons besoin de parler, comme nous l'avons toujours fait. Je sais que tu essaieras parce que tu m'aimes, pourtant parfois, cela ne suffit pas, tu ne crois pas ?

Mais vois-tu, j'ai la certitude qu'un jour nous serons tous ici, ensemble. Les deux familles, celle de notre mère et celle de notre père. Ne serait-ce pas une fin parfaite ? Nous marcherions sur le petit sentier jusqu'à la mer. Je ne la vois pas mais je l'entends mugir de l'autre côté de la colline. Elle me parle. Je le jure, elle murmure en une centaine de voix. Je parie qu'elle serait capable de révéler ce qu'il s'est réellement passé ici, si seulement quelqu'un écoutait. Mais personne n'écoute jamais. Nous sommes des aveugles qui avançons en trébuchant sur cette terre. Nous regardons à travers les autres, même nos proches, comme s'ils étaient des étrangers.

Souviens-toi toujours de mon amour.

Marc
Jaffa, décembre 1988

Dès qu'il eut terminé, il sut qu'il restait beaucoup de non-dits. Mais le temps pressait, et il se sentit emporté dans un tourbillon. Tout l'entraînait vers son but – le reflet éclatant de la mer, la chaleur de la pierre blanche sous sa main lorsqu'il glissa de l'autre côté du mur, les branches mouvantes des arbres auxquelles il se suspendit avant de se laisser tomber dans les ombres du jardin silencieux.

Une fois à terre, il découvrit les lettres enfantines et irrégulières gravées sur l'écorce de l'arbre. Ses doigts caressèrent le tracé à moitié effacé. *Salim*. Le pied inachevé du *m* disparaissait dans le bois gonflé. L'espace d'un instant, il fut déconcerté ; le mot oublié prit l'aspect d'un visage dont le regard interrogatif sembla l'interpeller. Il le cacha d'une main puis, de l'autre, grava son nom en dessous avec un couteau.

La partie vitrée de la porte de la cuisine lui parut liquide comme de l'eau ; elle lui céda le passage lorsqu'il glissa sa main au travers, et il ne sentit rien. Enfin, il vit la maison s'ouvrir à lui et l'accueillir.

Quand il revint dans la cuisine avec son sac vide, il les entendit qui se rassemblaient devant le portail, aussi bruyants et insistants que le bourdonnement des abeilles. Il était presque l'heure. Il frissonna de peur mais se ressaisit aussitôt ; il avait accompli son travail, il était prêt. Entre lui et les autres se dressaient les arbres mugissants, le poids de la terre et l'entrelacs protecteur du feuillage.

Il ferma les yeux et entendit la mélodie lointaine des voix qui, tels des échos du passé, s'insinuaient à travers les branches, libérées par le vent qui faisait frémir les feuilles et pénétrer le parfum des oranges dans la maison.

Il entendit rire au-delà des arbres, à moins que ce ne fût l'appel tapageur et joyeux de garçons en train de jouer. Et quelque part, loin derrière les portes closes, une femme chantait peut-être.

Soudain, il eut envie de répondre à ces voix, de se lever, d'ouvrir grande la porte et de se montrer. Mais à cet instant, la lumière explosa en un grondement vibrant. Elle déferla avec fureur, franchit la porte, passa sur lui, se rua jusqu'au cœur de la maison. Et tandis qu'elle s'étendait, balayant tout sur son passage comme une marée montante, elle l'emplit d'un sentiment de paix.

La vie de chaque homme
est liée à la vie de tous les hommes,
chaque histoire n'est que le fragment
d'une seule histoire.

Stephen VIZINCZEY[1]

---

1. Stephen Vizinczey, *Un millionnaire innocent*, traduit de l'anglais par Béatrice Vierne, éditions du Rocher, 2003.

I

VOYAGES

Un « absent » est un citoyen palestinien [qui] a quitté son lieu de résidence habituel avant le 1er septembre 1948 pour un lieu [...] occupé par des forces cherchant à empêcher la fondation de l'État d'Israël. [...] Tout droit détenu sur une propriété par un absent devra automatiquement être cédé au Conseil de tutelle pour la propriété des absents.

Loi israélienne sur la propriété
des absents, 1950

Cela ne fait aucun doute, les Juifs ne sont pas des gens sympathiques ; moi-même je ne les apprécie pas particulièrement ; mais ça ne suffit pas à expliquer le pogrom.

Neville Chamberlain, lettre, 1938

1948

— *Yallah*, Salim ! Espèce de bouseux ! Gare à toi, les Juifs arrivent ! Ils vont te chasser comme un âne, à grands coups de pied au cul.

Deux garçons se faisaient face sur le chemin de terre qui serpentait entre les orangeraies de Jaffa et la mer.

Le plus âgé était un solide gaillard aux cheveux noirs. Son menton, ses bras et son ventre grassouillets évoquaient un agneau prêt à rôtir au four. Plus tard, de replet, il deviendrait corpulent, et son embonpoint ferait des envieux. Il deviendrait un *ayan*, un de ces riches notables amateurs de café, aux belles demeures blanches et aux femmes dépensières. Mais aujourd'hui, par cette belle journée de printemps, ses kilos en trop ne lui servaient qu'à malmener les autres et à transpirer. Le plus jeune garçon tenait un ballon de foot entre ses mains et regardait vers la mer qui s'obscurcissait. Il portait des souliers à lacets noirs, un short marron bien coupé à l'intérieur duquel il avait pris soin de glisser sa chemise blanche, boutonnée jusqu'au menton.

D'après les frères*[1] qui dirigeaient son école et qui aimaient le taquiner, son fin visage pâle était comme un livre ouvert, une page sur laquelle chacun pouvait écrire.

— Ne me traite pas de *fellah*, risqua-t-il timidement.

Ce n'était jamais une bonne idée de se disputer avec Mazen qui, à presque dix ans, se comportait déjà en petite brute.

— Et pourquoi pas ? Tu vis dans une ferme. Ton père t'envoie cueillir des fruits, comme les *fellahin*.

Une réplique bien sentie vint à l'esprit de Salim, mais il hésita et se ravisa aussitôt. N'avait-il pas supplié qu'on le laisse aller à l'orangeraie, la semaine passée ? La récolte était presque terminée. Sur le petit domaine familial – cinq *dounam* entiers de bonne terre plantée d'orangers –, les ouvriers de son père s'étaient chargés de la cueillette. Y participer devait être son cadeau d'anniversaire ; il avait sept ans, à présent, et un jour il partagerait les orangeraies avec Hassan et Rafan. « Laissez-moi y aller », avait-il insisté, mais son père avait refusé. À sa grande honte, Salim avait pleuré.

— Mon père paie des *fellahin* pour ce travail, et ton père les envoie en prison, répondit-il pour éluder la question.

Mazen était le fils de l'un des juges les plus importants de Jaffa, un *cadi* ; Hassan disait qu'il puait l'argent.

---

1. Tous les mots suivis d'un astérisque sont en français dans le texte original.

— Si les Juifs viennent s'installer chez vous, ton père pourra les aider à tous nous boucler, poursuivit Salim.

— Ne t'inquiète pas, répondit Mazen en souriant. Si tu demandes gentiment, je prendrai soin de toi et de ta jolie maman. Mais cet idiot de Hassan devra se débrouiller tout seul.

Il arracha le ballon des mains de Salim et prit le chemin qui menait à la mer. Le jeune garçon le suivit sans réfléchir, les bras ballants, tandis que la lumière du soleil couchant déclinait.

— De toute façon, tant que les Anglais sont là, les Juifs ne viendront pas, déclara Salim, se souvenant de ce que frère Philippe lui avait dit le matin même, à Saint-Joseph.

À la récréation, une bagarre avait éclaté entre deux élèves dans la cour : l'un avait accusé le père de l'autre d'être un traître qui vendait ses *dounam* aux Juifs. Son camarade avait rétorqué que lui au moins, il n'avait pas fui sa maison comme un lâche. Alors qu'on les tirait par les oreilles, ils avaient continué à se battre. Salim était resté interdit, mais Mazen les avait encouragés en riant. Après l'incident, frère Philippe avait tapoté la joue de Salim d'un geste apaisant.

— Ne t'inquiète pas, *habibi*, avait-il dit alors que le fouet claquait sur la peau des deux gamins punis. Malgré les disputes incessantes à propos des Juifs et des armées, tout le monde ne veut pas la guerre à n'importe quel prix. Pas tant que les Britanniques seront là et que Dieu veillera sur son troupeau.

— Aide-toi, le Ciel t'aidera, avait déclaré sombrement l'un des frères*, à côté d'eux.

— Espérons, avait répliqué un autre, parce que les Britanniques ne feront rien.

— Tu es vraiment un âne, Salim, railla Mazen, le ramenant soudain sur terre. On peut tous mourir, les Anglais s'en fichent complètement. Ils veulent découper cet endroit comme une orange et donner la plus grosse part aux Juifs. Mais on est prêts à les recevoir, ma parole ! Attends qu'ils tombent sur les soldats de la *Najjada*. J'ai hâte de descendre un Juif.

Salim ne se voyait pas tirer sur qui que ce soit. Un jour, un policier britannique avait abattu un animal malade – un chien errant – sous ses yeux ; en entendant la balle atteindre sa pauvre cible, Salim était tombé à genoux pour vomir. Quant à ce qu'il s'était passé le mois précédent – le sang qui avait coulé sur les pavés et taché ses chaussures –, il refusait d'y penser.

— Tu ne peux pas t'engager avec la *Najjada*, dit-il, enfonçant les mains dans les poches et redressant les épaules. Tu n'es qu'un enfant. Maman dit qu'ils ne prennent que les hommes.

Au défilé, la semaine passée, elle les avait traités de scouts armés ; pourtant, Salim s'était dressé sur la pointe des pieds derrière Hassan pour les regarder se tenir au garde-à-vous, place de l'Horloge. Ils portaient des fusils et de beaux uniformes gris. Il connaissait l'un d'eux ; la bande de Mazen le surnommait « Cul de Chat » parce qu'il avait un gros bouton marron au milieu du menton. Ils s'étaient tellement moqués de lui qu'il en avait pleuré, mais le jour du défilé, ses yeux brillaient de fierté. Hassan aurait aussi aimé s'enrôler, mais Mohammad Nimr Al-Hawari refusait les garçons de moins de quinze ans.

— Ta mère pense comme une femme, répliqua Mazen avec dédain. Al-Hawari est un ami de mon père. De toute façon, pourquoi je te le dirais, si je les rejoignais ? Ils ne prennent pas les ânes bâtés comme toi.

— Je ne suis pas un âne, murmura Salim, alors que Mazen s'éloignait en courant.

Parfois, dans ses moments de courage les plus fous, Salim s'imaginait qu'il l'envoyait mordre la poussière. Mais les poings menaçants et le mépris souverain de Mazen étaient plus effrayants encore que les Juifs. *J'espère qu'ils le captureront quand ils viendront.*

Les Juifs arrivent. C'est ce que les frères* chuchotaient entre eux, à l'école. Alors que les combats se rapprochaient, les campagnes se vidaient et des flots de réfugiés arrivaient à Jaffa, avec leurs bagages crasseux et leurs enfants accrochés aux basques. Le père de Salim s'en était plaint au maire, mais sa mère avait envoyé des colis de nourriture pour les femmes et leurs bébés. Salim ne parvenait pas à comprendre pourquoi des gens étaient prêts à dormir dans les mosquées ou les églises de Jaffa plutôt que dans leurs propres maisons.

Mais aujourd'hui, le soleil était haut dans le ciel, des senteurs de sel et d'orange embaumaient l'air ; il semblait difficile d'avoir peur. Les deux garçons se poursuivaient le long du chemin au milieu des buissons, leurs cris résonnaient dans les chaudes bouffées d'air marin. Le ballon s'éleva vers la mer et Salim fonça droit devant, essoufflé et jubilant. Il l'attrapa avant que le ressac ne s'en empare. Quand il fit volte-face pour crier victoire, il découvrit qu'il était seul.

Ses joues s'enflammèrent lorsqu'il aperçut Mazen, tout sourire, qui le contemplait du haut de la berge.

— Tu te fais toujours avoir, sur ce coup-là, lâcha-t-il dans un éclat de rire.

Salim baissa la tête pour dissimuler sa honte. *Pourquoi le laisses-tu chaque fois se jouer de toi, espèce d'idiot ?* semblaient lui reprocher les galets, sur le sable.

— Allez, viens, *fellah*, dit Mazen en désignant les genoux sales et le visage en sueur de Salim. J'ai faim. On va au souk.

Il y avait deux chemins pour se rendre d'Al-Ajami aux souks de la place de l'Horloge, à Jaffa.

Pour y aller depuis la maison de Salim, on passait par les terres silencieuses, jusqu'aux villas de bord de mer blanchies par le soleil ; des cascades de bougainvillées rouges et l'odeur poussiéreuse des oranges s'échappaient de leurs jardins clos. Il fallait ensuite tourner à gauche dans la vieille rue Al-Ajami, où des automobiles flambant neuves klaxonnaient en doublant des ânes qui tiraient leur chargement de grenades et de citrons. La porte de la boulangerie d'Aboulafia était toujours ouverte, même pendant les mois les plus rigoureux de l'hiver. Salim avait patienté à cet endroit des centaines de fois, les sens échauffés par le parfum des pâtisseries, les nuages odorants de cannelle et d'épices. Sa mère appréciait le *manquish*, une galette saupoudrée de thym et de sésame. Il piochait dans ses mains, morceau par morceau, pendant qu'ils se promenaient dans la vieille ville, au milieu de ses cafés et des volutes de fumée jaune des narguilés.

L'autre chemin pour se rendre à la place était celle des gamins de Jaffa ; c'était un rite de passage. Dès qu'un garçon était assez grand pour marcher, un autre le défiait de l'emprunter. Il fallait traverser des plages sauvages, braver les rochers glissants puis longer pas à pas la digue de l'ancien port.

Ce jour-là, le soleil se déversait sur la grande baie en forme de croissant ; l'eau qui brillait d'une teinte dorée contrastait avec la terre noire, comme un anneau à l'oreille d'un Africain. Salim et Mazen sautaient par-dessus les flaques laissées par les vagues, éclaboussant les enfants aux bras nus qui pêchaient des crabes. Ils se faufilèrent au milieu des rocs pointus jusqu'à ce qu'apparaissent les pierres blanches délavées par les flots du port de Jaffa.

— Cet endroit est aussi vieux que la mer, leur avait enseigné frère Philippe. Il existait avant l'arrivée des Arabes ou des Juifs. En des temps reculés, Dieu lui-même a guidé Japhet, le fils de Noé, jusqu'ici. Les ossements de vingt-deux armées y reposent. C'est là que les païens de Thèbes enchaînaient leurs vierges sacrifiées.

Sa main ridée avait désigné un point, et une dizaine de paires d'yeux s'étaient tournées dans sa direction.

— Là-bas, sur ce que nous appelons le rocher d'Andromède, elles attendaient d'être dévorées par le monstre marin. Et sur le port, juste ici, le roi des croisés, Richard Cœur de Lion, alors qu'il gisait, malade, dans son lit, a supplié Saladin de faire la paix. L'empereur impie Napoléon a dressé sa tente près du phare, pendant que la peste décimait son armée et que ses vertueux prisonniers se soulevaient contre lui.

Il a appris une leçon que je vais vous enseigner, mes enfants* : Jaffa est le lieu bien-aimé de Dieu, et qui vient l'attaquer sera maudit.

Si la plupart des garçons aimaient plutôt Napoléon et Saladin, le défenseur de la foi, Salim nourrissait un amour coupable pour le roi anglais à la tunique brodée d'un lion. Alors qu'il avançait prudemment sous la digue, il s'imagina Richard qui, comme lui, avait dû percevoir le claquement sec des eaux peu profondes et l'odeur de sang des felouques rapportant leur prise. Seuls les grands bateaux à vapeur qui se dessinaient à l'horizon indiquaient le passage des siècles.

Le temps que Salim se hisse sur le quai du port, Mazen avait déjà trouvé une orange. Il jetait par terre la peau blanche, et le jus jaune coulait sur son menton.

— C'est par là, fit-il en pointant son doigt potelé vers le nord. Ils sont là-bas.

De l'autre côté de la baie, les tours miroitantes de Tel-Aviv s'alignaient le long de la côte, à perte de vue.

La plupart du temps, Salim prêtait à peine attention à la ville. Seuls les anciens, les grands-mères et les grands-pères de ses amis, évoquaient encore parfois l'époque où Jaffa était entourée de dunes et où Tel-Aviv n'était guère plus qu'un amas de coquillages dans le sable soulevé par le vent. Pour Salim, la ville avait toujours existé. Comme les Anglais. Eux aussi avaient toujours été là, les hauts-commissaires et les commandants, ces hommes guindés au visage rose. Les gamins, qui les comparaient à des cochons, les surnommaient les « Groin-Groin ». Mais ils appréciaient beaucoup la garnison de Jaffa. Un soldat appelé Jonno distribuait des cigarettes à Mazen et à Hassan. Il en avait promis une à Salim, dès qu'il aurait huit ans.

Pourtant, ces derniers jours, Salim avait l'impression de voir davantage les habitants de Tel-Aviv et beaucoup moins les Anglais. *Le mandat britannique sur notre terre de Palestine s'achève le mois prochain*, disaient les frères*. *Et un nouvel endroit appelé Israël sortira de son ventre et la séparera en deux pour toujours.* Salim avait entendu par hasard le père de Mazen formuler la même idée plus simplement : « Tu verras, la prochaine fois que les Anglais seront sur le pont d'un bateau, ce sera pour nous dire au revoir. »

— Il est tard, dit Mazen d'un air renfrogné quand l'appel à la première prière du soir commença à résonner. Si tu n'étais pas si lent, on y serait déjà.

— N'y allons pas, dit Salim brusquement.

La peur qui l'avait peu à peu gagné lorsqu'il était sous la digue déferlait à présent comme un raz-de-marée. Dans les lueurs du crépuscule, ses pieds lui apparurent de nouveau rouges, rouges comme le sang sur les pierres, comme le vacarme des cris. Mais Mazen se contenta de rire.

— Quelle poule mouillée !

Il s'essuya la bouche et attrapa Salim par le bras, le traînant à travers les ruelles étroites de Jaffa. Les paroles des muezzins se déversaient sur la ville, mélopées dissonantes qui affluaient de chaque quartier.

Ils débouchèrent sur la place de l'Horloge au moment où les chants s'éteignaient. Salim était pantelant et son bras douloureux. Lorsque Mazen le lâcha, il tenta de reprendre son souffle et de calmer les battements de son cœur. Par réflexe, ses yeux se tournèrent vers les murs austères de la tour de l'Horloge. Sur une plaque, on pouvait lire : *Sultan Abdülhamid II.* Ils l'avaient étudié à l'école, ce grand empereur ottoman qui était à court d'argent – ou peut-être de patience – et qui avait demandé aux dirigeants de Jaffa de payer eux-mêmes la construction de la tour. Aujourd'hui, il était difficile de croiser un homme riche à Jaffa, qu'il soit musulman, chrétien ou juif, qui ne prétende pas l'avoir financée.

Mais à présent, tout cela n'existait plus. Face à eux, telle une horrible tumeur, la mairie du Nouveau-Sérail n'était plus qu'un amoncellement de ruines. Le bâtiment avait explosé et sa façade détruite béait sur la place comme une bouche édentée.

Salim s'approcha des décombres. Mazen observait un homme, la tête drapée d'un keffieh, qui retirait des pierres du tas de gravats.

— Je te parie qu'il reste des corps, là-dessous, lui dit Mazen en lui montrant des taches rouge sombre. Ou peut-être des bras, des jambes, ou que sais-je encore. Si mon père avait été élu maire à la place de cet idiot d'Heikal, il aurait tout fait nettoyer à l'heure qu'il est. Tu sens cette puanteur ! Mais peut-être que tu ne sens rien, parce que c'est l'odeur habituelle de Hassan.

L'estomac de Salim se souleva. À ce qu'on avait raconté, la bombe avait été dissimulée dans un camion, au milieu d'un chargement d'oranges. Le conducteur devait ressembler à un Arabe, mais il appartenait à l'Irgoun qui regroupait les Juifs les plus redoutés de tous.

Ils se rendaient à l'école lorsqu'ils avaient entendu le bruit de l'explosion, suivi par les cris. Hassan avait fait demi-tour en courant, son cartable bringuebalant sur ses épaules. Salim s'était précipité, lui aussi, terrifié à l'idée de rester seul. Il s'était accroché au sac de Hassan jusqu'à ce que son frère disparaisse devant lui dans un épais nuage jaune. À son tour, Salim s'était retrouvé saisi à la gorge par ce brouillard étouffant. Sous ses pieds, des bris de verre et des éclats de pierres crissaient et se brisaient, et il était tombé de tout son long. Malgré ses oreilles qui tintaient, il avait perçu le hurlement des sirènes. Quelqu'un avait crié, encore et encore. *Omar ! Omar !* Salim était perdu au fond d'un puits obscur, il se noyait ; il avait tenté d'appeler Hassan, mais la poussière avait empli sa bouche. Quelque chose de grand et de flasque s'étalait par lentes vagues près de ses jambes, colorant en rouge ses chaussures de toile. Salim était resté paralysé, jusqu'à ce que Hassan surgisse au-dessus de lui, le visage maculé de suie, les yeux aussi écarquillés que ceux d'un cheval éperdu de douleur. Il avait tiré son frère par sa chemise souillée pour le relever et l'avait traîné jusqu'à la maison.

Le lendemain, les mères de Jaffa hurlaient leur chagrin pendant que les soldats britanniques fouillaient parmi les décombres. Pétrifié, Salim avait regardé Mazen tirer sur un lambeau de chemise coincé sous un bloc de pierre. Le tissu blanc, encore humide, était maculé de sang noirci et de boue séchée. L'odeur qu'il dégageait était atroce, et elle ne l'avait plus quitté, même après que la police les avait chassés de là.

Salim tira sur la chemise de Mazen.

— S'il te plaît, on peut partir ? Je n'aime pas cet endroit.

Mazen repoussa sa main mais fit tout de même demi-tour. « Ils vont se transformer en fantômes, avait-il dit pendant que les soldats emportaient les corps. Sans vengeance, les morts ne trouvent pas le repos. »

Arrivés au souk Al-Attarin, ils allèrent acheter des bonbons. Les monceaux de pistaches, de citrons, de roses et d'oranges parfumaient l'air aussi délicieusement qu'à l'accoutumée, mais Salim avait la bouche sèche. D'habitude, les garçons devaient jouer des coudes pour arriver à faire leurs achats. Pas aujourd'hui. Le souk était presque vide. Le vieux boutiquier posa sur eux un regard affamé quand ils lui tendirent leur argent de poche.

— Hé, Salim !

L'enfant regarda autour de lui, inquiet ; ils n'étaient pas censés être dehors juste avant le couvre-feu.

— Merde ! s'écria Mazen. C'est le petit *Yehuda*.

— Salut, Elia, dit Salim. Comment ça va ?

Il s'agita. La place était vide et il en fut soulagé. Ce n'était pas bon d'être vu en compagnie d'un Juif, même un Juif du quartier.

Elia était plus âgé que Mazen. Aussi blanc de peau que Salim, il avait les bras fluets. Haussant ses frêles épaules, il répondit *yani*, l'expression arabe universelle pour exprimer cet entre-deux où l'on se sent ni bien ni mal.

— J'allais voir mon père, poursuivit-il, pointant le doigt en direction du souk de Balasbeh, le marché aux vêtements. On ferme de bonne heure, maintenant. Il ne veut pas que je me promène seul, depuis tous ces incidents.

— Et qui les provoque ? répliqua Mazen. Ton père et ses amis, bien sûr.

— Mazen, il ne fait pas partie de ces gens-là, protesta Salim.

Il se souvenait à peine du temps où ils avaient encore le droit d'être amis. Le père d'Elia, Isak Yashuv, était presque arabe. Avec sa peau sombre d'Irakien, ses yeux perçants qui vous scrutaient par-dessus les charbons de son narguilé bouillonnant à longueur de journée, il était impossible de le distinguer d'un autre Palestinien. En revanche, la mère d'Elia n'était pas née en Palestine, elle faisait partie des Juifs blancs.

Dans le foyer de Salim, le sujet avait été débattu avec une rage inlassable avant qu'il soit mis un terme à l'amitié entre les deux garçons.

— Un Juif n'est pas un Palestinien et un Juif n'est pas un Arabe, avait déclaré Abou Hassan en hurlant sur son fils, son poing tapant sur la table. Ce sont tous des salauds, venus ici uniquement pour nous voler. Tu veux me faire honte ?

— Pour l'amour de Dieu, calme-toi, avait dit sa mère d'un ton coupant. La famille d'Isak cousait des boutons au souk de Balasbeh avant ta naissance. Quant à sa femme étrangère… Et moi, alors ? Ne m'as-tu pas traînée dans ce pays abandonné comme du bétail ?

Salim savait qu'elle partageait aussi une amitié particulière avec la pâle Lili Yashuv ; quand ils allaient chercher les plus beaux vêtements de sa mère dans la boutique d'Isak, Lili lui parlait dans son arabe hésitant à l'accent prononcé. Et sa mère souriait comme elle le faisait rarement, même avec les épouses des autres *ayan*.

Aujourd'hui, Elia avait l'air encore plus malheureux que d'habitude. Sa famille faisait partie d'une petite minorité qui était restée à Jaffa. Les autres Juifs s'étaient réfugiés à Tel-Aviv. Leur boutique, dans le souk, était devenue une cible permanente, mais Isak refusait de s'en aller.

— Je ne céderai pas face à cette folie, affirmait-il, et il continuait de venir chaque jour travailler avec obstination, alors que les petites réserves de son commerce ne cessaient de diminuer.

— Ma famille ne cherche pas les ennuis, déclara Elia en s'adressant à Mazen. On veut seulement travailler. Mais il n'y a pas que l'Irgoun qui pose des problèmes.

Il inclina la tête en direction du sud, là où la *Najjada* et l'Armée de libération arabe avaient leur siège.

— Écoute, Elia, je t'accompagne jusqu'à la boutique de ton père, dit Salim vivement.

Mazen lui lança un regard que Salim connaissait bien, celui d'une petite brute prête à frapper.

— On doit être de retour avant le couvre-feu.

— D'accord, les petits *Yehudin*, fit Mazen, méprisant. Bonne balade. On se retrouvera à l'arrivée des armées arabes.

En passant devant Elia, il lui glissa à l'oreille :

— Nous sommes des milliers, Juif. Tu verras.

Il leur tourna le dos et traversa la place en courant.

— Tu n'as pas besoin de venir avec moi, Salim, dit Elia.

Le ciel s'assombrissait à présent, des nuages gris ardoise arrivaient avec la nuit.

— Je n'irai pas jusqu'au bout. Peut-être juste un peu. Ta mère va bien ?

— Oui, ça va, mais elle est inquiète. Ils n'arrêtent pas de se disputer, avec mon père.

— Mes parents aussi. Ta mère, elle a peur que les armées arabes viennent nous sauver ?

Ces derniers temps, à la radio et dans les sermons du vendredi, il n'était question que de cela.

Elia ne répondit pas, et ils marchèrent en silence. Salim commença à se sentir triste pour son ancien ami. S'il était à sa place, est-ce qu'il n'aurait pas peur ? Il imaginait des bataillons d'hommes portant drapeaux et brandissant leurs fusils tels les Bédouins dans les vieilles histoires.

— Vous pourriez venir chez nous, dit-il sous le coup de l'émotion. Maman vous cacherait. On ne dirait à personne que vous êtes juifs. Vous seriez en sécurité, avec nous.

Elia releva brusquement la tête et Salim fut effrayé en voyant son expression.

— *Ya* Salim, je ne pense pas que nous puissions vivre comme avant. Maman dit que votre peuple hait les Juifs et qu'il ne laissera jamais la paix s'installer. Alors nous nous battrons les uns contre les autres, quoi qu'il arrive. Dieu seul sait qui va gagner, dit-il en haussant de nouveau les épaules.

— Ça sera les Arabes.

Salim était sûr de lui. Il avait peu d'affection pour

son père, ou pour Abou Mazen, ou pour tous ces hommes imposants qui venaient chez lui. Mais son monde s'était construit autour de l'odeur de leurs cigarettes et du bruissement feutré de leurs conversations. Comment imaginer que l'assurance tranquille avec laquelle ils régnaient sur le monde puisse disparaître ?

— Tu ne vaux pas mieux que Mazen, si c'est ce que tu penses ! s'écria Elia qui s'était brusquement arrêté. Pourquoi n'es-tu pas parti avec lui ? Il t'apprendra à tirer sur ma famille et à saccager notre magasin, comme ses amis terroristes.

Salim ne put se retenir de rire ; la vision du gros Mazen hurlant, un pistolet à la main, était trop comique. Mais, visiblement, il avait blessé Elia. Ce dernier rentra ses frêles épaules comme un diable en boîte prêt à bondir.

— *Yallah*, va-t'en, alors ! Va !

Il frappa violemment Salim à la poitrine et l'envoya contre le mur de pierre.

Salim eut l'impression de revivre le jour où il s'était fait piquer par une abeille – un engourdissement suivi par une douleur aiguë et croissante, qui lui avait donné envie de hurler. Des larmes brûlantes lui montèrent aux yeux.

— C'est *toi* qui devrais partir ! hurla-t-il en brandissant les poings. Va-t'en ! Ici, on est en Palestine, la terre des Arabes. Retourne chez toi.

— Jaffa, c'est chez moi ! répliqua Elia qui semblait près de pleurer. Mais ce salaud de Mazen veut jeter une bombe par ma fenêtre. Qu'est-ce qu'on est censés faire ?

Salim songea à ce moment d'horreur, place de l'Horloge, les amas ensanglantés de pierres brisées et les cris terribles qui avaient retenti.

Heikal, le maire, avait parlé à la radio cette nuit-là et traité les Juifs de tueurs d'enfants et de bêtes sauvages. Mazen et sa bande avaient juré de se venger. Depuis ce jour, dans toute la ville de Jaffa, il aurait été hérétique de penser que les Juifs n'étaient pas diaboliques.

Mais, malgré cela, Salim croyait encore que le monde des Juifs était divisé entre les bons et les méchants. Les méchants vivaient à Tel-Aviv et dans d'immenses fermes où les Arabes n'allaient jamais. On disait qu'ils avaient chassé les familles de chez elles, envahi Haïfa, Jérusalem et d'autres villages arabes, qu'ils avaient tué des centaines de gens et que les Britanniques les avaient laissés faire. Salim n'avait jamais vu ces Juifs effrayants. Pourtant, la nuit, ils se tenaient à la lisière de son sommeil, ténébreux et sans visage.

Quant à la famille d'Elia, elle ressemblait à tout le monde, à Jaffa. Ses parents travaillaient et vivaient de la même façon que ceux de Salim. Alors, comment pouvaient-ils être ennemis ?

Il voulait l'expliquer à Elia, mais la confusion l'empêchait de parler. Il ne put que rester là, les yeux baissés, son pied s'agitant nerveusement sur le gravier. Ils étaient encore à bonne distance des portes d'Al-Balasbeh, alors que l'heure de les fermer était arrivée. Elia soupira, un son qui semblait dire : *Eh bien ?* Mais si c'était une invitation, Salim ne le comprit pas.

— Je dois rentrer à la maison, maintenant, finit-il par dire.

Demain, peut-être, tout pourrait s'arranger. Elia hocha la tête.

— D'accord, Salim. *Ma salameh* – va en paix.

Tandis qu'Elia s'éloignait, Salim sentit l'inquiétude le tenailler. Il ne lui restait plus qu'à courir, passer devant les ruines de la place et longer les rues aux boutiques fermées, jusqu'à ce qu'il retrouve la sécurité de son foyer.

La maison des Al-Ishmaeli était connue sous le nom de *beit Al-Shamouti*, la maison aux Orangers. Des orangers shamouti frémissaient derrière les grilles du portail en fer, leurs fleurs printanières s'épanouissaient sur les branches. Au cours de l'été, elles prendraient l'aspect de petits citrons avant de se transformer en fruits mordorés. Puis, tandis qu'elles seraient pressées en jus ou découpées pour être saupoudrées de sucre ou arrosées d'eau de rose, l'air s'emplirait d'une douceur altérée. Partout dans la ville, d'autres oranges seraient enveloppées dans du papier et chargées dans des bateaux à vapeur, à destination de pays qui peuplaient les rêves de Salim.

Les voisins chuchotaient aussi que, sans ses quinze *dounam* d'orangeraie au sud de la ville, l'homme aux lèvres charnues, Saeed Al-Ishmaeli – Abou Hassan pour ses amis –, n'aurait guère pu s'offrir qu'une remise dans son jardin. C'était l'autre explication du surnom de la maison.

Pendant qu'il parcourait les rues de plus en plus obscures pour rentrer chez lui, Salim remâchait son chagrin à propos d'Elia et de Mazen. Avant, ils étaient amis. Mais tout avait changé au cours de l'année passée.

À l'école, frère Philippe avait essayé de leur expliquer ce qui allait se passer. La Palestine serait divisée en deux, entre les Juifs et les Arabes. Les Juifs se verraient attribuer la côte nord, la Galilée et le désert du Sud. Les Palestiniens recevraient les terres fertiles des rives ouest du Jourdain, les collines verdoyantes à la frontière du Liban, ainsi que, au sud, le port de Gaza. Jérusalem serait offerte au monde entier. Et parce que Jaffa se trouvait sur la partie palestinienne, les Juifs, au nom de la loi, n'étaient pas autorisés à s'en emparer. Salim avait regardé son professeur avec stupeur. Qui étaient ces gens qui se permettaient de donner et de prendre des maisons ?

L'idée que quelqu'un puisse décider de s'emparer de ses propres arbres lui donnait la chair de poule. *Fellah !* Comment Mazen osait-il le traiter de paysan ? Ces gens étaient sales et pauvres, leurs mains calleuses et leurs dents gâtées. Ils travaillaient la terre, mais ne la possédaient jamais. *Je suis le fils d'un propriétaire. J'ai le droit de faire la récolte.*

Lorsqu'il avait visité les champs, la semaine précédente, il n'avait pas pu cueillir un seul fruit. Salim était trop jeune, d'après Abou Hassan – mais ce que voulait dire son père, c'était *trop désobéissant*. La récolte est le travail d'un homme, pas d'un enfant, avait-il déclaré.

Hassan, lui, y allait à chaque fois. Abou Hassan aimait parader avec son fils aîné le long des allées d'arbres, tel un vrai *effendi* – « Comme s'il était l'héritier d'un immense domaine, et non pas de quelques acres de terre », avait dit sa mère. Salim était un cas trop compliqué pour un homme tel que lui, qui adorait, dans cet ordre, les gains, l'oisiveté et le café, et qui achetait le journal de Jaffa, le *Filastin*, uniquement pour le laisser plié sur la table du salon.

C'est pour cette raison que les moqueries de Mazen blessaient autant Salim. À sa façon, il lui disait : « Mon père est un homme intelligent et important qui comprend les choses. Ton père a peut-être un peu d'argent, mais il a la cervelle d'un *fellah*. Alors, quand l'heure du combat sera venue, ta famille se retrouvera à la rue. »

Salim tourna la poignée de la porte de derrière et se glissa dans le verger. Les arbres semblaient assoupis dans le crépuscule, l'air autour d'eux exhalait encore la chaleur du soleil.

L'enfant aimait les compter en remontant l'allée jusqu'à l'entrée de la maison. Chacun avait une histoire : cet arbre tordu avait perdu ses branches lors d'une tempête hivernale mémorable. À présent, il ressemblait à un mendiant devant leur porte, tendant son bras souffreteux aux visiteurs. Celui-ci était une brute, il poussait ses branches contre toutes les autres, et ses racines surgissaient de terre comme un monstre marin.

Il y avait enfin les trois arbres les plus petits, plantés pour les trois fils : celui de Hassan, d'abord, puis celui de Salim et enfin celui de Rafan, mis en terre l'année précédente.

L'arbre de Hassan avait une bonne taille pour son âge, il était assez grand pour que l'on puisse s'y abriter et ses racines étaient solides. Il avait donné des fruits très tôt. L'aîné des fils Al-Ishmaeli n'avait que cinq ans lorsqu'il avait commencé à en récolter. Chaque année dont Salim se souvenait avait été marquée par ce rituel : il avait tenu le panier tressé de son frère et respiré l'odeur amère des oranges fraîchement cueillies.

L'arbre de Salim donnait des fruits depuis un an. Mais son père ne l'avait pas laissé en cueillir lors de la dernière récolte afin de lui apprendre à obéir. Les cultivateurs d'oranges plantent des arbres à la naissance de leurs fils, disaient les *fellahin*. Les fruits ne deviennent sucrés que lorsque les garçons sont prêts à devenir des hommes.

C'est peut-être pour cela que tu es si petit, pensa tristement Salim en caressant l'écorce. Il n'avait que trois ans de moins que l'oranger de Hassan, et pourtant il n'atteignait même pas la moitié de sa taille. L'arbre s'inclinait vers l'ouest, en direction du coucher de soleil, ses branches semblables à des mains escaladant le mur pour s'échapper.

L'aspect chétif de son arbre était devenu une blague courante dans la maisonnée des Al-Ishmaeli. Hassan s'en amusait particulièrement. « J'espère que tes couilles seront plus grosses que tes oranges, Salim, lui disait-il. Ou tu risques de devenir une femme. » Sa mère affirmait qu'il avait été planté au mauvais endroit. Il y avait beaucoup de pierres, près de l'entrée, et aucun ensoleillement le matin. Mais jamais elle ne se moquait de l'attachement de Salim pour son oranger. Il toucha la récente incision faite sur le tronc cette semaine-là, et se remémora son escapade avec sa mère dans le jardin ; à la lueur des bougies, ils s'étaient glissés dehors sur la pointe des pieds afin d'inscrire la taille de sa septième année sur l'arbre, puis ils avaient mangé des bonbons sous le ciel étoilé.

Lorsqu'il arriva, sa mère était assise sur la galerie,

Rafan à son sein. Derrière elle, le ciel se vidait de ses couleurs. Ses cheveux roux paraissaient noirs dans les ombres bleues. Sa tête était penchée au-dessus du bébé, et le son étouffé de sa chanson se perdait dans la brise marine.

Noor Al-Ishmaeli était une femme impressionnante. Même Salim s'en rendait compte, aux chuchotements des garçons et à la déférence que lui manifestaient les frères* quand elle l'emmenait avec Hassan à l'école. Elle était distante – aussi calme et mélancolique qu'une sculpture, aussi hautaine qu'Andromède accrochée à son rocher. Elle avait hérité son front blanc et ses yeux vert olive de sa famille aristocratique libanaise. Celle-ci, déchue à la suite de temps difficiles, avait marchandé la virginité de leur fille de quinze ans à Saeed Al-Ishmaeli contre l'équivalent de deux voitures neuves et d'un fonds de retraite pour le père.

À présent, malgré quinze ans passés en Palestine, où elle avait mis au monde et élevé trois garçons, elle se comportait encore comme si elle venait d'arriver. Mais pour Salim, elle était source d'émerveillement et d'amour. Il avait toujours été son préféré – jusqu'à la naissance du bébé.

Il posa le menton sur son épaule, pris soudain d'une immense fatigue. Elle inclina la tête afin de reposer son front sur celui de son fils qui, apaisé, ferma les yeux un instant.

— Où étais-tu, *ya'eini* ? lui demanda-t-elle.

Salim était le seul enfant qu'elle appelait de ce nom affectueux. C'était la bénédiction d'une mère qui déclare à son fils : « Tu es la prunelle de mes yeux. »

Elle avait choisi de le dire à l'ancienne, dans cet arabe solennel utilisé par les imams et les chanteurs, et ces mots, qui mettaient une certaine distance, la désignaient comme une *étrangère*. Mais aux oreilles de Salim, ils étaient nobles ; ils faisaient écho à ses rêves éveillés de chevaliers et de reines.

— J'étais dehors avec Mazen, maman.

Elle rit tandis que Rafan, sur ses genoux, émit un petit grognement.

— Je ne comprends pas ce que tu lui trouves, à ce fils de porc.

Salim se sentit coupable.

— Je ne l'aime pas, moi non plus, mais il ne reste plus personne d'autre, ici, répondit-il sur la défensive.

Et c'était vrai. Nombreux étaient ceux qui avaient quitté Jaffa en affirmant qu'ils seraient de retour quand les « incidents » seraient terminés. Salim hésita avant de dire :

— Il a traité *baba* de paysan.

— *Aya*, alors il est peut-être plus intelligent que je ne le pensais.

Elle releva la tête, et tourna ses yeux vifs et perçants vers lui.

— Cela t'a-t-il contrarié, *habibi* ?

Salim baissa la tête, il avait peur de répondre.

— Mon beau garçon, dit-elle, et il perçut de l'amusement dans sa voix. Quelle tristesse, un moustique l'a piqué. Il y en a tant, ici, qui bourdonnent partout. Mais au matin, *ya'eini*, qu'arrive-t-il à ces insectes ?

Elle ouvrit sa main vide, et Salim imagina de petites ombres s'évaporer dans les airs.

— Un jour, tous ces Mazen ne compteront pas plus

que cela à tes yeux. Tu seras quelqu'un de plus important qu'eux.

Puis, d'un geste vif, elle fit retomber sa main et tourna son visage vers l'horizon, où une pâle obscurité s'était installée au-dessus de la mer.

— Si tu veux savoir quel genre d'homme important Mazen va devenir, entre, dit-elle avec insouciance. Abou Mazen est là, il parle affaires avec ton père.

Il faisait noir dans la cuisine. Le dîner était posé sur la table, sous un couvercle ; un chaud fumet de riz, d'agneau, de houmous et de petites portions de feuilles de chou cuites à la vapeur s'en dégageait. La porte donnait directement sur le domaine d'Abou Hassan, avec ses fauteuils en cuir luxueux disposés autour d'une table basse en écaille laquée.

Derrière le battant, Salim pouvait percevoir le murmure plaintif de son père et les réponses régulières d'Abou Mazen. En entendant le mot *Juifs*, il poussa la porte davantage pour écouter.

— Tu peux penser ce que tu veux, mon ami, disait Abou Mazen, mais ceux qui partent en ce moment savent très bien ce qu'ils font. Regarde, Heikal et Al-Hawari ! Heikal est le premier politicien de Jaffa et Al-Hawari le premier soldat. Mais sont-ils ici ? Non. Ils attendent ailleurs, à Beyrouth et au Caire. Ils savent que les Britanniques nous ont déjà laissés tomber comme de vieilles chaussettes. Les Juifs ont pris Haïfa et Jérusalem sans que les *Angleezi* tirent une seule balle. Jaffa est la prochaine. Et quand ils vont arriver ici, ce sera exactement comme à Deir Yassin.

Deir Yassin. Ces mots glacèrent Salim. Il avait vu les photos des corps, dans ce village, après le passage de l'Irgoun. On avait raconté que les Juifs avaient aligné des familles entières contre des murs et les avaient criblées de balles.

— Les Juifs sont des trouillards, rétorqua Abou Hassan de sa voix basse et poussive. Haïfa et Deir Yassin étaient sans défense. Ici, nous avons l'Armée de libération arabe, soit plus de deux mille hommes.

— Ils n'ont que faire de cette populace. Ils sont soutenus par les *Americani* et par les Nations unies. Ils ont des fusils et de l'artillerie fournis par l'Europe. Dans trois semaines, la Palestine sera condamnée à mort. Quand les Britanniques partiront, les Juifs lèveront leur drapeau et le défendront. Tu crois que Ben Gourion va rester à ne rien faire quand on attaquera ses convois et ses kibboutzim ? Qu'il va laisser les Égyptiens et les Jordaniens envahir sa nouvelle Israël, s'installer dans nos villes et aller jusqu'à Jérusalem pour le détruire, lui ? Non, les Juifs ne prendront pas ce risque, je peux te l'assurer. Ils vont attaquer les premiers, et ils prendront tout ce qu'ils pourront. Haïfa est tombée. Maintenant, c'est notre tour. Tu te souviens de la place de l'Horloge ? Ils se fichent de ce qu'ils peuvent nous faire subir. On devrait peut-être tous filer, en attendant que nos amis franchissent la frontière pour nous aider.

Filer ? se répétait intérieurement Salim, juste au moment où son père répondit :

— Pourquoi devrais-je quitter ma propre maison à cause des *Yehudin* ? Je vais plutôt laisser les armées arabes se battre autour de chez moi.

Soudain, Salim poussa un cri d'effroi ; une main s'était abattue sur ses yeux, une autre sur sa bouche.

Un gloussement dans son dos lui indiqua qu'il s'agissait de Hassan, et ce dernier lui pinça fortement la joue.

— Qu'est-ce que c'est que ça, *ya* Salimo ? On écoute encore aux portes ? Dois-je le dire à baba, ou vas-tu me payer pour que je me taise ?

Affolé, Salim tenta brusquement de se dégager, mais l'un de ses bras heurta le visage de Hassan. Celui-ci cessa de rire et se mit à glapir :

— Baba, baba !

La conversation s'interrompit ; des pas approchèrent et la porte de la cuisine s'ouvrit. Bloqué par la prise puissante de Hassan, Salim ne put qu'entrevoir la chemise blanche et le foulard de son père et, au-dessus, ses joues rondes, ses yeux creux et son regard empli de fureur.

— Il m'a frappé, baba, haletait Hassan. Il écoutait à la porte et quand j'ai essayé de l'arrêter, il m'a frappé.

Face à une telle injustice, Salim s'étrangla. Les mots jaillirent de sa bouche avant qu'il ne pût les réfréner.

— Menteur ! hurla-t-il. Tu n'es qu'un menteur, fils de porc !

Hassan, choqué, écarquilla les yeux, tandis que Salim se rendait compte de ce qu'il venait de dire. La main couverte de bagues d'Abou Hassan balaya l'air et il le gifla si fort que Salim se mordit les lèvres. La salive et le goût du sang se mêlèrent aux larmes qui coulaient sur son visage.

Levant les yeux vers son père, il vit sa bouche charnue, cette bouche qui avait prononcé tant de refus la semaine précédente : Abou Hassan avait dit non à la cueillette, non à son oranger, non à l'idée de sa mère de lui organiser une fête d'anniversaire comme celles des enfants britanniques.

— J'espère que les Juifs vont venir te chasser, laissa échapper Salim.

Puis il s'enfuit en pleurant, grimpa les escaliers jusqu'à sa chambre et claqua la porte.

Bientôt, les sanglots laissèrent place au silence. Il put de nouveau entendre les bruits de la maison ; le repas du soir se poursuivait sans lui, et les voix de sa mère et de son père s'élevèrent pour leur dispute habituelle. Cette fois-là, c'était à cause des perles que Rafan avait cassées, et que baba estimait trop chères à remplacer.

— Tu crois que tu as épousé un homme riche ? criait-il de sa voix grave et cassée. Ça ne suffisait pas que ces brigands libanais me dépouillent quand je t'ai emmenée, maintenant tu veux finir le travail ?

Puis :

— Tu veux t'habiller comme une putain de Beyrouth ? Eh bien retournes-y ! Je ne te retiendrai pas.

Vint alors la réponse cinglante de sa mère :

— À Beyrouth, même les prostituées vivent mieux que moi.

Salim mit l'oreiller sur sa tête.

Après le dîner, la porte s'ouvrit en grinçant et il entendit des pas légers. Une voix chuchota :

— Hé, Salim, baba a dit que tu devais rester dans ta chambre sans manger, mais je t'ai apporté une assiette.

C'était Hassan, repentant. Si Salim se retourna pour le regarder, il resta néanmoins silencieux.

— Mon Dieu, Salim, c'était juste une blague. Tu

prends tout tellement au sérieux, gros bêta. Mais pourquoi fallait-il que tu fâches le vieux ? Tu sais bien comment il est.

La mine penaude, il ébouriffa les cheveux de son frère.

Après son départ, Salim essaya d'ignorer la nourriture. Pourtant, son ventre gargouillait si fort qu'il finit par tirer l'assiette vers lui et mangea avidement.

Les pensées s'enroulaient dans son esprit comme des serpents. Un sentiment d'injustice le consumait : il songea à Hassan, si fier de sa journée de récolte ; à la venue au monde de Rafan, qui occupait désormais les bras et le temps de leur mère. Et lui, Salim, qui n'était ni un homme pour se faire respecter ni un bébé pour être aimé. Puis lui revinrent à l'esprit les mots d'Abou Mazen, et il sentit le goût glacial de la peur s'insinuer en lui. Pourquoi les Juifs allaient-ils venir chez eux ? Pourquoi devraient-ils quitter leur maison ? *Ce sera exactement comme à Deir Yassin.* L'histoire de ce massacre s'était répandue à travers la Palestine comme une marée rouge – cinquante morts, cent, deux cents. Le riz, dans sa bouche, lui fit l'effet du gravier et il entendit les cris de la femme – *Omar ! Omar !*

Il repoussa l'assiette, s'allongea et remonta la couverture par-dessus sa tête. Une heure passa avant qu'il entende de nouveau la poignée tourner. Cette fois, une main douce se posa sur son front, et il respira les effluves rassurants du parfum de sa mère. Il resta sans parler autant qu'il le put, craignant que, s'il prononçait un mot, elle ait envie de s'en aller.

Un long silence s'installa. Finalement, il ne put plus se retenir davantage.

— Ce n'est pas ma faute, maman, murmura-t-il. Baba me hait.

— Il te hait ?

Son visage était comme un masque blanc dans l'obscurité.

— Tu ignores encore tout de la haine, *ya'eini*.

— Pourquoi Hassan a-t-il le droit d'aller dans les champs et pas moi ? C'est tellement injuste.

— Qu'est-ce qui est juste, dans cette vie ? dit-elle à voix basse. Même Dieu est injuste. Il n'y a que les imbéciles pour affirmer le contraire. Mais tu apprendras, Salim. Si un homme veut quelque chose, il doit trouver sa propre voie pour l'obtenir.

— Je veux participer à la cueillette, dit-il en se redressant. C'est mon droit. C'est mon tour.

Elle rit doucement.

— Alors, tu veux devenir un *fellah*, toi aussi, mon fils si intelligent ?

Ces mots, comme ceux de Mazen auparavant, le rendirent honteux.

— Je ne suis pas un *fellah*, répliqua-t-il vivement. Mais ce sont autant mes arbres que ceux de Hassan. Et maintenant, j'ai sept ans, c'est mon tour. Toi et baba me l'avez promis.

Elle prit son menton dans sa main. Ses doigts avaient la fraîcheur du marbre.

— Bien, *effendi*. Il y a une chose pour laquelle nous pouvons remercier Dieu. Il t'a donné une mère intelligente – *w'Allahi*, aussi intelligente que son fils. Trop pour ton baba, en tout cas. On a parlé, ce soir, après que la chicha l'a un peu apaisé. Demain matin, descends et baise-lui la main. Et tu auras ta cueillette. Voilà, c'est ton cadeau d'anniversaire, *ya'eini.*

Salim étreignit le bord de son oreiller. Son accès de joie était si inattendu qu'il en eut le souffle coupé, comme s'il avait reçu la claque d'une vague glacée.

Il passa ses bras autour du cou de sa mère. Les mots *maman, maman* montèrent dans sa gorge, mais il les ravala, craignant qu'en les prononçant il ne se mette à pleurer comme un bébé.

Elle le tint contre lui.

— Il ne faut jamais s'inquiéter, *ya'eini*, lui dit-elle tendrement, son haleine tiède soufflant dans ses cheveux.

Puis quelque chose changea et elle se dégagea de son étreinte.

— *Bookra, Insha'Allah*, lui dit-elle, le visage tourné vers la porte. À demain, si Dieu le veut.

— À demain, lui répondit-il, sentant un serrement au cœur familier.

Elle se pencha pour déposer un baiser sur sa joue, et il se souvint, à la dernière minute, alors que l'angoisse montait en lui :

— Maman, est-ce vrai que les Juifs arrivent ?

Elle s'arrêta devant la porte, sa silhouette se découpant délicatement dans la lumière en contre-jour du couloir.

— Que veux-tu savoir ?

— Abou Mazen en parlait. Et Mazen, et les frères*. Est-ce que ce sera comme à Deir Yassin ? Pourquoi ont-ils fait ça ?

Tout d'abord, elle ne répondit pas, et il crut

l'avoir fâchée. Quand enfin elle parla, elle énonça chaque mot lentement, comme si elle les soupesait un à un.

— Ce sont tous des rêveurs, Salim. Les Juifs rêvent d'avoir leur pays, les Arabes rêvent que rien ne change. Ton père rêve d'être riche. Même moi.

Elle soupira et détourna le regard.

— Quand les rêves deviennent plus importants que la vie, on se moque de ce que l'on doit faire pour les réaliser.

Il resta étendu sans bouger, l'oreiller toujours serré dans sa main, sa poitrine allégée par la joie. Lorsqu'elle parlait de rêves, tout ce que cela lui évoquait, c'étaient les arbres du verger.

Elle s'apprêtait à partir, mais il la vit hésiter, et elle tendit la main pour toucher son visage.

— Salim, si quelqu'un te traite de paysan, ne le contredis pas. Les *fellahin* sont les seuls hommes honnêtes de Palestine. C'est à eux que cette terre appartient – pas aux Juifs ni aux *ayan*. Ils l'ont créée avec leurs mains et leur sueur. Ils l'auraient sauvée s'ils l'avaient pu. Mais on les a trahis. Tu comprends ?

Salim hocha la tête, désireux de ne pas la décevoir. En réalité, ses paroles étaient aussi déroutantes que celles d'une chanson. Il se sentit déconcerté, fatigué et ravi.

Elle retira la main de sa joue.

— Dors, maintenant.

Mais Salim demeura éveillé longtemps après son départ. Puis il sombra dans un abîme de fatigue et ses yeux se fermèrent.

— Chaque Juif a une histoire à raconter sur la fondation d'Israël, lui expliquait Rebecca. Celle de l'endroit où il se trouvait quand ce pays est né. Toi, Judit, tu incarnes cette histoire pour ta mère.

— Mais je ne veux pas être une histoire de guerre !

— Et pourtant, tu en es une à toi toute seule, *mommellah*. Rien qu'à toi. On ne choisit pas ce qu'on représente pour les autres.

— J'ai mis des *jours* à accoucher d'elle, racontait Dora chaque fois que les fidèles de la *Shul*, la synagogue de Ryhope Road, ressassaient leurs craintes à propos des conflits avec les Palestiniens, comme un chien s'acharne à ronger son os.

Elle agitait le doigt en l'air et orchestrait sa symphonie pathétique.

— Si elle est arrivée après le terme, c'est parce que je me faisais un sang d'encre pour son oncle qui combattait dans l'armée, à Jaffa et à Haïfa. On vivait littéralement collés à nos postes de radio, on écoutait la BBC jour et nuit, à cause de ces *meshugganeh*, ces maudits Arabes qui menaçaient de nous acculer jusqu'à la mer.

Le récit se poursuivait ainsi : après avoir fermé leur boutique, Gold's Fashions, ils étaient en route pour rentrer chez eux quand Dora avait senti la première vague de contractions l'assaillir avec une violence inouïe. Elle avait saisi le bras de Jack qui conduisait.

— Arrête la voiture, espèce d'idiot, le bébé arrive !

Trente minutes plus tard, le pas chancelant, ils étaient arrivés à l'hôpital Royal Sunderland et, sur le planning du médecin, le nom de Dora fut associé au commentaire suivant : *D. Gold, primipare d'âge mûr – ACCOUCHEMENT DIFFICILE.* La sage-femme vérifia que le médecin de garde était sobre, changea de tablier et se prépara à prodiguer force paroles apaisantes.

Mais ce fut peine perdue. Les contractions de Dora se prolongèrent et le médecin eut beau faire, la patiente ne perdait toujours pas les eaux. Deux jours s'écoulèrent sous les néons implacables de l'hôpital avant que le personnel soignant se décide finalement à provoquer l'accouchement, pour le meilleur ou pour le pire.

Jack vit dans la naissance de Judith *le résultat miraculeux de son efficacité de conducteur.* Pour Dora, cette douloureuse épreuve était une punition divine – signe que la venue au monde de sa fille était, d'une certaine façon, une catastrophe évitée de peu, le prix à payer pour entrer dans le grand théâtre de la souffrance juive. Au terme d'un travail de quarante-huit heures, Dora en fut réduite à hurler : *Pour l'amour de Dieu, sortez-le de là !* Il y eut assez de sang et de chairs meurtries pour que l'on puisse qualifier la scène de champ de bataille et, enfin, à l'instant même où le nouvel État d'Israël voyait le jour, naquit un bébé presque inanimé qui luttait pour respirer.

À la maison, Judith fut installée dans une chambre déjà occupée par Gertie, une petite ombre fantomatique de seize ans. *Vous n'êtes pas liées par le sang,* précisa un jour grand-mère Rebecca, *mais c'est une enfant de Dieu, elle aussi.* Dans ses premiers souvenirs, l'enfant voyait Gertie allongée près d'elle, la nuit, en larmes. Le bruissement de ces pleurs hanta son enfance comme un ruisseau bleu pâle et emplit ses rêves de tristesse. Puis, un jour, elle trouva une photographie sous l'oreiller de la jeune fille, le portrait d'une autre famille. On y voyait deux fillettes, le port raide et l'air solennel, un nourrisson dans les bras. Au dos du cliché, on pouvait lire : *Gertrude, Esther et Daniel Kraus, Vienne, 1939.*

Le certificat de naissance de Judith, écrit d'une main tremblante par Jack, indiquait : *Judit Rebecca Gold.* Dora avait insisté sur le *Judit.* C'était ainsi que s'appelait sa propre mère, dont la mort à Budapest, au début de la guerre, lui causait toujours un violent chagrin. Ayant côtoyé de nombreuses Judit dans sa jeunesse, Dora ne s'était jamais demandé si ce prénom serait difficile à porter hors de la petite communauté juive de Sunderland, dans une salle de classe bien anglaise, remplie de Charlotte et de Victoria. Elle aurait été horrifiée d'apprendre que, peu après son cinquième anniversaire, en cachette, sa fille avait commencé à y ajouter un *h* bien déloyal.

— Ça fait bizarre, Bubby, confiait Judith à Rebecca en revenant de la maternelle. Les autres, elles se moquent de moi. Pourquoi je ne peux pas changer ? Tu pourrais demander à maman de ma part ?

— Oh, *mommellah*, répondait Rebecca en caressant la petite main blanche et potelée de ses doigts couverts de taches de rousseur. Un jour, quand tu seras plus grande, tu pourras choisir ton prénom, comme ton père, et comme je l'ai fait, moi aussi. Mais tant qu'on est petit, on doit garder celui que nous ont donné nos parents. Celui qu'ils ont choisi pour leur bébé dit tout l'amour que nos mamans et nos papas ont pour nous, et la place qui nous est réservée dans leurs cœurs.

— Mais pourquoi elle en a pris un aussi bizarre ? Le tien ne l'est pas. Ni celui de Tony.

Anthony, son cousin, était un adolescent très riche que l'on enviait beaucoup chez les Gold.

— *Ta* maman t'a appelée comme *sa* maman parce qu'elle t'aime aussi fort que sa maman l'aimait. C'est ainsi qu'on se souvient de ceux qui nous sont chers, en les faisant revivre à travers nos enfants. Voilà pourquoi ton papa t'a aussi donné mon prénom : quand je ne serai plus là, tu pourras préserver mon souvenir et conserver un peu de moi en toi.

Judith frissonna et posa la main tiède de sa grand-mère tout contre sa joue. Une perruche apprivoisée était morte dans sa classe, la semaine passée. En larmes, elle avait regardé la maîtresse prendre le petit oiseau jaune vif qui gisait au fond de la cage souillée, et dont les pattes rouges étaient recroquevillées comme de minuscules brindilles.

— Ne meurs pas, Bubby, dit la fillette avec le plus grand sérieux. Je veux que tu restes ici.

À quoi ressemblerait la vie sans la voix paisible de sa grand-mère, sans ses doux cheveux roux, sans ses genoux si confortables ?

Pour Judith, Rebecca faisait autant partie d'elle-même que son deuxième prénom. Sa grand-mère était le cri des mouettes au-dessus de Ryhope Road, l'air vif et pur comme un évier bien récuré, les grincements plaintifs des chantiers navals ; les eaux troubles et bouillonnantes de la mer à Roker Beach, les grondements et les crissements des docks – tous ces sons qu'elle appelait les battements de cœur du Nord. À l'occasion, quand un grand pétrolier remontait le Wear dont il agitait les eaux écumeuses, Rebecca emmenait Judith sur les berges du fleuve. Elle la soulevait et, au creux de ses bras, la petite fille écoutait les acclamations de la foule en agitant son mouchoir au passage de l'étincelant vaisseau d'acier.

Parfois, Judith se demandait pourquoi sa famille était si peu nombreuse comparée aux autres, le samedi, à la *Shul*. Quand les Gold étaient réunis, cela ne ressemblait jamais à de grandes réunions claniques, même si, comme lors des sorties en famille sur Roker Beach, tout le monde était au rendez-vous. Ces jours-là, lunettes de soleil sur le nez, Dora restait allongée sur son transat tandis que Jack s'éventait avec le *Sunderland Echo & Shipping Gazette*. Gertie ne quittait ni ses vêtements ni sa place sous le parasol et Judith, assise toute seule avec sa pelle et son seau, mourait d'envie d'aller barboter dans l'eau, mais la peur des vagues la retenait.

— Tu viens d'une famille de *menschen*, lui expliquait Rebecca en utilisant le mot yiddish qui désignait les gens droits et intègres.

Son doigt suivait les contours de l'étoile de David qu'elle portait toujours autour du cou – un cadeau de mariage.

— Ce n'est pas le cas de tout le monde par ici, *mommellah*. Avec ton grand-père – qu'il repose en paix – nous avons eu trois merveilleux garçons. Chacun d'entre eux a consacré sa vie à faire le bien. Ton oncle Max se bat pour notre terre d'Israël. Oncle Alex, qui gagne beaucoup d'argent, en donne une partie pour aider les pauvres et les malades. Quant à Jacob, ton père, eh bien… comme ta mère et lui croyaient qu'ils ne pouvaient pas avoir d'enfants, ils ont recueilli Gertrude alors qu'elle n'était encore qu'une toute petite fille de ton âge. Ils l'ont sauvée des camps. Et moi, ils m'ont accueillie chez eux pour mes vieux jours. Tu vois, Dieu t'a envoyée pour les récompenser. De même qu'il a confié une tâche à chacun de mes autres fils – une tâche bien plus importante que d'élever une grande famille. Ne sois pas triste. C'est une *mitsvah*, une bénédiction pour nous.

Le cousin Tony voyait les choses d'un autre œil.

— Papa dit que Max est cinglé, lâcha-t-il, la bouche pleine de glace rhum-raisins, un jour qu'il était venu en visite de Londres. Complètement zinzin ; il fait pousser des melons dans le désert et il tire sur les locaux. Saint Max de Sion, voilà comment on l'appelle, nous. Et mon père, grand-mère le prend sans doute pour un Robin des bois juif qui vole les riches pour donner aux *schmucke* ! Franchement, continua-t-il en ébouriffant les cheveux blonds de Judith, je pense que ton père est le seul être normal de la famille. Allez, haut les cœurs, *bubbellah* ! Tu seras probablement tout à fait normale, toi aussi.

Mais les enfants de la guerre ne deviennent pas comme les autres, avait alors pensé la fillette. Ils sont censés devenir des héros. Des *menschen*. Et c'était bien ainsi que Dora l'entendait, lorsqu'elle terminait son récit, sa version *made in* Sunderland de la grande fondation de l'État d'Israël et de l'arrivée de Judit Gold : ayant assuré la sauvegarde du Yishuv, saint Max était revenu des combats. Les cinq armées arabes avaient été mises en déroute et la moitié des habitants de la Palestine s'étaient volatilisés.

— Il m'a raconté qu'à l'instant, l'instant *même* où Judit a vu le jour, Ben Gourion brandissait le drapeau israélien !

En guise de cadeau de naissance, Max avait offert à Dora un morceau d'étoffe bleue, souillée et brodée d'une étoile à six branches.

— Il la portait quand il s'est enrôlé et elle l'a accompagné de Jaffa à Yerushalayem, répétait Dora. Elle rappellera à Judit tous les sacrifices que notre génération a consentis.

Mais la petite fille n'avait vu l'étoile de Max qu'une seule fois dans sa vie. Elle avait aperçu le petit carré de tissu effiloché caché au fond de la trousse à maquillage de sa mère comme une vieille guenille, un *schmatter*.

— Ton frère, peut-être qu'il dîne en compagnie des Justes, avait déclaré un jour sa mère à Jack, mais on ne peut pas dire qu'il roule sur l'or.

Du bout des doigts, Judith avait effleuré le lambeau, comme s'il pouvait la blesser. Ses bords étaient déchirés et il dégageait une drôle d'odeur, une senteur chaude et musquée qui évoquait la poussière. Il faisait pâle figure à côté du drapeau couleur azur qu'elle avait vu à la télévision, ce pauvre fanion d'un bleu altéré, aussi trouble que le Wear à marée haute, et maculé de taches aussi sombres que le sang.

Salim fut réveillé par le bruit d'une explosion.

Un grondement profond et retentissant qui le tira du sommeil, comme un coup sonore frappé à la porte.

Il s'assit, désorienté ; il faisait noir dans sa chambre, où flottait encore le parfum de sa mère.

Dehors, le ciel sombre comme l'encre laissait place à l'aube. Le lit vide de Hassan n'avait pas été défait. Il entendit son propre souffle dans le silence de la pièce.

Soudain, le bruit revint, un vacarme immense qui fit trembler les murs et tomber du plafond des volutes de poussière.

Terrorisé, il se dressa dans son lit. *Que se passe-t-il ? Où sont-ils tous ? Est-ce qu'ils m'ont abandonné ?* Il serra la couverture contre lui, et ses larmes jaillirent.

La porte ouverte de la chambre lui parut soudain menaçante, un trou noir menant vers l'inconnu. Puis une autre explosion retentit. Cette fois, il se leva.

Tandis qu'il descendait les escaliers en courant, il fut presque jeté au sol par un quatrième coup. La porte d'entrée était ouverte et une lumière grise pénétrait dans la maison.

Alors il les vit – sa mère, son père et Hassan, dans le verger. Ils étaient encore en pyjama et chemise de nuit, et son frère aîné était pieds nus. Rafan, le visage rouge et congestionné, pleurait dans les bras de sa mère.

Au-dessus de leur tête, le ciel était strié de zébrures blanches semblables à la foudre. À chaque détonation, des rais de lumière aveuglants illuminaient les feuilles des orangers. Une épaisse fumée dérivait vers la mer.

— Que se passe-t-il ? demanda-t-il d'un ton implorant, alors que de la cendre emplissait sa bouche.

Même Hassan paraissait terrifié. Tel un bébé, il s'agrippait à la main de son père.

— Des mortiers, répondit Abou Hassan, les yeux levés vers le ciel.

Ses paroles furent suivies par un sifflement aigu, avant qu'une explosion fît trembler le sol.

— Ils veulent nous chasser avec leurs bombes et tuer ceux qui restent.

Salim regarda sa mère. Elle se tenait aussi immobile qu'une statue, les yeux braqués sur la mer. Derrière eux, une faible lueur laiteuse signalait le lever imminent du jour.

Les bruits sourds des mortiers étaient encore lointains. Ils venaient de l'est et du nord, en direction de la place de l'Horloge et du centre-ville, avec ses hôpitaux, son cinéma de l'Al-Hambra aux sièges rouges, sa mosquée de Mahmoudiya et les églises de Saint-Pierre et Saint-Georges. Mais entre les détonations, Salim entendit d'autres sons, plus proches de la maison : des cris et des sirènes, les aboiements frénétiques des chiens et le crissement des pneus.

Soudain, on frappa à la grille ; toute la famille Ishmaeli sursauta. Sous le choc, la mère de Salim eut même un geste inimaginable : elle attrapa le bras d'Abou Hassan et s'y accrocha. Elle murmura à ses fils aînés de rentrer dans la maison. Aucun d'eux ne put bouger, figés sur place comme des chats face à un chien.

— Abou Hassan ! fit la voix pressante d'un homme à travers le portail. Ouvrez, par pitié.

Salim reconnut immédiatement la voix ; sa mère aussi.

— C'est Isak Yashuv, dit-elle à Abou Hassan. Vite, laisse-le entrer.

À Jaffa, les portes étaient rarement verrouillées, même en ces jours gouvernés par la peur. Mais cette nuit-là, pour la première fois depuis des années, Abou Hassan avait décidé de tirer le verrou couvert de rouille; celui-ci grinça et résista lorsqu'il batailla pour l'ouvrir. Sa famille, tenaillée par l'anxiété, se blottit derrière lui.

Les yeux noirs d'Isak Yashuv étaient écarquillés par l'urgence; il avait laissé tourner le moteur de sa vieille Austin usée. Lili se tenait devant la portière, ses cheveux châtains couverts par un foulard jaune à fleurs. Sur le siège arrière, Elia était assis, entouré de piles de bagages et de vêtements. Ses yeux croisèrent ceux de Salim et, dans son désarroi, il les détourna.

Isak parlait avec empressement à ses parents.

— C'est l'Irgoun, Abou Hassan. Ils vont prendre Jaffa aujourd'hui ou demain. J'ai peur qu'ils viennent dans notre quartier, alors j'emmène ma famille.

Isak vivait à Manshiyya, à la frontière ténue entre Jaffa et Tel-Aviv.

— Vous devriez verrouiller votre porte. Ne laissez aucun combattant pénétrer chez vous. Restez en dehors des combats, et l'Irgoun ne viendra pas vous chercher d'ennuis.

— Et où allez-vous? demanda la mère de Salim en rejoignant son mari.

Isak lui lança un regard peiné.

— À Tel-Aviv, dit-il. Quel qu'a été notre rêve, il n'existe plus. Soit l'Irgoun nous arrêtera quand il attaquera, soit ce seront les Arabes qui le feront pour se venger.

Abou Hassan tourna la tête de droite à gauche,

comme s'il pensait trouver une solution au-delà des orangers. Alors qu'il hésitait à prendre la parole, la mère de Salim le fit à sa place.

— Nous ne nous sauverons pas, déclara-t-elle froidement. C'est notre maison. Il y a des soldats, ici aussi, ils nous protégeront.

Isak leva les mains.

— N'ayez pas foi en ces soldats, Oum Hassan. Des milliers d'entre eux sont déjà partis vers le port ou sur des bateaux. Les combattants arabes sont avec eux. Jaffa sera bientôt vide et vous serez seuls ici. Mais si tout le monde s'en va, qui pourra revendiquer Jaffa quand cette folie sera terminée ?

Il secoua la tête, incapable d'en dire davantage. Salim aperçut avec stupeur des larmes couler sur ses joues.

Lili s'approcha à son tour et toucha légèrement le bras d'Isak. Dans son arabe laborieux, elle déclara :

— Ne les effraie pas, Isak.

Elle se tourna vers la mère de Salim.

— Restez, si vous ne voulez pas perdre votre maison. Cachez-vous dans la cave et restez-y. Je sais ce que vous pensez, mais ces gens-là ne sont pas des monstres. Tout ce qu'ils veulent, c'est…

Elle fit un geste des mains, puis, baissant les yeux, elle garda le silence. Salim la dévisagea. Qu'est-ce qu'elle racontait ? Que voulaient les Juifs ? Il n'y avait rien pour eux, ici. Tout ce qui était là lui appartenait.

Lili tira sur la manche d'Isak et lui parla rapidement en hébreu. Il tourna la tête vers la voiture et vers Elia.

— Nous devons partir, maintenant, dit-il. Que

Dieu vous bénisse, vous et votre famille, Abou Hassan. J'espère…

Mais quel que soit ce qu'il espérait, ses mots se perdirent dans une autre détonation et un autre grondement.

Jetant un dernier regard derrière lui, il fit monter sa femme en voiture. Les yeux d'Elia fixèrent ceux de son ami tandis que l'Austin démarrait avant de filer vers la route côtière.

La mère de Salim regarda Abou Hassan.

— Nous n'allons nulle part, lui dit-elle. Lili a raison. Si nous partons, qui sait ce qu'il adviendra de cette maison ? Ce sont encore les Anglais qui commandent, non ? Appelle Michael Issa !

Le chrétien était considéré comme l'un des héros qui dirigeaient l'Armée de libération arabe.

— Va voir les Anglais. Demande-leur de faire quelque chose !

Furieuse, elle serra les poings. Rafan, calé sous son bras, hoquetait. Derrière eux, le ciel tremblait et vacillait.

Le dimanche matin commençait à peine lorsqu'ils rentrèrent dans leur maison, et les heures qui passèrent s'écoulèrent lentement. Peu à peu, le fracas des tirs d'obus s'arrêta, faisant place à un silence pesant. Aucune mosquée n'appela à la prière du matin ni à celle de midi. Alors que la chaleur montait, les bruits des klaxons, les vrombissements des véhicules et les murmures de voix apeurées s'amplifièrent. Salim pensa qu'ils venaient du port. Isak Yashuv avait raison. Tout Jaffa prenait la fuite.

Le jeune garçon s'assit dans la cuisine avec sa mère et ses frères et ils écoutèrent la radio. Michael Issa parla ; il expliqua que les tirs avaient tué des centaines d'Arabes près du centre-ville et du port. Les Juifs arrivaient du nord, ils déferlaient depuis les entrailles d'acier de Tel-Aviv. Les gens se sauvaient avant leur arrivée. Le nord de Jaffa était presque vide. Il suppliait les gens de garder leur calme et de rester chez eux. Il comptait défendre Jaffa jusqu'à son dernier souffle.

La chaleur de l'après-midi devint trop forte pour Salim, qui s'en alla errer dans le verger. Une brume jaune envahissait le ciel. L'enfant eut l'impression que même les arbres, dont les feuilles frémissaient dans l'air immobile, tremblaient. Ressentaient-ils la peur, eux aussi ? Il frotta sa main contre l'écorce de son oranger, caressa les encoches qui avaient marqué sa croissance.

— Ne t'inquiète pas, chuchota-t-il, ce sera bientôt fini. Continue à grandir, jusqu'à la prochaine récolte.

Il demeura à l'abri des arbres, en cet après-midi incertain, à scander les mêmes paroles, encore et encore. *N'aie pas peur. N'aie pas peur.*

Après sa nuit agitée, Abou Hassan enfila son plus beau costume en lainage marron acheté à Jérusalem puis s'en alla solliciter l'aide du commissaire de police britannique. Son estomac était pressé contre la boucle de sa ceinture et la sueur laissait des marques sombres sous ses aisselles. Salim observa son père sortir de la cuisine et prendre la porte de derrière. Dehors, la nouvelle voiture d'Abou Mazen l'attendait, moteur ronflant. Mazen était assis à l'arrière, vêtu de son costume de scout. Son visage était pâle et, quand il tourna la tête, Salim remarqua que ses yeux étaient rouges et gonflés. Mais dès qu'il vit son ami le dévisager, Mazen leva la main, imita la forme d'un révolver et le visa à travers la vitre ; Salim vit sa main reculer brusquement lorsque la voiture démarra avant de disparaître dans les rues silencieuses.

Cette nuit-là, Hassan revint avec de bonnes nouvelles.

— Les Britanniques ont adressé un ultimatum aux Juifs, leur annonça-t-il. S'ils ne se retirent pas, les *Angleezi* les chasseront de leurs trous.

Salim poussa un profond soupir de soulagement et Hassan, à côté de lui, applaudit.

— *Al-hamdullilah* – Dieu merci !

— N'y croyez pas trop, répliqua sombrement leur mère. Les Anglais ont déjà fait beaucoup de promesses. Ils partent dans trois semaines. Pourquoi voudraient-ils encore sacrifier la vie de leurs soldats ? Ils préfèrent nous laisser nous entretuer.

Cette fois, pourtant, même les paroles de sa mère ne purent dissiper le soulagement qu'éprouvait Salim. Ils avaient été sauvés de peu. Cela lui rappela le jour où, l'été précédent, une petite fille avait glissé de la jetée et était tombée à la mer. Alertés par les cris de sa mère, les passants s'étaient précipités au bord des eaux noires. Et, soudain, une vague venue de nulle part avait déposé l'enfant sur la terre ferme.

Cette nuit-là, ils purent tous trouver le sommeil. Mais le lendemain matin, la peur les envahit de nouveau. Cela faisait bientôt trois jours que les obus avaient commencé à tomber. Trois jours, sans eau ni électricité. La maison empestait la sueur et les odeurs émanant des toilettes. L'air était poisseux et enfumé.

Où étaient les Britanniques ? Les rues demeuraient vides. Des émissions de radio intermittentes annonçaient que les combats se poursuivaient à l'est et à l'extérieur de Manshiyya. Les villages voisins de Jaffa et les banlieues éloignées avaient été pris. Où était l'Armée de libération arabe ? Ils se sentaient désespérément seuls.

L'après-midi, la mère de Salim demanda à Hassan d'apporter leurs réserves stockées dans l'abri de jardin.

— Nous devons les cacher, expliqua-t-elle. Qui sait combien de temps cette situation va durer ?

Salim aida son frère à transporter les grands sacs de jute remplis de farine. On aurait dit ceux que portaient les réfugiés, ou que les *fellahin* utilisaient pour venir vendre leurs fruits au marché ; à présent, ces sacs étaient son dernier rempart contre la faim. *Pauvre âne, maintenant tu n'es plus qu'un autre idiot de fellah.*

À la tombée de la nuit, quand le fracas des feux de mortiers se fit de nouveau entendre au nord, Salim sentit ses cheveux se hérisser sur sa tête. Il se précipita dans la chambre de ses parents. Sa mère, les mains tremblantes, remplissait une valise.

— Maman, qu'est-ce que tu fais ? lui demanda-t-il, la gorge serrée par la peur.

— S'ils viennent ici, je ne les laisserai pas prendre nos affaires, lui répondit-elle sans lever la tête. Toi aussi, tu dois te préparer. Mets des affaires dans un sac et apporte-le-moi. Préviens Hassan.

Sa voix était calme mais ses mains s'agitaient au-dessus des robes et des bijoux.

Salim sortit en courant et dévala les escaliers. Son cœur affolé battait comme celui d'un animal traqué. *Dehors ! Dehors !* lui intimait-il. *Cours ! Cache-toi !* Il tenta de se calmer. Sa mère avait besoin qu'il se comporte en homme.

Il se dirigea lentement vers le vieux buffet. Il était couvert de photographies soigneusement disposées : celle de grands-parents qu'il n'avait jamais connus, et une, jaunie et triste, représentant une jeune fille le jour de ses noces. Salim chercha désespérément celle qu'il voulait.

Elle était là : la petite photo rectangulaire d'un bébé aux yeux écarquillés adossé à un arbre. Il fixait avec perplexité un point au-dessus de l'appareil. En arrière-plan, la propriété des Al-Ishmaeli se dressait, blanche et fantomatique, sa façade couverte de fleurs grimpantes.

Le cliché avait été pris un an plus tôt dans le verger, lorsque l'arbre de Rafan avait été planté. La représentation du garçonnet, de l'oranger et de la petite pelle enfoncée dans la terre célébrait le commencement de deux nouvelles vies. Mais l'arbre était encore trop petit pour que Rafan puisse s'y appuyer. On l'avait donc installé devant celui de Salim.

— Arrête de faire ton bébé, lui avait dit Hassan, quand Salim s'était plaint de l'injustice de la situation. Ce n'est qu'une photo. Qu'est-ce que ça peut bien te faire ?

Mais Salim avait toujours fait comme si c'était lui, sur l'image, à la place qui lui était due.

Il toucha le tronc de son arbre, sur la photo, et reprit courage. Se saisissant du cadre, il courut jusqu'à sa chambre. Dans son sac d'écolier, il rangea son pyjama, quelques sous-vêtements et des chemises, et glissa le cliché au milieu. Puis il ressortit de la maison, prêt à affronter ce qu'il allait arriver.

Pendant la dernière nuit, Salim veilla dans le verger, assis sous son arbre, un canif dissimulé dans sa poche. Sa mère tenta par deux fois de le faire rentrer à la maison, mais il refusa. Elle finit par lui apporter une couverture.

Il resta avec son sac, recroquevillé contre le tronc. Jaffa était plongée dans le noir, et ce fut la nuit la plus profonde qu'il ait jamais vue. Le ciel, à travers le feuillage sombre et mouvant, était piqueté d'éclats d'étoiles. Lorsque Salim ferma les yeux, ils se muèrent en une rivière étincelante.

Dans l'air laiteux de l'aube, il se mit sur ses pieds. Le monde encore immobile était vide, à l'exception des oiseaux et des chiens. L'espace d'un instant, il se demanda s'il ne dormait pas encore, s'il n'allait pas se réveiller dans son lit et apercevoir la lumière filtrer à travers la fenêtre.

C'est alors qu'il vit des nuages noirs s'élever au-dessus du port. Une brûlante puanteur s'insinua au cœur des maisons endormies. La clameur des coups de feu et des cris se rapprochait en un mélange terrifiant de claquements et de hurlements. Son estomac se noua. La porte de derrière émit un bruit métallique ;

il se retourna vivement et découvrit son père qui se hâtait de rentrer chez eux. Une seconde plus tard, sa mère se précipita dehors, le visage livide et défait. Elle l'attrapa par le bras et commença à le tirer vers l'intérieur.

— Les Juifs sont ici, dit-elle d'une voix rauque. Manshiyya est tombée et ils arrivent par la mer ; ils seront bientôt chez nous. Les Anglais nous ont menti. Viens, maintenant, le moment est venu. Ton père dit que nous devons nous en aller.

Salim vit Abou Hassan descendre deux grandes valises dans les escaliers. Hassan, qui sortait de leur chambre avec un sac de toile, le suivait. Des larmes roulaient sur ses joues, et à leur vue, Salim se mit à pleurer.

— Je ne veux pas partir, dit-il en sanglotant.

Il se sentait aussi vulnérable que la feuille d'un arbre en plein orage.

— Ici, c'est chez nous. Je veux rester.

— Ne fais pas l'idiot, répliqua son père.

La sueur perlait sur son visage rond et ses vêtements étaient imprégnés de l'odeur de la peur.

— C'est fini, pour Jaffa. Les Juifs arrivent. Tu as donc oublié Deir Yassin ? Si on reste, on va tous mourir.

À cet instant, Salim s'en moquait éperdument.

— Nous partons chez ta sœur, poursuivit Abou Hassan en chargeant les lourds bagages dans la voiture.

Il parlait de sa fille adulte, née de sa première femme depuis longtemps décédée. Un jour, ils avaient rendu visite à Nadia et à son mari Tareq ; chez eux, dans les collines de Nazareth, ils avaient bu du thé glacé et mangé des dattes.

À l'intérieur de la maison, Salim entendit le son du gramophone maternel. Une femme chantait d'une voix triste une chanson d'amour. *Ils ne peuvent pas m'obliger à partir.* Les mots le frappèrent, plus fort que la complainte, plus fort que le grondement incessant qui venait du port. Il s'enfuit dans le patio en ignorant l'appel de son grand frère, « Hé, Salim ! », et les gémissements de Rafan.

Il ne pouvait pas s'en aller. Ils ne comprenaient pas. Il se mit à courir dans l'air étouffant au milieu des arbres aux branches fatiguées.

Le canif, qu'il avait volé dans le placard de Hassan quelques semaines auparavant, cognait dans sa poche. Il le sortit et l'enfonça dans l'écorce, où il commença à graver son nom. *Si quelqu'un vient ici, il saura que tu m'appartiens.* Sa main tremblait et l'encoche était peu profonde. Avant qu'il eût terminé, il sentit la main de sa mère près de son bras.

— Viens, Salim, n'aggrave pas les choses, souffla-t-elle en le ramenant à l'intérieur. Ton père a pris sa décision. Prions Dieu que tout cela ne dure pas longtemps.

Les années suivantes, Salim tenterait de revivre ces dernières minutes à la maison aux Orangers, et des bribes de souvenirs lui reviendraient, brûlants comme les braises d'un feu de cheminée : le rideau jaune qui voletait dans sa chambre pendant qu'il enfilait ses chaussettes, le pâle reflet du miroir de sa mère tandis qu'elle rassemblait ses derniers bijoux ; le soudain murmure du vent printanier dans les orangers lorsqu'on l'installa sur le siège arrière ; le grincement de la porte quand le verrou s'enclencha. Et le dernier claquement de portière, ce son final qui lui fit l'effet d'un coup porté au cœur alors qu'ils se hâtaient de partir.

1956

— Tends-les, ces bras ! Tends-les ! Bon sang, Judith, mets-y un peu du tien ! Comment veux-tu y arriver si tu ne fais aucun effort ?

Au cours de sa huitième année, afin d'échapper aux préparatifs de la célébration du tricentenaire des Juifs en Grande-Bretagne, Judith allait nager à la piscine du club de natation de Wearside tous les jeudis après-midi. Le maître nageur, M. Hicks, se contrefichait du dîner qui réunirait le Premier ministre en personne, le duc d'Édimbourg ainsi que « tous les Juifs qui comptaient ». Quant à Dora, une juste colère l'habitait : Alex Gold faisait partie des organisateurs de la cérémonie et sa famille n'avait même pas reçu d'invitation !

Judith savait bien qu'ils n'étaient pas riches, sa mère le leur répétait au moins une fois par jour. Dora appelait oncle Alex « ce *pishaker* plein aux as de Londres », et elle paraissait bien décidée à punir Jack et Judith de l'avoir privée de la place qui lui revenait de droit dans la société.

Pour son mari, c'était la guerre qui était responsable de leur déchéance sociale. D'après lui, les affaires marchaient très bien pour Gold's Fashions dans les années 1930. Mais lorsque les bombes s'étaient abattues sur les chantiers navals de Sunderland et les avaient réduits en cendres, la moitié des clients de la boutique avaient fui. *Entre les vêtements de ta mère et ces salauds de banquiers, même Moïse resterait pauvre comme Job*, voilà ce que Judith l'entendait grommeler quand il faisait ses comptes.

— Ton frère a honte de toi, Jack, accusa Dora d'un ton rageur, la veille du jour où Judith allait fêter ses huit ans. Nous, on est les parents pauvres du Nord et lui, il se pavane dans Regent's Park.

— Ne sois pas ridicule, répondit-il en s'approchant insensiblement de la porte de derrière. Il y a quatre cent mille Juifs en Grande-Bretagne, nous ne pouvons pas tous dîner avec le Premier ministre. Calme-toi et organise un repas ici avec les fidèles de notre *Shul*, si tu veux. Maintenant, il faut que je fasse un saut au magasin, Gertie a un problème avec les livres de commandes. Au revoir, ma puce, dit-il à Judith en posant un baiser sur son crâne avant de s'esquiver.

Perchée sur des talons bleus, Dora passa devant sa fille comme un tourbillon et se mit en devoir de dresser la table avec force claquements de porcelaine. Judith s'approcha sur la pointe des pieds.

— Tu vois un peu comment ils sont, dans ta famille ? lâcha sa mère, le menton soudain crispé par l'amertume. Ils oublient qu'ils sont juifs. Ils ont beau s'appeler « Gold », ils ne valent guère plus que du plomb, au fond. Après tout ce que nous avons enduré, nous devrions rester soudés, nous autres. Mais pas eux, oh, non, ils se considèrent trop bien pour ça !

C'est chacun pour soi et nous, on peut aller se faire *shtup*. Ne t'avise pas de leur ressembler, jeune fille ! recommanda-t-elle en agitant un doigt menaçant à l'intention du robinet où se reflétait l'image de Judith. C'est bien triste d'élever une ingrate, tu sais.

Judith hocha solennellement la tête. Pourtant, l'idée que les gens restent soudés la dégoûtait un peu. Les Juifs soudés, elle se les représentait agglutinés comme les boulettes de papier mâché gris qu'on utilisait à l'école.

Ce soir-là, allongée dans son lit, elle s'imagina qu'ils étaient tous à Londres, dans leurs plus beaux habits, pour la grande fête d'oncle Alex. Mais étrangement, alors qu'elle sombrait dans le sommeil, le gala se transforma en une noce où des centaines de gens dansaient la *hora* dans un tel vacarme que Judith porta ses mains à ses oreilles. Ensuite, Dora l'attrapa brusquement par la main en criant : *Viens, tout le monde t'attend, jeune demoiselle !* Mais quelque chose clochait. Elle était incapable de bouger et, en baissant les yeux, elle vit ses pieds s'enfoncer dans des lambeaux de papier humide qui adhéraient à sa peau et la clouaient sur place.

Les filles juives de Hillview Junior School n'auraient sans doute vu aucun inconvénient à rester soudées entre elles ; tout comme Judith, elles ignoraient ce que c'était que d'avoir des amis hors de leur communauté. Mais après la première année d'école primaire, les élèves avaient été rangées non par tribu mais selon l'arbitraire populiste de l'ordre alphabétique. Judith s'était alors retrouvée assise à côté d'une prénommée Kathleen, fillette aux épaisses boucles noires, aux dents écartées et qui portait des collants roses avec sa jupe d'uniforme.

Ce jour-là, à la récréation, tandis que les filles du *Shul*-club (comme les appelait Tony) se rassemblaient dans leur coin habituel, Kathleen demanda allègrement à sa camarade où se trouvaient les balançoires et les toilettes. Alors qu'elles déambulaient dans la cour sous le pâle soleil matinal, Judith sentit une petite main se glisser dans la sienne et la fillette se mit à bavarder d'un ton enjoué en zézayant.

— Tu n'es vraiment pas comme *elles*, dit-elle en chassant l'un des garçons d'un coup de pied pour prendre sa place sur la balançoire en retroussant sa jupe. Elles me font vraiment penser aux Juives de mon ancienne école : toujours à faire bande à part, tu vois. Tu es gentille, toi.

Judith haussa les épaules en rougissant.

— Elles ne sont pas si méchantes, protesta-t-elle d'une voix mal assurée.

Jetant un coup d'œil nerveux par-dessus son épaule, elle aperçut le petit groupe qu'elle connaissait si bien – Minnie, Blanche, Ethel et Rachel – la dévisager avec un étonnement manifeste.

Kathleen prit son élan et tendit les jambes vers le ciel pommelé. Judith prit place sur le siège voisin avant de s'élancer à son tour. La sensation du vent tandis qu'elle s'élevait créa un agréable chatouillis dans son ventre.

— Alors pourquoi tu joues avec moi et pas avec elles ? demanda la petite nouvelle, le temps d'un chassé-croisé.

Judith ne sut pas quoi répondre. Elle n'avait rien contre ses autres amies. Mais elle ne les aimait pas plus que ça.

— Parce que, finit-elle par dire.

Elle pensa à la réaction de Dora et se sentit soudain à la fois téméraire et diabolique.

— Je t'aime bien. C'est pas défendu, si ? reprit Judith.

Kathleen sauta par terre avec un petit rire espiègle.

— Tu es une rebelle ! s'esclaffa-t-elle. Maman dit que les rebelles, ce sont les meilleurs.

Elle se mit à tourner autour de Judith en sautillant et en agitant les bras.

— J'adore ça ! s'écria-t-elle. C'est si romantique, on dirait une chanson : *Tutti frutti, oh Judy. A-woop-bop-a-loo-bop-a-wop-bam-boom !*

Kathleen continua de chanter tant et si bien que les deux fillettes finirent par s'adosser au mur de l'école en riant jusqu'aux larmes. À partir de ce jour, Judith s'appela Judy et les deux amies devinrent inséparables.

Kathleen pratiquait la natation.

— D'après maman, je ne suis bonne qu'à nager, expliqua-t-elle.

Un après-midi, sur le chemin de retour de l'école, Judith l'accompagna au centre nautique de Wearside ; captivée, elle regarda les nageuses filer d'un bord à l'autre du bassin. Leurs bonnets blancs dessinaient des crêtes à la surface dont le bleu limpide évoquait la mer, celle qu'on voyait sur les cartes postales d'oncle Max.

— Dans l'eau, il n'y a pas de Juif ou de non-Juif, ma petite, déclara M. Hicks lorsque Kath poussa son amie à demander comment s'inscrire. Il faut simplement avoir de bonnes jambes et un peu de cran.

Ensuite, la vie ne fut plus jamais comme avant, mais se transforma en une effervescence de bulles aquatiques : Judith vécut l'euphorie des premières bouffées d'air après l'apnée, la pression rafraîchissante de l'eau sur ses tympans désormais étanches à l'irritation maternelle, et elle vit ses bras gagner peu à peu en vigueur. Chaque jeudi, en quittant Wearside, elle raccompagnait Kathleen chez elle pour écouter Pat Boone et Little Richard sur le tourne-disque de sa mère.

Sa maison sentait la saucisse grillée et les frites. Avec ses pantalons moulants aux couleurs vives qui s'arrêtaient au-dessus des chevilles et ses hauts à rayures, la maîtresse de maison ressemblait à une poupée. Elle avait les mêmes cheveux noirs et bouclés que sa fille, fumait et riait comme une adolescente et dit à Judith de l'appeler Molly. Quand la fillette demanda où était le père de Kathleen, son amie lui répondit par un simple haussement d'épaules tandis que Molly déclarait laconiquement : *Parti, et bon débarras.* Pour autant, Judith raffolait de ces après-midi si joyeux, elle adorait entendre Molly répéter qu'il ne fallait pas se laisser dicter ses règles mais vivre sa vie. Judith était trop jeune pour s'apercevoir que son amie ne savait pas très bien lire, qu'il arrivait à sa mère de pleurer et de boire et que, en dépit de leurs couleurs vives, les vêtements de Kath étaient tachés.

Le dernier vendredi des grandes vacances, dans l'après-midi, Kath vint frapper à la porte des Gold. Depuis sa chambre, Judith entendit Gertie répondre, reconnut la voix flûtée de son amie et dévala aussitôt l'escalier.

— Fais attention, Judit, maugréa sa sœur, mais, dans sa bouche, les voyelles sonores du nord de l'Angleterre étaient adoucies par des vestiges d'accent allemand.

Judith se faufila devant elle en roulant les yeux. Kath se mit à glousser.

— Tu sais quoi ? dit-elle quand Gertie se fut éclipsée. Je vais piquer une tête à Wearside. Maman est sortie avec un type. Elle sera d'accord. Tu viens avec moi ?

Instinctivement, Judith jeta un coup d'œil derrière elle. Gertie et Rebecca étaient dans la cuisine, l'odeur aigre des croquettes de poisson s'insinuait dans le couloir.

— Je ne peux pas, répondit-elle, submergée par un sentiment de frustration, c'est sabbat.

— Judy-Rudy, tu n'es pas une rebelle, déclara Kath en haussant les épaules, mais avec un grand sourire malicieux. On va à Roker Beach, dimanche. C'est la dernière fois de l'été ! Maman dit que tu n'as qu'à venir, ça te dit ?

Ce soir-là, pendant les prières, Judith ne tenait pas en place. Alors que Dora modulait sa mélopée, tout ce qu'elle entendait, c'étaient les paroles de Kath, lancées à pleins poumons tandis qu'elle s'éloignait dans la rue : *Surtout reste bien au chaud, poulette !*

À table, l'air morose, elle fit tourner sa cuillère dans son bol en regardant les boulettes aux formes irrégulières remonter à la surface. Quelques heures plus tôt, sous ses yeux, Rebecca les avait façonnées avec des œufs et de la farine de pain azyme avant de les plonger avec une extrême délicatesse dans la grosse marmite ; alors, l'arôme acidulé du froment avait envahi la cuisine. Mais à présent, elles flottaient mollement autour de sa cuillère, mornes, informes. Rien qu'à l'idée d'en mettre une dans sa bouche, Judith sentit son estomac se soulever.

D'un geste furtif, elle en sortit une et l'escamota prestement. Gertie se concentrait sur sa soupe et Dora racontait à Jack qu'une femme de leur *Shul* s'envoyait en l'air avec un goy de Londres.

Judith repêcha une autre boulette et la cacha aussi. Elle s'apprêtait à en prendre une troisième quand sa grand-mère lui demanda :

— *Mommellah*, mais qu'est-ce que tu fabriques avec tes *knedlach* ?

Dora releva brusquement la tête et ses yeux de fouine ne tardèrent pas à repérer ce qui dépassait sous l'assiette.

— Qu'est-ce que c'est que ça, jeune fille ? On se remet à cacher sa nourriture ?

— Elles me donnent mal au ventre, répondit Judith avec une expression butée.

Dora haussa les sourcils et Jack pointa sa cuillère vers elle.

— Avec tout le mal que s'est donné ta grand-mère aujourd'hui, ma puce, dit-il. As-tu oublié que d'autres enfants ont faim, sur cette terre ?

— Je ne sais pas ce qui lui prend, ces temps-ci, commenta sa mère, les lèvres pincées. Je n'ai jamais vu ça, une petite fille qui refuse de manger ce que lui sert sa famille. Gertie avait exactement ton âge, petite demoiselle, quand elle est arrivée chez nous… Et on l'avait *affamée*, rappela-t-elle, son index effilé tendu vers le visage arrondi de l'intéressée. Affamée dans le ghetto, comme des millions de Juifs ! La faim a fait presque autant de victimes que les camps pendant la Shoah. C'est une insulte à leur mémoire, de bouder sa nourriture quand on en a à satiété, n'est-ce pas, Gertie ?

— Dieu nous ordonne de manger, le jour du sabbat, déclara la jeune fille avec le plus grand sérieux en enfonçant le doigt dans l'épaule de Judith. C'est un commandement divin !

L'accusée recula brusquement.

— Arrêtez de me parler tout le temps de Dieu, dit-elle d'un air malheureux. C'est pas normal.

À ces mots, sa sœur grimaça, aussi surprise qu'offensée, et sa mère leva les bras au ciel.

— Normal ? répéta-t-elle d'une voix frémissante de mépris. Normal ? Est-ce normal, une petite fille qui répond à ses parents ? Est-ce normal de ne pas respecter ses traditions ?

Les yeux rivés à la table, Judith tenta de s'imaginer sous l'eau et, soudain, les reproches de sa mère se réduisirent à de faibles échos, une mélodie assourdie par les vagues.

— Tu ferais mieux d'aller dans ta chambre si tu n'as pas faim.

Ayant récupéré les *knedlach*, Dora les glissa dans sa bouche et remercia Rebecca avec force hochements de tête.

— Allez, file ! Tu vas finir par me donner une indigestion.

Judith se leva de sa chaise, les jambes flageolantes, comme alourdies par des haltères en plomb. Elle sortit lentement de la cuisine et sentit au passage le doigt de Rebecca lui effleurer le bras d'un geste consolateur.

À l'étage, elle s'allongea sur son lit et son estomac vide la rendit presque euphorique. Le bourdonnement de la conversation lui parvint du rez-de-chaussée. *Ils parlent de moi*, se dit-elle. Elle en éprouva un plaisir un peu coupable.

Judith s'assit et ouvrit son cartable dont elle sortit un carnet rouge et un crayon mâchonné. Elle arracha une page, dessina un petit cœur tout en haut et se mit à écrire :

Chère Kath, on m'a envoyée au lit sans dîner. Je suis vraiment une rebelle maintenant ! J'espère que tu t'amuseras bien à la plage ce week-end. Je te verrai à l'école. Bisous, Judy.

Elle plia le billet et inscrivit *Kath* dessus. Elle se demanda si elle arriverait à convaincre Gertie de la laisser faire un saut chez son amie, le dimanche, à l'occasion du périple hebdomadaire qui la menait à son cours d'hébreu.

Une semaine après l'« incident » des *knedlach*, comme l'appela Tony, Max, qui vivait dans un kibboutz en Israël, rentra à la maison pour Yom Kippour.

— C'est un jour d'expiation pour tout le mal qui est en nous, avait expliqué le rabbin à Judith pendant la séance de lecture de la Torah.

Il avait insisté sur l'interdiction de boire et de manger du lever au coucher du soleil ; on ne devait pas porter de chaussures en cuir, ni se laver, ni s'oindre le corps d'huiles ou de parfums, ni avoir de relations conjugales. Ces deux dernières injonctions laissèrent Judith perplexe. À sa connaissance, Dora n'avait jamais laissé passer une journée sans se parfumer. Quant aux *relations*, il lui fallut encore plusieurs années avant de comprendre ce qui était censé se passer dans les lits jumeaux qu'occupaient ses parents – une supercherie qui la rendit furieuse d'avoir été bernée aussi longtemps.

Il faisait très chaud en ce mois de septembre et Jack passait son temps à se lamenter que les stocks d'automne se vendaient mal. Une nuit, Judith se glissa dans le lit de Gertie. Les remontrances que leur mère adressait à Jack traversaient le plancher.

— Mais pourquoi avoir commandé un réassort de manteaux en août ? tempêtait Dora.

La réponse de son mari se perdit dans un marmonnement penaud.

— Tu crois qu'ils se détestent ? chuchota Judith à sa sœur qui l'enlaçait de ses bras blancs si doux.

— Non, répondit Gertie à voix basse. C'est qu'ils ont fait du chemin pour en arriver là, ils ont peur de retomber tout en bas.

Judith se demanda soudain si Gertie avait parfois envie de retourner d'où elle venait. Lui arrivait-il de souhaiter que Judith soit une *Esther* ou un *Daniel* de Vienne et non une sœur de substitution qui la rejetait ?

La tradition familiale voulait que Judith ne fréquente pas l'école pendant le jeûne de Yom Kippour même si elle était trop petite pour l'observer.

— Ton ventre n'est pas assez grand pour rester vide aussi longtemps, lui expliqua Rebecca avec douceur lorsqu'elle demanda pourquoi elle devait passer toute la journée à se morfondre à la maison. Notre Loi place le respect de la vie humaine au-dessus des autres obligations religieuses. Cela signifie que ta santé passe en premier, *mommellah*, mais tu peux toujours t'asseoir, méditer et prier comme nous tous.

À cette occasion, Dora, Jack et Gertie se rendaient à la synagogue. Rebecca, qui ménageait son cœur fragile, demeurait tranquillement chez eux avec Judith pour s'occuper du repas de fête : elles mettaient le pain *challah* à cuire, coupaient les œufs durs et préparaient des *kugeln* sucrés. La petite fille n'essaya même pas d'aller à Wearside, laissant son amie nager sans elle une fois de plus.

Le soir venu, oncle Max alluma les bougies qu'il avait rapportées du kibboutz, prit Jack et Dora dans ses bras puis embrassa et bénit sa mère. Ensuite, il serra la main d'oncle Alex qui était venu de Londres. À l'instant où le soleil disparaissait à l'horizon, le cousin Tony, qui était arrivé de l'université, souffla violemment entre ses mains pour imiter le son du schofar – en gratifiant Judith d'un clin d'œil espiègle.

Judith prit plaisir à cette réunion de famille ; elle associait ses deux oncles à un monde d'aventures et de rebondissements dramatiques. Alex, avec ses costumes taillés sur mesure, ses bagues au petit doigt et son accent londonien raffiné, ressemblait à son père en plus chic. Lorsqu'il parlait, la fillette imaginait un milkshake au chocolat se déverser dans un verre bien frais. Mince, le teint hâlé, oncle Max aurait quant à lui tout aussi bien pu être une vedette de cinéma. Rebecca rayonnait de fierté et de bonheur en voyant ses trois fils assis autour de la table; la main de Max dans la sienne, elle essuya des larmes silencieuses.

— Alors, Max, demanda Alex en se servant un gâteau, comment poussent les melons de Sion?

— Viens donc voir par toi-même, répondit son frère avec l'esquisse d'un sourire. Viens faire don de ton travail au lieu d'envoyer de l'argent.

La mine soudain réjouie, l'intéressé chatouilla les côtes de Judith.

— Ton oncle Max me prend pour l'un des usuriers du Temple, dit-il. Il n'a pas compris que sans les crapules de mon espèce pour financer les purs idéalistes tels que lui, Israël serait embourbé dans les marécages depuis des lustres.

Rebecca lâcha un *tss-tss* réprobateur en agitant la main pour faire taire son fils et Jack renchérit:

— Allons, allons.

— Non, non, non, protesta Max, les yeux bleus écarquillés, le regard impétueux. Dis-nous le fond de ta pensée, mon frère.

Mais ensuite il se tourna vers Judith et Tony pour ajouter:

— Oncle Alex sait bien qu'à la fin de la guerre nous n'avions rien dans le kibboutz, pas même de l'eau. Je ne me souviens pas qu'on nous ait appelés pour nous proposer des outils et des systèmes d'irrigation. Nous avons dû les construire à mains nues.

— Le travail, c'est la santé, commenta Jack en hochant la tête tandis qu'Alex riait de bon cœur.

— À l'époque, j'étais plus jeune que Tony, poursuivit Max, et je croyais savoir ce qu'était un travail pénible. Mais je ne connaissais rien à rien, dit-il en secouant la tête avec un sourire contrit pour sa nièce. Au bout d'une semaine, mes paumes et mes doigts étaient couverts d'ampoules, impossible de tenir une cuillère. Les autres colons devaient me nourrir comme un bébé. Et puis il y avait les Arabes. Ils nous lançaient des grenades, ils nous tiraient dessus dès qu'il faisait nuit. Alors n'écoute pas ton oncle, Judit. Écoute plutôt ton père, il sait, lui. L'argent ne peut pas tout acheter. Il ne nous a certainement pas acheté notre patrie.

— Pour l'amour de Dieu, intervint Alex, pourquoi faut-il que tout dîner festif juif s'enlise dans un débat sur Israël ou sur la Shoah ? N'avons-nous donc aucun autre sujet de discussion ?

— Mais ces enfants, rétorqua Max, la fourchette pointée sur Judith, il faut qu'ils sachent : Israël n'est pas apparu comme par miracle. Là-bas aussi, des Juifs ont été massacrés pour que nous ayons tous une terre où vivre en sécurité.

Rebecca caressa le visage de son fils.

— Je sais, mon chéri.

— Tu prends tout ça très au sérieux, Max, commenta Alex en buvant son vin à petites gorgées.

— Parce que c'*est* sérieux. Chaque jour, je dois veiller sur trois cents personnes, des dizaines d'hectares, plus d'une centaine de vaches et de moutons, et plusieurs tonnes de machines agricoles, sans oublier le puits qu'il faut consolider et drainer une fois par an.

— Pas étonnant que tu aies l'air aussi vieux !

— Alex, voilà dix ans que je te demande de l'argent, celui de papa, d'ailleurs, celui qui devait nous revenir à tous. Quoi, je ne compte pas assez pour recevoir ton obole ? Tu ne peux pas croire qu'un homme sans fortune puisse tout de même être un *mensch* ?

Pour toute réponse, son frère roula les yeux.

— Jack, tu te rappelles ? Gold's Fashions devait être un placement pour nous trois après la mort de papa, une sorte d'assurance pour la famille. Mais notre petit frère voyait les choses d'un autre œil : pas de sacrifices pour lui, hein ? Non, tout a servi à financer son université pleine de grands pontes, ses beaux costumes bien au-dessus de nos moyens et une existence dans les beaux quartiers de Londres ! Faut-il que je supplie ma propre famille pour obtenir un peu d'argent ? Faut-il qu'Israël demande l'aumône à un Juif, je vous le demande ?

Alex se rembrunit et Judith vit son poing se crisper sous la table, à côté d'elle.

— Tu veux que je te remercie de t'être sacrifié ? D'avoir quitté ta mère et ta famille pour t'adonner à l'agriculture collective socialiste et abattre des Arabes ? Les Juifs comme moi ont déjà assez payé pour Israël. Qui les a achetées, à ton avis, tes machines agricoles et tes précieuses vaches ? Pas les Soviétiques, crois-moi sur parole !

— Ni les banquiers.

— Ah, vraiment ? Et qui, alors ? Moïse ? Papa a tout perdu en fuyant une guerre, Max. Son souhait n'a jamais été que son argent serve à en financer une autre. Vivre en sécurité ! lâcha-t-il avec un rire étranglé alors que Jack essayait de l'interrompre. S'entourer de hauts murs et de barbelés ne signifie pas vivre en *sécurité*, mais vivre en état de siège.

— La faute à qui ? riposta son frère qui avait blêmi

sous son hâle. On a essayé, au début. On a essayé de cohabiter avec les Arabes, mais ce sont des sauvages sans éducation ni civilisation. Et ils nous haïssent. Ils ont passé cinquante ans à nous tirer dessus, à nous bombarder et à tenter de nous chasser de notre terre. Ils nous traitaient de monstres ! La partition aurait pu nous permettre de vivre en paix. Eh bien, ils ont refusé l'idée même d'une négociation ! Ils préféreraient nous anéantir !

Sur ces mots, il repoussa sa chaise dont le grincement sonore fit sursauter Judith.

— Les Arabes n'étaient pas les seuls à avoir des fusils et des bombes, répondit Alex, placide. Et l'Irgoun ? Et ce représentant de l'ONU qu'ils ont fait sauter… Bernadotte, c'est ça ? Et tu as pensé à ceux d'entre nous qui ne vivent pas derrière vos grillages barbelés ? Je suis navré de te l'apprendre, Max, mais Israël n'a mis aucun Juif hors de danger. À tort ou à raison, trop de gens nous haïssent à cause de ce pays. Certains étudiants glissent des lettres d'injures antisémites sous la porte de Tony à l'université !

Max lança un coup d'œil à l'intéressé qui lui rendit calmement son regard.

— Quelle est la solution ? Devons-nous tous faire nos bagages et partir « l'an prochain à Jérusalem [1] » ?

Levant son verre, il fit mine de prononcer la prière sacrée de la Pâque juive.

— Non, reprit-il ensuite. Merci pour ton dévouement, mais je crois que je vais rester à Londres, conti-

1. Formule qui clôt les célébrations de Pessah.

nuer à payer mes impôts et te laisser creuser des puits dans le désert pour me protéger…

Instinctivement, Judith tourna la tête vers Rebecca, assise en face de Max – Rebecca, la paisible rivière qui entraînait leur petite flottille vers l'avant.

Sa grand-mère avait légèrement détourné son visage du côté de la cheminée où s'étalaient les photos de famille dans leurs cadres empoussiérés. Quand on la pressait de décrire les circonstances de chaque cliché, Judith n'y parvenait jamais, mais elle les connaissait par cœur. Les yeux de Rebecca étaient perdus dans le vide, *à des milliers de kilomètres*, aurait-elle pu dire. Dans la lumière tamisée des bougies, elle paraissait submergée par un flot de tristesse. Les ombres projetées par les flammes semblaient gagner du terrain, prêtes à l'envelopper tout entière. Elle émit un bruit de gorge avant de tendre la main.

— Bubby, dit-elle.

À ces mots, Alex tourna brusquement la tête.

— Maman, ça va ? demanda-t-il.

Jack se pencha, la prit par l'épaule. Rebecca, échappant soudain à ses lointaines pensées, revint sur terre. L'air troublé, elle se couvrit les yeux.

— Désolé pour tout ce tapage, maman, dit Jack. Tu veux aller t'allonger ?

Max expira lentement, Alex s'adossa à sa chaise et Dora tendit le bras devant son mari pour prendre la main de Rebecca.

— Tout va bien, mon chéri, dit cette dernière sans qu'on sache exactement auquel de ses fils elle s'adressait. Ne t'inquiète pas pour moi, ta maman se fait vieille, c'est tout.

Après avoir regardé autour d'elle, les yeux humides et encore un peu vagues, elle ajouta d'une voix légèrement essoufflée :

— Mangez, mangez, mes enfants. C'est une bénédiction d'être réunis. Notre havre réside en chacun de nous, alors peu importe où vivent les uns et les autres. Tant de familles ont été anéanties.

Elle secoua la tête puis se remit à manger. Alex et Max reprirent leurs fourchettes et leurs couteaux, et commencèrent à parler d'un endroit appelé le canal de Suez. Judith crut comprendre qu'il s'agissait d'un cours d'eau comme le Wear et qu'un dénommé Nasser l'avait volé aux autres. Les trois frères tombèrent d'accord sur le fait que c'était une vilaine affaire dont il ne sortirait rien de bon.

Une fois la soirée achevée, Judith s'endormit et rêva d'un désert où poussaient des melons qui finissaient tous par exploser. Il en sortait des centaines de petites créatures qui s'égaillaient de-ci de-là pour échapper aux grosses bottes qui cherchaient à les écraser. « Par ici ! Par ici ! » leur criait la fillette en pleurant amèrement.

À la fin du mois de septembre, M. Hicks autorisa Judith à s'entraîner pour essayer d'intégrer l'équipe junior.

— Pourtant, ton cas est complètement désespéré, lui asséna-t-il.

Plus tard, dans les vestiaires, la fillette se demanda pourquoi elle ne se sentait pas plus excitée.

— Kath ? demanda-t-elle à son amie tandis qu'elles se séchaient.

— Oui, Judy-Rudy ?

— Qu'est-ce que tu penses de nous ?

— De toi et moi ?

— Non, rectifia Judith qui se sentit rougir. Nous, tu vois. Les Juifs.

Kath se leva et réfléchit à la question avec toute l'attention qu'elle méritait.

— J'en sais rien. Pourquoi, qu'est-ce que tu en penses, toi ?

— J'en sais rien, moi non plus.

Max, Dora, Alex et Rebecca n'avaient rien en commun. Ils ressemblaient plus à des envahisseurs venus de Mars qu'aux membres d'une même famille.

Kath se frotta les cheveux jusqu'à ce qu'ils se dressent sur sa tête comme de la paille de fer.

— D'après maman, les gens n'aiment pas trop les Juifs, proposa-t-elle en guise de réponse. Ils sont trop riches et ils contrôlent tout.

— Mais nous, on ne roule pas sur l'or ! protesta Judith. En fait, je ne connais personne de riche, à part mon oncle Alex.

Kath haussa les épaules et déclara avec un grand sourire :

— Bon, alors toi ça va.

Judith hocha la tête, un peu perplexe. Comment Kathleen pouvait-elle l'affirmer ? Judith elle-même n'en savait rien.

Au cours des semaines qui suivirent, elle se fit un devoir de rentrer à la maison à temps pour regarder les informations de dix-huit heures à la télévision sur leur poste flambant neuf. Elle ne s'intéressait plus à

Crackerjack[1] et n'avait pas très envie d'aller écouter des disques dans le salon de son amie.

Le 29 octobre, les premières bombes tombèrent sur le Sinaï. Judith écouta le présentateur de la BBC expliquer que la Grande-Bretagne et la France aidaient Israël à punir l'Égypte d'avoir fermé le canal de Suez. Les soldats israéliens agitaient joyeusement la main en direction de la caméra avant de monter à bord d'avions de combat. Ensuite, on les voyait foncer vers les déflagrations tandis qu'à Londres des foules grondantes défilaient sous leurs banderoles anti-israéliennes et entonnaient des slogans antijuifs.

Les derniers mois de l'année passèrent très vite ; tous les autres préparaient Noël et Kathleen partit en Irlande. Chez les Gold, Judith et Gertie allumèrent les bougies pour célébrer Hanoukkah, la fête des Lumières.

Les yeux rivés sur les lueurs de la ménorah, Judith entendit à nouveau les détonations et les cris. La flamme de l'allumette vacilla près du chandelier et la mèche de la dernière bougie s'enflamma brusquement avant de s'épanouir en un halo rougeoyant. Elle repensa à l'étoile d'oncle Max, abandonnée dans les ténèbres du placard de sa mère. Elle se demanda alors à quoi ressemblerait la vie si tout le monde agissait à l'unisson en cet instant précis – si personne n'avait à se sentir différent.

Le jour de la trahison, au cœur de l'été, le ciel de Nazareth était d'un bleu éclatant.

---

1. Émission pour la jeunesse diffusée par la BBC entre 1955 et 1984.

À l'école, la sonnerie retentit à midi, annonçant la fin de la matinée. Des dizaines de livres furent refermés, des cartables passés sur les épaules, et des chaussures martelèrent le sol poussiéreux en béton. Le murmure excité des bavardages adolescents se propagea dans l'air suffocant du centre-ville, loin des leçons de mathématiques, d'anglais et d'hébreu, et se dispersa vers les collines et leur épuisante ascension.

Salim était l'un des rares garçons qui rentrait seul. Une brusque poussée de croissance avait ajouté des pommettes saillantes, une peau pâle et des bras maigres à son ingrate condition d'adolescent de près de quinze ans.

Dans la chaleur étouffante, Nazareth aux couleurs de sable jaune brillait d'une éclatante teinte blanche. Les yeux de Salim brûlaient tandis qu'il remontait la rue principale. Il passa devant les étals des vendeurs de rue, croisa des enfants qui proposaient du savon, des pièces détachées de voitures et des habits mal coupés.

À la vérité, les Al-Ishmaeli avaient de la chance. Ils étaient venus à Nazareth comme tous les autres, ils avaient fui la *Nakba*, la Grande Catastrophe. Des milliers de gens étaient arrivés en même temps qu'eux, *fellahin* et *ayan* réunis dans un même désastre.

Huit ans plus tard, Salim avait un lit dans l'appartement de sa demi-sœur, une école et un passeport israélien. Les Al-Ishmaeli vivaient sur le salaire de Tareq et les bijoux de sa mère. Surtout, ils étaient encore propriétaires de leur orangeraie à Jaffa. Mais ces enfants des rues n'avaient rien. Leurs pères avaient travaillé la terre et celle-ci avait disparu. Aujourd'hui, travailler signifiait joindre difficilement les deux bouts en réparant des voitures ou en vendant quelques tomates sur le marché.

Parvenu devant l'immeuble où sa famille mesurait désormais le passage des jours, Salim grimpa lentement les marches en comptant les étages. La cage d'escalier était large mais sale, et une odeur pestilentielle, mélange de lessives, cuisine, sueur et égouts, s'en dégageait.

Sa demi-sœur Nadia était penchée à la fenêtre de la cuisine pour étendre le linge sur leur étroit balcon.

— Bonjour, l'accueillit-elle. Ça s'est bien passé, à l'école ?

Quelques secondes plus tard, elle apparut près de la porte en s'essuyant les mains. Son visage brun était aussi rond que celui d'Abou Hassan, mais en plus fin. Et il était bien trop ridé pour une jeune femme de seulement vingt-cinq ans. Comme tant d'autres femmes arabes, Nadia aurait mérité une plus grande part de bonheur que ce que la vie lui offrait.

— Très bien, lui répondit-il en lui souriant. Ils sont encore tous sortis pour te ficher la paix ?

— Oh, oui, il s'est passé plein de choses, aujourd'hui, dit-elle avec empressement. Mon Dieu, tu dois avoir chaud, je vais t'apporter de l'eau.

Elle quitta la pièce et s'affaira dans la cuisine.

L'appartement de Tareq et de Nadia Al-Ghanem était l'exact reflet de leurs propriétaires : net, ordonné et conventionnel. Un foyer agréable, exploité au-delà de ses possibilités pour héberger cinq personnes supplémentaires. La douloureuse stérilité de Nadia – un enfant mort-né et trois fausses couches – était à présent fêtée. Si elle avait eu ses propres enfants, où la famille aurait-elle pu s'installer ?

Nadia revint avec un verre d'eau et s'assit à côté de Salim. Il remarqua que ses mains s'agitaient nerveusement sur ses genoux.

— Qu'est-ce qu'il se passe ? demanda-t-il. Tu as un amant caché quelque part ?

Elle ne lui donna pas de petite tape sur la nuque comme il s'y attendait. L'absence de ce geste fut comme un signal d'alarme.

— Écoute, Salim, commença-t-elle, puis elle s'interrompit.

Elle posa sa main sur son bras.

— S'il te plaît, promets-moi que tu ne vas pas devenir fou.

Le mot qu'elle utilisa, *majnoun*, était l'insulte favorite de son père. Le fait que Nadia le prononce lui fit comprendre qu'il y avait un vrai problème, lié à Abou Hassan.

Une porte s'ouvrit derrière eux. Salim se retourna et vit Rafan sortir de la chambre. Son petit visage était pâle et ensommeillé, ses paupières lourdes dissimulaient à moitié ses yeux verts, semblables à ceux de sa mère.

— Que fais-tu à la maison ? demanda Salim en lui ouvrant les bras.

— J'étais malade, alors maman m'a permis de ne pas aller à l'école et de rester ici.

Rafan se nicha contre son frère.

— Nadia t'a dit ? demanda-t-il. Baba retourne à Jaffa pour vendre la maison.

— Quoi ? s'exclama Salim, suffoquant de panique. C'est impossible. Baba ne ferait jamais une chose pareille, jamais.

Il se tourna vers Nadia. Celle-ci tendit les mains en signe d'impuissance puis donna une petite claque sur le front de Rafan, un geste mi-affectueux, mi-fâché.

— Rafan, tu es vraiment un petit diable. Qu'est-ce que tu sais de tout ça, espèce de garnement ?

Puis, s'adressant à Salim :

— *Habibi*, ne te mets pas en colère. Rien n'est encore décidé. Ton père est au bureau de Tareq, il discute avec Abou Mazen.

Tareq était un avocat en droit de la famille. Il gagnait sa vie en tentant de recoller les morceaux épars de vies arabes brisées.

— Mais il ne peut pas vendre, s'insurgea Salim, qui eut l'impression d'avoir de nouveau sept ans et de supplier. C'est tout ce qu'il nous reste, maintenant que nous n'avons plus d'argent.

— Exactement, Salim, il n'y a plus d'argent. Et on ne vit pas seulement de rêves.

Si le regard de Nadia exprimait la compassion, la vie lui avait appris que la sensiblerie ne nourrissait personne ni ne protégeait du froid la nuit.

— Où est maman ? demanda Salim.

Elle ne permettrait pas que leur maison soit vendue.

— Elle est allée se faire coiffer à Al-Jameela, répondit Rafan. Elle est au courant, en fait. Elle me l'a dit.

Salim, incrédule, le fixa des yeux. Rafan n'avait que huit ans, il était presque un bébé. De quel droit était-il au courant des secrets de leur mère ?

— Je sais à quel point tu tiens à cet endroit, *habibi*, crois-moi, lui dit Nadia avec douceur. Mais je t'en prie, ne te rends pas malade. Ils seront bientôt de retour. On va discuter de tout ça.

Il hocha la tête, mit son sac sur l'épaule et entra dans leur petite chambre.

Dans l'air chaud et saturé de la pièce, il s'allongea sur son matelas posé sous la fenêtre.

Les garçons avaient partagé une chambre jusqu'à ce que Hassan parte deux ans plus tôt vivre en Angleterre chez un parent de Tareq. Son lit était dans l'état où il l'avait laissé en s'en allant, avec sa couverture imprimée de petits ballons de foot noirs. À côté, le matelas de Rafan était posé à même le sol et emplissait la pièce d'une odeur âcre. Au début, le petit garçon avait tenté de grimper dans le lit de son frère aîné, qui n'avait nul temps à lui consacrer.

— Il pisse toutes les nuits, bon Dieu, se plaignait-il. Il ne sait rien faire d'autre que pisser et pleurer.

Rafan avait alors commencé à se glisser au milieu de la nuit sur le matelas de Salim, dès que le sien était trop humide ou empli de mauvais rêves. Parfois, Salim se réveillait trempé et puant l'urine, mais il se sentait incapable de repousser son frère.

On ne vit pas seulement de rêves. C'était facile à dire, pour eux. Mais que valait la vie, une fois que tous les rêves étaient devenus poussière ?

Plus tard, une clé tourna dans la porte d'entrée, et Salim entendit Rafan crier « Maman, maman ! » d'une voix perçante.

Il s'approcha de la porte qu'il entrebâilla. Sa

mère passa devant lui, ses cheveux cuivrés brillant à la lumière du soleil tandis qu'elle se penchait pour prendre Rafan dans ses bras. Elle paraissait en forme, et même heureuse. Parfumée, coiffée, elle portait une robe rouge légère au motif floral cousu le long de l'ourlet. Salim ouvrit la porte.

— Bonjour, maman.

Elle se retourna, Rafan accroché à ses jambes.

— Salim, *habibi*. Comment ça s'est passé, à l'école ?

Elle sourit et lui tendit la main. Cette histoire absurde sur la maison était sûrement fausse ?

— Pas mal. Ils trouvent que je me débrouille bien.

— Ils ont raison, tu es si intelligent. Si j'avais la moitié de tes capacités, je serais riche, aujourd'hui.

Salim haussa les épaules pour masquer sa joie. Nadia, qui se tenait dans l'encadrement de la porte, vint poser sa main sur l'épaule du jeune homme.

— Il est tellement brillant, dit-elle sur un ton presque défensif.

Salim en fut agacé. Parfois, Nadia agissait comme si elle n'avait pas confiance en sa mère.

— Maman, dit Salim, tandis que celle-ci se dirigeait vers sa chambre, la maison… notre maison, à Jaffa.

— Eh bien ?

— On la met en vente ? questionna-t-il d'un ton bien plus aigu qu'il ne l'aurait souhaité.

Le visage de sa mère était dénué de toute expression lorsqu'elle lui répondit.

— C'est plus compliqué que ça, Salim.

Mais à cet instant, le bruit de la porte se fit entendre et, quoi qu'elle ait voulu dire, elle s'interrompit. Abou Hassan et Tareq étaient de retour.

Nadia se précipita pour embrasser son mari et aider son père en nage à venir s'asseoir dans son fauteuil. Elle jeta un coup d'œil à Salim avant de dire :

— Je crois que les garçons sont impatients de savoir ce qu'il se passe, baba. Tu peux nous expliquer ?

En posant elle-même la première question, comprit Salim, elle cherchait à le protéger.

Abou Hassan secoua la tête.

— Ces *Yehudin* rendent les choses si compliquées, dit-il. D'abord, ma maison m'appartient, ensuite, elle ne m'appartient plus ! Quelle merde, ces nouvelles lois ! Bon Dieu, de quel droit peuvent-ils affirmer qu'elle n'est pas à moi ?

Il attrapa une poignée de graines de tournesol salées et commença à mastiquer. Salim ne l'avait jamais vu dans un tel état. Il se souvint de ce jour lointain, à Jaffa, où Mazen s'était moqué de leurs pères. Ils étaient riches, alors. Mais aujourd'hui, Abou Hassan était en train de perdre pied.

— Baba, pourquoi voudrais-tu vendre la maison ? demanda Salim en tentant de garder une voix posée. On a toujours dit qu'un jour on rentrerait chez nous.

Il en avait tellement rêvé : la misère des huit dernières années effacée par le bruit de la clé tournée dans la serrure.

Ce fut sa mère qui lui répondit.

— Ce n'est pas une question de vouloir ou pas, Salim. Nous devons penser à notre avenir. Comment crois-tu que nous pouvons payer ton uniforme d'école, ou l'université où tu souhaites aller étudier ?

Le cœur battant à tout rompre, Salim regarda Tareq puis son père.

— Abou Hassan, intervint Tareq, nous devrions peut-être emmener Salim avec nous, demain ?

— Où ça ? demanda le jeune garçon.

— Nous allons dans les bureaux de la mairie de Tel-Aviv, expliqua Tareq en posant sa mallette sur la table basse. Il semble qu'il y ait un différend au sujet de la maison. Nous avons passé toute la journée au téléphone avec Abou Mazen et les autorités israéliennes.

Il adressa un clin d'œil à Salim et indiqua la cuisine.

— Allons aider ta sœur, *habibi*, et je vais tout t'expliquer.

Comme Nadia avait l'habitude de le dire, la cuisine était à peine assez grande pour une seule personne. Tandis que la jeune femme ramassait le linge sur le balcon, Tareq posa une cafetière remplie de café turc noir et épais, ajouta quatre cuillères de sucre et mélangea. Salim attendait, fébrile. Enfin, son beau-frère soupira.

— Bon, voilà. À la fin de la guerre, les Israéliens ont commencé à s'organiser pour réclamer toutes les terres laissées à l'abandon par les Arabes. Ils ont fait passer des lois selon lesquelles les gens qui s'étaient enfuis… eh bien, ils n'avaient plus le droit de revenir. L'État a saisi leurs maisons et leur a donné de l'argent pour que ça ait l'air juste. Tu me comprends ?

Salim hocha la tête, voulant à tout prix montrer qu'il était capable de suivre.

— Pour empêcher les Juifs de saisir la maison de ton père, son ami Abou Mazen y a emménagé en prétendant qu'il était son cousin. Et maintenant, poursuivit-il avec douceur, ton père songe à vendre afin d'avoir assez d'argent pour ton éducation et pour préparer ton avenir. Mais il y a visiblement quelques difficultés. Nous rencontrons donc Abou Mazen demain à l'hôtel de ville de Tel-Aviv, pour discuter avec lui et avec les Israéliens en même temps. Ensuite, on verra. D'accord, *habibi* ?

Tareq lui pressa l'épaule et Salim se força à sourire.

— Tout va bien se passer, ne t'inquiète pas.

Soudain, Nadia fut là, et elle se plaignit auprès de Tareq d'un problème avec la cuisinière. Salim ne put poser les questions qu'il n'avait pas encore eu le temps de formuler.

À la tombée de la nuit, une étrange atmosphère emplit l'appartement, comme un orage qui aurait grondé au loin. La table fut débarrassée et les hommes se détendirent en écoutant la radio. Le général égyptien Nasser fulminait à propos du canal de Suez. Rafan, l'oreille collée au poste qu'il tapotait et tripotait de ses petits doigts, semblait fasciné par les sons métalliques. Nadia resta dans sa chambre à repriser des vêtements.

Salim, assis dans un coin, ruminait ses sombres pensées. Il eut soudain très envie de voir sa mère. Pour une fois, Rafan était distrait, elle serait seule.

Il la trouva assise sur le balcon. Lorsqu'il se précipita vers elle, elle détourna la tête. Il fut soudain mal à l'aise. *Est-ce qu'elle pleure ?* Dans sa main, elle tenait un bout de papier jaune aux lettres noires. Ce devait être un télégramme, songea Salim. Mais ses doigts se refermèrent, dissimulant le nom de l'expéditeur.

— Qu'est-ce que c'est ? demanda-t-il.

— Rien, fit-elle en se tournant vers le nord, en direction des collines de la frontière libanaise. La lettre d'un vieil ami.

— Du Liban ? demanda-t-il en plaisantant à moitié.

Elle se figea.

— Pourquoi me poses-tu cette question, *ya'eini* ?

— Pour rien, répondit-il, surpris. Simplement, parfois, tu dis que le pays te manque. Autant que Jaffa, j'imagine. N'est-ce pas ?

Salim étudia le regard qu'elle lui lança, un regard interrogateur, difficile à déchiffrer.

— Tu as raison, admit-elle enfin à voix basse. J'étais si jeune... Une jeune imbécile, dit-elle en riant avec dédain. Mon père disait que j'étais le trésor de notre maison. J'étais si fière, je me croyais si exceptionnelle. Je pensais qu'il voulait dire que ma vie future serait aussi belle et précieuse qu'un trésor. Mais en fait, il parlait vraiment de moi. J'étais le prix que recevrait celui qui ferait la meilleure offre.

Ses yeux presque noirs regardaient au-delà de Salim, au loin, vers l'horizon.

— Et maintenant, tu vois ce qu'il nous est arrivé.

Elle tendit la main, paume en l'air vers le soleil couchant, en un geste de dépit. Puis elle la laissa retomber.

— Personne ne comprend, reprit-elle calmement. J'espère qu'un jour, toi, tu comprendras, Salim. Pourquoi les choses devaient se passer de cette façon.

— De quoi parles-tu, maman ?

Un torrent d'amour pour sa mère déferla en lui et il la serra dans ses bras. Elle lui rendit son étreinte, et toute son inquiétude se dissipa. Il se sentit comblé.

Peu après, il lui demanda :

— Pourquoi baba ne retourne jamais à Jaffa ?

— Il y est allé, une fois. Pendant la seconde trêve. Il est parti voir Abou Mazen pour lui donner un exemplaire du titre de propriété de la maison. Il s'est absenté trois jours. Et vous, les garçons, vous ne vous en êtes même pas rendu compte, dit-elle en riant soudain. Ensuite, poursuivit-elle en soupirant, ce pays est devenu *Israël*, et il était difficile de comprendre ce qu'il nous arrivait. Puis le temps a passé, tu as été à l'école, Hassan nous a quittés pour aller en Angleterre… On avait besoin d'un homme énergique pour gérer tout ça. Ce que ton père n'est pas.

— Mais, toi aussi, tu veux rentrer à la maison, maman, n'est-ce pas ? C'est aussi chez toi, plus qu'au Liban.

Elle rit de nouveau.

— Ah, Salim, tu es plus futé que ça. Ce n'est pas le nombre d'années passées quelque part qui définit ton foyer. Être chez soi, ça se ressent *ici*, dit-elle en tapant sur la poitrine de son fils. C'est ton cœur qui sait où se trouve ta véritable place, celle qui t'appartient et à qui tu appartiens. Mais je vais te dire un secret, *habibi*. Il y a des gens qui ne se sentent nulle part chez eux. Quel que soit l'endroit où ils se trouvent, ils sont toujours malheureux. Ils errent d'un lieu à un autre pour essayer de trouver la paix, continua-t-elle d'une voix tremblante. Et, en général, ils finissent par retourner là où ils sont nés. C'est la pire des malédictions.

Elle inspira profondément, essuya son front et saisit le menton de Salim entre ses mains.

— Je prie pour que tu y échappes, mon fils si intelligent.

— Mais nous savons où se trouve notre foyer, dit-il, confus. On était heureux, là-bas. Tu l'étais.

— Tu en es sûr ? fit-elle en haussant les épaules. Même à Jaffa, toi et moi avions des fourmis dans les jambes.

Soudain, elle se leva violemment, son corps se tourna vers le nord, comme l'aiguille d'une boussole vers les ombres grandissantes.

— Laissons ton père à ses rêves de Palestine, continua-t-elle. Lui, il sait vraiment d'où il vient. Il est comme les autres *ayan*, qui ne sont bons qu'à grignoter des noix et à boire du café. Ils ont fait leur temps, à présent. C'est pour ça que ton père vend. Mais toi, Salim, tu es fait d'une autre étoffe, ne l'oublie pas.

— Promis, maman, répondit-il doucement.

Puis il l'observa entrer dans la cuisine éteinte, vit disparaître sa longue silhouette, le télégramme serré fermement entre ses doigts élégants. Il songea alors à une felouque qu'il avait vue un jour voguer en mer : elle avait largué les amarres et sa grande voile blanche se dressait face au soleil couchant.

Plus tard, Salim s'assit dans sa chambre et essaya de se concentrer sur ses devoirs de mathématiques. Il était doué en calcul, et les additions le rassuraient. Avec elles, l'univers était composé de règles fiables obéissant à des lois fondamentales, où le vrai et le faux étaient clairement définis.

Mais ce jour-là, les chiffres dansaient devant ses yeux. Quelle importance si un et un faisaient deux ?

Les Israéliens se moquaient des lois qui n'étaient pas les leurs. Ils pouvaient prétendre qu'un plus un équivalaient à dix aussi facilement qu'ils avaient dit : *Ce qui est à toi est à moi.*

Repoussant son livre, il passa la main sous son oreiller. Il sentit le cadre rassurant de la photo. Depuis huit ans, l'image l'avait accompagné dans son sommeil, s'était mêlée à ses rêves.

Salim dessina les contours du petit arbre, le léger trait noir entouré de murs blancs fantomatiques. Lui et les siens étaient partis depuis une éternité, mus par la certitude qu'un jour ils reviendraient triomphants.

Quand il ferma les yeux, il revécut l'effroi qui s'était emparé de lui ce jour-là. Les rues familières de Jaffa s'étaient transformées en un labyrinthe sans issue. Elles menaçaient de les piéger pour toujours s'ils ne se sauvaient pas, comme des milliers d'autres, vers la mer déchaînée. La voiture des Al-Ishmaeli s'était jetée dans la cohue, elle avait tourné un nombre incalculable de fois, jusqu'à ce qu'enfin ils trouvent le chemin des collines paisibles et des bras grands ouverts de Nadia.

Depuis lors, il n'avait jamais cessé d'espérer. Quand ils avaient entendu à la radio Heikal, le maire de Jaffa, annoncer que la ville avait été prise, il avait refusé d'y croire. « Heikal est un imbécile », avait-il crié, comme Mazen ce jour-là, place de l'Horloge. Même lorsqu'il avait entendu que les Juifs avaient rassemblé tous les Arabes derrière des clôtures de barbelés dans le quartier d'Al-Ajami, il était resté persuadé qu'Abou Mazen sauverait leur maison.

Mais plus tard, au cours de l'été brûlant, il avait

commencé à entrevoir que la *Najjada*, l'Armée de libération arabe et les cinq nations qui avaient promis de leur porter secours les avaient tous trahis. Et quand les soldats aux chemises vertes de l'armée juive avaient fini par défiler dans Nazareth, Salim était sorti sur le balcon pour hurler : « Allez ! Jetez-nous dehors ! Renvoyez-nous chez nous ! » Mais Tareq était venu lui dire que le gentil commandant juif avait refusé de les expulser. Salim avait pleuré de déception.

Il se remémora ce moment terrible, lorsque Hassan avait répété bêtement qu'on allait jeter tous les Juifs à la mer pour venger Jaffa, pour la bombe de la place de l'Horloge et pour Deir Yassin. Tareq avait alors secoué la tête et lui avait répondu :

— Ce genre de propos nous conduira à d'autres Deir Yassin. Il est peut-être temps de faire la paix, avant que nous perdions le peu qui nous reste.

Abou Hassan avait frappé du poing sur la table et fait sursauter tout le monde.

— *Abadan !* avait-il crié. Jamais !

Sa voix avait transpercé le cœur de Salim ; il avait alors regardé sa photo et imaginé le jour de son retour.

Abadan ! Jamais ! Le mot lui revint à présent. Après toutes ces longues années d'attente, il résonna en lui.

Salim l'avait entendu dans ses rêves, il l'avait vu dans le nouveau monde qui l'entourait, dans le drapeau juif qui flottait dans les rues et les écoles. Pourtant, il ne voulait pas y croire.

Il posa la main sur l'image décolorée et murmura sa promesse : « Je reviendrai. Il n'est pas trop tard. Je reviendrai pour toi, et nous ferons notre récolte. »

La grande aventure de Tel-Aviv, comme la surnomma Nadia, débuta en un jeudi radieux et brûlant. Salim n'avait pas école ; Tareq lui prêta un élégant pantalon et une chemise blanche propre.

La fidèle Austin était garée au sous-sol. Salim, Abou Hassan et Tareq se serrèrent à l'intérieur. Les titres de propriété de la maison aux Orangers et des terres étaient rangés en sécurité dans la mallette de Tareq. Les deux femmes et Rafan les rejoignirent pour leur souhaiter bonne chance. Pour la première fois de sa vie, Salim eut l'impression d'être un homme.

Il sortit sa tête par la vitre arrière et sourit à sa mère. Les habits de celle-ci étaient particulièrement simples ce jour-là. Elle portait une longue robe noire et de grosses chaussures noires, un style vestimentaire qui n'était pas du tout le sien. Pour Salim, c'était sa façon à elle d'exprimer qu'ils allaient tous lui manquer. Elle allait passer la journée seule dans l'appartement. En effet, chaque jeudi, Nadia prenait sa journée pour aller boire le café et papoter au marché.

Il aurait tant aimé que ce voyage soit une sortie familiale où, tous ensemble, ils seraient partis loin de la ville, dans un lieu amusant ; pourquoi pas à l'un de ces carnavals traditionnels, organisés dans le désert de Nabi Rubin. Peut-être en auraient-ils de nouveau l'occasion, une fois leur mission réglée à Tel-Aviv.

— Au revoir, maman ! cria-t-il. On va revenir avec de bonnes nouvelles, c'est promis !

Elle se pencha vers lui.

— Je sais, *ya'eini*, je sais que tu le feras. Tu es devenu un homme, tout d'un coup, lui dit-elle en lui caressant la joue. Prends soin de lui, Tareq.

— Bien sûr ! répliqua Tareq chaleureusement, et il passa son bras par-dessus le siège du conducteur pour donner une tape amicale sur l'épaule de Salim.

Rafan se faufila devant sa mère pour presser sa bouche édentée contre la joue de son frère. Tandis qu'ils s'éloignaient, Salim aperçut le petit garçon qui agitait la main, une partie de son visage illuminée par son sourire, l'autre cachée dans l'ombre. Puis les trois silhouettes s'amenuisèrent avant de disparaître dans l'obscurité du garage.

La route de Nazareth à Tel-Aviv était un voyage entre l'ancien monde et le nouveau. Au bout du pays des collines de Galilée, les vieux villages et villes arabes se maintenaient en équilibre instable sur la terre fracturée. En avançant vers le sud-ouest et vers le sud, les pentes rocheuses vert sombre s'aplanissaient jusqu'à la vallée jaune et sinueuse de Jezréel.

À l'école, on leur avait enseigné l'histoire des siècles de domination turque, lorsque les immenses greniers à blé palestiniens étaient situés ici, dans le val d'Esdrelon. Jusqu'à ce que la famille libanaise des Sursock les vende au Fonds national juif. Elle avait tendu ses bras depuis Beyrouth, lui avait raconté Nadia lors d'une de leurs tristes soirées, pour chasser de leurs fermes presque sept cents *fellahin*. Les Juifs avaient payé en dédommagement aux paysans une somme misérable pour se donner bonne conscience. Et c'est pourquoi ces *fellahin* étaient arrivés, affluant à Haïfa, à Jaffa et à Nazareth, avec pour seules possessions leur nom et une poignée de pièces de monnaie. Leurs champs avaient été cédés aux Juifs, et il n'y restait plus rien, à l'exception des oiseaux et des souris.

Lorsqu'ils dépassèrent la vallée de Jezréel, Salim sentit le goût de la mer. La vaste plaine côtière s'étendait sous ses yeux, un monde nu et âpre où, jadis, Arabes et Juifs avaient travaillé côte à côte ; où, de Jaffa à Acre, ils avaient drainé des marécages et fait pousser de grandes plantations. Mais ensuite, les sionistes étaient arrivés. Et bientôt, plus aucun Arabe n'avait travaillé dans les colonies qui s'implantaient sur toutes les collines. Les propriétaires étrangers et même les *ayan*, des hommes comme son père, avaient vendu leurs terres, *dounam* après *dounam*, aux Juifs. Ces derniers avaient transformé les métairies et les pâturages en montagnes de fourrages pour servir leurs rêves.

— Ils ont laissé la terre nous échapper, lui avait expliqué Nadia, jusqu'à ce qu'il ne nous reste plus que des pierres et une profonde amertume.

À l'intersection entre la plaine de Sharon et celle des Philistins, Tel-Aviv apparut. Moins d'une heure après avoir quitté Nazareth, Salim vit la ville surgir de la brume et le soleil étinceler sur les façades borgnes.

La lumière était aveuglante. Plus ils approchaient de la ville, plus la circulation et la fumée s'intensifiaient. Quand ils se trouvèrent coincés dans les embouteillages, Salim eut peur qu'ils n'arrivent pas à temps pour leur rendez-vous de midi. Tareq tapait avec anxiété sur le volant tandis que les klaxons retentissaient autour d'eux.

— *Insha'Allah*, on y sera, dit-il.

Salim pressa son nez contre la vitre. Les rues étaient larges et pleines de voitures visiblement coûteuses.

Tout autour, les immeubles formaient un ensemble de verre, d'angles et d'éclats de lumière.

Lorsque Tareq parvint à garer la voiture, il était presque midi. Salim se précipita pour ouvrir la portière à son père.

L'hôtel de ville était un vieil immeuble pittoresque dont l'aspect délabré détonnait à côté de ses voisins plus récents. Un flot de motos et de gens qui les bousculaient obligea Salim et Tareq à jouer des coudes et à tirer Abou Hassan derrière eux pour atteindre enfin la fraîcheur du hall d'entrée.

Tareq se mit à chercher Abou Mazen.

— Nous sommes à l'heure, dit-il en secouant sa montre devant son oreille. Alors où est-il, bon sang ?

Soudain, Salim eut le souffle coupé.

Au comptoir de la réception se tenait appuyée une grande silhouette presque aussi miteuse que le bâtiment lui-même. À la vue des Al-Ishmaeli, l'homme vint à leur rencontre et les salua en arabe :

— *Ahlan wa sahlan*, Abou Hassan bienvenue à toi, sois reçu comme ma famille.

Salim n'en crut pas ses yeux. Isak Yashuv !

Abou Hassan sembla interloqué lui aussi. Il serra la main d'Isak d'un air ahuri et lui rendit son salut en balbutiant le traditionnel « *Ahlaeen* ».

Isak se tourna vers Salim et lui demanda :

— Comment vas-tu ? Comment va ta maman ? Elia voulait que je te dise bonjour de sa part. Tu lui manques, tu sais.

Salim hocha la tête et tenta de sourire. C'était à la fois merveilleux et douloureux de le revoir. Mais que pouvait-il bien faire ici ?

— Pardonnez-moi d'être venu sans avoir été invité, dit Isak en tendant les mains vers Abou Hassan et Tareq. Maintenant, je travaille comme… intermédiaire, pourrait-on dire, entre la municipalité et les Arabes de Jaffa. Je suppose que c'est parce que je parle l'arabe et, franchement, fit-il en baissant la tête d'un air embarrassé, je ne suis pas bon à grand-chose d'autre, ces derniers temps. Ma vue est trop mauvaise pour la couture. Bref, j'ai vu votre nom sur la liste de rendez-vous et je voulais savoir si je pouvais vous être utile. Je connais l'homme que vous allez rencontrer. Il n'est pas méchant, mais il est jeune.

Les yeux noirs et étroits d'Isak semblaient plus inquiets qu'avant. Et en observant son visage poussiéreux sillonné de rides, Salim songea qu'il ressemblait plus à un *fellah* que n'importe qui de sa connaissance.

Abou Hassan haussa les épaules.

— Je serai heureux de recevoir ton aide, Abou Elia, dit-il. Mon gendre, fit-il en se tournant vers Tareq, est avocat et il comprend « vos » lois.

Son insistance était clairement délibérée mais Isak ne sourcilla pas.

— Ce serait formidable, déclara immédiatement Tareq d'un ton ferme. Merci pour votre gentillesse.

— Très bien, alors, dit Isak. Allons-y. Je vous montre le chemin.

Sur la porte de leur lieu de rendez-vous, un panneau indiquait *Conseil de tutelle, municipalité de Tel-Aviv.* Un jeune homme au teint pâle et aux yeux bleus était assis derrière un bureau en désordre. Il portait des lunettes à monture métallique et la sueur perlait sur son front qui commençait à se dégarnir.

— Entrez, entrez, annonça-t-il en hébreu. Vous êtes à l'heure, c'est un bon début.

L'hébreu était devenu obligatoire à l'école ; Salim le parlait presque couramment, mais il n'avait pas encore entendu Abou Hassan prononcer un seul mot. Et aujourd'hui, cela risquait de les mettre en position de faiblesse.

Isak indiqua à Abou Hassan le siège placé devant le bureau. Tareq et Salim s'installèrent derrière lui.

— Saeed Al-Ishmaeli, voici M. Gideon Livnor, dit Isak.

Livnor tendit la main à Abou Hassan ; le vieil homme mit quelques secondes avant de la saisir, et la lâcha prestement.

— Merci, dit vivement le jeune homme. Soyez le bienvenu, monsieur Al-Ishmaeli. J'espère que nous pourrons régler tout de suite le problème qui vous amène. J'ai quelques dossiers ici, expliqua-t-il en indiquant une chemise devant lui, et je crois que vous en avez un également ? Les titres de propriété ?

Tareq traduisit ses propos à Abou Hassan, qui répondit :

— Oui, oui, et il tendit les papiers que Tareq avait emportés dans sa mallette.

Livnor les parcourut en essuyant de temps en temps la buée sur ses lunettes. Salim remarqua qu'il comparait le dossier ouvert devant lui avec une autre pile de documents. Tout d'abord perplexe, il finit par comprendre que Livnor devait avoir les papiers qu'Abou Mazen avait conservés pour eux durant toutes ces années.

Enfin, le conseiller soupira et retira de nouveau ses

lunettes. Sales, les verres brouillés, elles semblèrent de mauvais augure à Salim. Il aurait aimé qu'il arrête de les tripoter.

— Je veux être certain de bien comprendre la situation, dit-il. Monsieur Al-Ishmaeli, vous affirmez être le propriétaire de deux terrains à Jaffa : une maison dans le quartier d'Al-Ajami, et une orangeraie de quinze *dounam* située hors de Jaffa. C'est exact ? Et maintenant, vous voulez vendre ces terres à l'État ?

Abou Hassan se contenta de le dévisager, mais Tareq répondit en hébreu :

— Oui, c'est bien ça.

Livnor les regarda l'un après l'autre avant de se replonger dans ses dossiers.

— Bon, nous avons deux problèmes, monsieur Al-Ishmaeli. Premièrement, nos archives indiquent que vous avez quitté votre propriété de Jaffa en mai 1948. La maison et vos autres *dounam* sont restés inoccupés depuis. Cela fait de vous, dans notre législation nationale, un « absent présent ».

Les mots hébreux *nifkadim nohahim* semblaient presque drôles, comme les rimes d'une comptine enfantine.

— Je ne suis jamais parti, intervint Abou Hassan. Ma famille est restée ici tout le temps.

— Vous n'avez peut-être pas quitté le pays, mais vous avez abandonné votre terre, répondit Livnor. Et les propriétés de tous les absents présents se retrouvent par défaut sous la gestion du Conseil de tutelle. Nos archives montrent que vos orangeraies ont déjà été attribuées, monsieur Al-Ishmaeli.

Sa voix était atone, mécanique, et Salim se demanda

à combien de personnes il avait déjà annoncé ces mauvaises nouvelles, et s'il pleurait sur leur sort la nuit dans son lit.

— Ce que vous faites est moralement, légalement et totalement condamnable, déclara Tareq d'une voix forte et pleine de colère.

— C'est la loi. Beaucoup de gens ont quitté leur maison. Des centaines de villages et de fermes étaient vides. Ils auraient pu rester ainsi, leurs terres en jachère, pendant des générations. Maintenant, ils sont bien utilisés, pour les besoins de tous les citoyens israéliens.

— Vous avez pris aussi les maisons que les Juifs avaient laissées ? demanda Salim d'une voix tremblante.

Tareq lui jeta un regard d'avertissement, mais Livnor ignora complètement le jeune garçon.

— L'État vous paiera le dédommagement prévu par la loi, dit-il, les yeux fixés sur Abou Hassan. Nos registres fiscaux, poursuivit-il en brandissant un autre document, indiquent que vos orangeraies ont été évaluées à quatre cent cinquante livres israéliennes en 1948. Malheureusement, dit-il en lançant un regard à Tareq, ces mêmes registres signalent l'existence d'une dette fiscale importante envers les autorités du Mandat. Si l'on tient compte de cette dette – il griffonna sur le carnet posé devant lui – vous avez droit à trois cents livres israéliennes en compensation des terres que vous avez abandonnées.

Il arracha la page de son carnet et la tendit à Abou Hassan. Salim était abasourdi. Passer de la richesse et de l'indépendance à trois cents livres ! Ses mains serrèrent le dossier du siège de son père.

— C'est une plaisanterie, s'emporta Tareq. Même si ces terres vous appartenaient, ce qui bien sûr n'est pas le cas, leur valeur sur le marché serait aujourd'hui largement supérieure à quatre cent cinquante livres. Je ne sais pas d'où vous sortez ces chiffres.

Livnor haussa les épaules et leva les mains, semblant signifier à la fois son impuissance et la fin de la discussion.

— Je suis désolé. C'est la loi. Si vous voulez faire appel de ce montant, c'est votre choix. Vous pouvez aussi prendre l'argent et épargner d'autres soucis à votre famille.

Abou Hassan, muet, fixait la feuille de papier d'un regard vide. Il garda si longtemps le silence que Tareq finit par l'interpeller doucement :

— Baba ?

Le mot sembla le faire sortir de sa stupeur. Il releva brusquement la tête et demanda :

— Et la maison ?

Livnor reprit les dossiers, cette fois avec plus de sollicitude, et en sortit deux titres de propriété d'aspect identique.

— Je prends connaissance de ce titre de propriété aujourd'hui pour la première fois, monsieur Al-Ishmaeli, dit-il en agitant le document jauni qu'Abou Hassan venait de lui donner. Il y est écrit que vous êtes le propriétaire de la maison d'Al-Ajami. Mais j'ai un autre document ici, fit-il en montrant le dossier, déposé chez nous depuis de nombreuses années avant mon arrivée. Et il indique que vous n'étiez que le locataire de cette maison. Le propriétaire légal, d'après ce document, était Hamza Abou Mazen Al-Khalili.

Cette fois, Abou Hassan se redressa sur sa chaise. Salim eut le souffle coupé.

Livnor retira encore ses lunettes, se pencha au-dessus de la table et essaya de capter le regard d'Abou Hassan.

— Je suis désolé, monsieur, dit-il d'un ton légèrement empreint de sympathie. Cette maison ne vous appartient plus.

Isak tendit le bras et prit le papier des mains de Livnor.

— Monsieur Livnor, je ne sais rien de ces documents, mais je peux vous assurer qu'Abou Hassan ici présent était bien le propriétaire légal. Je connais sa famille depuis des années.

Sa voix d'asthmatique était brisée par la détresse.

— Je peux personnellement me porter garant pour lui.

Abou Hassan posa sa main sur le bureau en un geste qui ressemblait à une supplication.

— J'ai donné des copies de mon acte de propriété à Abou Mazen avant la fin de la guerre. Il y a eu une erreur. C'est ma maison. Ma famille l'a construite. Il y a eu une erreur, répéta-t-il en remuant la tête de gauche à droite.

— Ce document est abîmé, déclara Tareq. C'est un faux, ou alors il a été modifié. Vous auriez dû vous en rendre compte. Les noms ne sont pas clairement lisibles. Et tout le monde savait que la maison appartenait à Abou Hassan.

— Comme je vous le disais, c'était avant mon arrivée, rétorqua Livnor. L'après-guerre a été une période très troublée. Les Arabes causaient encore beaucoup de désordre à Jaffa. Il est possible que les contrôles n'aient pas été aussi rigoureux qu'ils auraient dû l'être.

Salim se mit à respirer en haletant. Il voulait que son père dise quelque chose. Mais ses bras pendaient le long du corps en signe de défaite. Ses yeux semblaient braqués sur le papier que tenait Livnor, et sa seule manifestation d'émotion fut un soudain haut-le-cœur.

Le conseiller s'enfonça dans son siège et essuya la sueur sur son front. Pareil à un médecin annonçant un diagnostic final, il déclara :

— Je suis désolé, il n'y a plus rien à faire.

— Que voulez-vous dire ? demanda Salim dont la bouche était sèche et la tête tournait. Qu'est-ce que ça signifie pour nous maintenant ?

— Que la maison a déjà été vendue à l'État, répondit Livnor. Par M. Al-Khalili. L'argent lui a été versé.

Il retira ses lunettes et s'adressa à Abou Hassan.

— Vous devez voir ça directement avec lui, monsieur. Parce que maintenant ce n'est plus de notre ressort.

Plus tard, Salim fut incapable de se souvenir d'avoir descendu les escaliers. Le hall d'entrée lui parut gris et oppressant, l'air à l'extérieur saisissant et hostile. Abou Mazen était toujours invisible. Abou Hassan se rendit jusqu'au téléphone public le plus proche et laissa les autres patienter, muets, à l'ombre de l'hôtel de ville.

Tareq se tenait bien droit, une main posée sur l'épaule de Salim. Isak se mit à parler avec hésitation, les yeux baissés.

— Je ne suis pas avocat, mais il a dû y avoir collusion quelque part. Le document qu'avait Livnor n'est pas un vrai. Il est probable que le gouvernement voulait récupérer la maison et en finir au plus vite.

Abou Hassan revint dix minutes plus tard et leur annonça qu'ils avaient rendez-vous avec Abou Mazen dans un café qui donnait sur la plage. Salim ne demanda pas pourquoi ils ne se retrouvaient pas à Jaffa. Soudain, il n'avait plus envie d'y aller. Jaffa l'avait trahi.

La plage de Tel-Aviv incarnait la modernité à l'occidentale poussée à son maximum. Hommes et femmes riaient bras dessus, bras dessous et couraient sur le sable ; ils jouaient au ballon ou se faisaient bronzer dans un grand enchevêtrement de membres. En observant ces créatures d'un autre monde, dont la peau étincelait sous le soleil de midi, Salim, abrité sous les stores d'un magasin, sentit monter en lui un mélange d'émotions contradictoires.

Au loin, Jaffa se dressait depuis la côte, telle une rangée irrégulière de dents jaunies. Il chercha en lui une trace de désir, mais ne trouva rien. *Ce n'est pas Jaffa.* C'était un autre lieu, un endroit vaincu et sale où les vergers avaient été détruits et les orangers abattus.

Étrangement, après tout ce qu'il avait traversé, Salim éprouva un sentiment de légèreté, comme un oiseau prêt à s'envoler. Il pouvait presque entrevoir ses possibilités d'avenir, telles deux bulles qui attendaient d'être libérées. Il y avait d'un côté la Palestine, cette charrette brisée où des hommes de la trempe de son père restaient attelés à vie. Mais il existait aussi d'autres rêves, dans d'autres territoires encore méconnus.

— Ça a l'air amusant, hein ? fit Isak en interrompant le cours de ses pensées. J'emmène parfois Lili à la plage, les dimanches. Elle aime bien prendre le soleil, ajouta-t-il en souriant. Tel-Aviv est une ville qui bouge, qui évolue sans arrêt, alors que la vieille Jaffa est presque toujours la même. Lili dit que le temps est immobile pour nous, les Arabes, quelle que soit notre religion.

Avant que Salim puisse répondre, il entendit une voix qui criait en arabe :

— Salim !

Il se retourna. Un jeune homme venait au-devant de lui. Plus pâle qu'Isak, il avait un air sérieux et le long nez de Lili Yashuv.

Salim ne put réfréner un sourire et secoua la main qu'Elia lui tendait.

— Papa m'a dit que tu venais, je n'arrivais pas à y croire, déclara son ami d'enfance à bout de souffle. Je suis sorti de l'école et j'ai couru tout le long du chemin. Comment vas-tu ? Quoi de neuf ? Est-ce que tu rentres à Jaffa ?

La question transperça le cœur de Salim et le ramena à la réalité. Il lâcha la main d'Elia et remarqua brusquement que sa peau était aussi rose que celle des Juifs, si froids, d'Europe de l'Est.

— Peut-être, répondit-il en se détournant.

Il sentit la présence d'Elia derrière son dos. S'il fut touché par sa peine, il eut pourtant envie de le blesser de nouveau. Il se souvint de leur dernier jour ensemble, au souk. *Elia avait raison, finalement. Nous ne pouvons plus vivre comme avant.*

Elia se racla la gorge pour parler, mais Abou Hassan lança un regard dur aux deux adolescents et dit en arabe :

— Ça suffit, les garçons.

Abou Mazen s'approchait de leur table, suivi par son fils. L'enfant grassouillet était devenu un jeune garçon aux muscles saillants, cinglé dans un étroit costume à la mode. Il avait toujours son épaisse tignasse de cheveux noirs bouclés.

En arrivant, Mazen leva la tête. Quand il aperçut Salim, il eut un geste de recul que ce dernier interpréta comme un aveu de culpabilité.

— *Ya* Salim, dit-il en le saluant négligemment. Toujours à traîner avec le *Yehuda*, à ce que je vois.

Au son de cette voix, des souvenirs refirent surface et Salim frissonna. Mais l'autre garçon, remarqua-t-il, fut prompt à détourner les yeux.

Abou Mazen avait pris un siège à leur table et commandé un café. Salim attendait avec impatience que la discussion soit lancée et qu'Abou Mazen soit accusé de son crime. Mais ce n'était pas la façon de faire des Arabes. Il fallait d'abord boire le café et échanger des politesses. Alors les vrais débats pouvaient commencer.

Enfin, Abou Mazen étira les bras au-dessus de sa tête.

— Alors, comment ça s'est passé, aujourd'hui, à l'hôtel de ville ?

— Je croyais que tu devais nous y retrouver ? répliqua Tareq d'un ton froid.

— Visiblement, vous aviez déjà quelqu'un pour vous aider, fit Abou Mazen en adressant un sourire mielleux à Isak. Je vous aurais encombré.

Le père de Salim jouait avec sa tasse de café, faisant tourner le liquide épais et sucré. Sans lever les yeux de la table, il dit d'une voix rauque proche du murmure :

— Pourquoi as-tu vendu ma maison ? De quel droit ?

Abou Mazen se rembrunit.

— T'ai-je bien compris, Saeed ?

En utilisant le prénom d'Abou Hassan, il lui manquait ouvertement de respect.

— As-tu l'impression que quelqu'un t'a lésé ?

— Oui, toi, répondit Abou Hassan. Tu as falsifié des documents avec les Juifs. Tu as prétendu que la maison t'appartenait. Tu la leur as vendue.

Sa voix tremblait de rage, pourtant il ne parvenait toujours pas à regarder Abou Mazen dans les yeux.

Il a peur de lui, se dit Salim. Les éclats de colère d'Abou Hassan étaient réservés à sa famille, songea-t-il.

Abou Mazen émit un rire bref et hargneux.

— Je t'ai lésé, moi ? grogna-t-il. Tu devrais plutôt me remercier à genoux, Abou Hassan. Si tu avais été là, les Juifs auraient pris ta maison sans rien te donner en échange. Tu peux à peine lire un bout de papier, est-ce que tu l'as déjà dit à ton garçon ? Comment aurais-tu pu te battre contre eux ? Je t'ai sauvé par bonté d'âme. J'ai pris tous les risques. Je la leur ai vendue pour la somme qu'ils m'ont offerte, un bon prix, en fait.

Salim fut pris d'une rage soudaine.

— C'était à notre famille d'en décider, pas à vous ! hurla-t-il.

Abou Mazen se tourna vers lui en souriant.

— Ah, le brillant Salim ! Il y a peut-être des choses que tu devrais savoir, sur ta famille. Ils n'ont jamais mené une seule négociation de leur vie. Tout ce que ton père avait, il l'a reçu en héritage. Tu penses que tu es un homme, maintenant ? Tout ce que je vois, c'est une grande gueule sans le sou.

Salim bondit sur ses jambes, mais fut arrêté par la poigne solide de Tareq.

— Ne t'inquiète pas, Abou Hassan, poursuivit Abou Mazen, j'ai ton argent. Ce n'est pas grand-chose, mais c'est ce que j'ai pu obtenir de mieux. Si j'étais toi, je le prendrais maintenant. Rapporte-le à ta belle épouse et offre-lui quelque chose qui lui fera plaisir.

Il fit glisser une liasse de billets sur la table. Aux yeux de Salim, elle parut souillée, et aussi maigre que leurs espoirs de rentrer chez eux. Il retint son souffle.

L'espace d'un instant, Abou Hassan ne bougea pas. Puis sa main s'avança lentement vers l'enveloppe comme s'il craignait de se brûler. Il s'en saisit et courba la tête. Le cœur de Salim se brisa. Il était insoutenable de le voir si brutalement exposé aux yeux de tous, à l'image d'un mendiant qui n'aurait plus rien.

— *Yallah*, dit Abou Mazen en se levant. À la prochaine, alors. Quand tu repasseras, viens prendre le café à Jaffa. Mes hommages à Oum Hassan. Une belle femme, c'est tout ce dont un homme a besoin, hein ?

Sur ces mots, il se retourna et s'éloigna.

— *Yallah*, Mazen, cria-t-il par-dessus son épaule, et Salim vit son ami d'enfance tressaillir à l'appel de son père.

Pourtant, il resta là, le visage tourné vers les Al-Ishmaeli. Salim vit sa main se tendre vers lui, sa paume potelée ouverte. Il se dit que l'enfant qu'il avait connu existait encore, qu'il essayait en dépit de tout de lui demander pardon.

Mais la main continua de s'élever, et lorsque Mazen toucha son front du bout du doigt, Salim reconnut immédiatement le salut. C'était le geste de respect et de gratitude que le travailleur fait à son maître lorsqu'on lui donne son salaire. Et quand Mazen, l'air plus sûr de lui à présent, se fendit d'un large sourire, Salim comprit que les blagues de gamins s'étaient finalement réalisées. « Voilà ce qu'il te reste à faire », semblait lui dire son ami d'enfance. Salim était devenu le *fellah* qui tendait la main, et ses maîtres venaient de lui distribuer ses derniers gages.

L'enveloppe et son pitoyable contenu furent rangés dans la mallette de Tareq, avec les titres de propriété désormais inutiles. Puis commença le long et pénible voyage jusqu'à la maison. Afin de lutter contre le silence pesant qui régnait dans la voiture, Tareq parla tout le long du trajet. Il proposa des solutions et des stratégies, évoqua des batailles et des plaidoyers devant les tribunaux qu'ils pourraient tenter.

Abou Hassan hochait la tête en grognant pour l'approuver, mais Salim savait que ce n'était que pour les apparences. Son père avait accepté son destin. Le monde allait continuer de tourner, et Salim devrait s'y trouver une nouvelle place.

Lorsqu'ils pénétrèrent dans le petit garage obscur, Salim fut submergé par l'envie de voir sa mère, de sentir sa main fraîche sur son front. Il grimpa les escaliers quatre à quatre et se précipita dans l'appartement.

— Maman ! On est rentrés ! cria-t-il.

Nadia surgit de la cuisine, un torchon humide entre les mains.

— Hé ! dit-il. Où est maman ?

Elle ne répondit pas. C'est alors qu'il comprit son erreur : c'était un mouchoir qu'elle tenait, et non un torchon. Elle avait une expression étrange et quelque chose n'allait pas dans son attitude corporelle. Ses yeux étaient rouges, son visage gonflé. Elle tendit les bras vers lui mais il recula, brusquement terrifié.

Salim fit volte-face et courut dans la chambre de sa mère en hurlant :

— Maman ! Maman !

Les rideaux étaient tirés, la pièce était plongée dans l'obscurité. Malgré la faible lumière, Salim pouvait distinguer les espaces vides dans les placards béants qui, auparavant, débordaient de vêtements.

Il repoussa la main de Nadia pour entrer dans la chambre qu'il partageait avec Rafan. Le petit coffre contenant les affaires de son frère avait disparu. Ainsi que la couverture qu'ils avaient partagée toutes ces années, avec le vieux sac de toile que Salim avait rapporté de Jaffa.

Ses jambes se dérobèrent sous lui. Il s'affala sur le matelas nauséabond de Rafan et fut pris de nausée. *Maintenant, maman, je te comprends.* Elle avait su comment les choses allaient se passer. Elle avait deviné qu'ils échoueraient. Après avoir fait semblant d'appartenir au clan, elle avait fini par partir.

1959

Un après-midi, au retour de la *Shul*, Dora réunit ses filles et son mari pour leur annoncer une grande nouvelle.

— Judit va faire sa Bat Mitsvah ! claironna-t-elle en pinçant le menton de l'intéressée de sa main manucurée. J'en ai parlé au rabbin et il est tout à fait d'accord. La fille d'Hymie et de Martha a célébré la sienne la semaine dernière et il y en a au moins trois autres de prévues cette année.

Gertie applaudit cette initiative.

— D'accord, oui, si tu veux, concéda Jack. Pourquoi pas. Elle a un an pour se préparer, après tout.

Judith resta clouée sur place, horrifiée. Son onzième anniversaire était presque passé inaperçu, à son grand soulagement. Aussi l'idée d'avoir à lire la Torah devant des dizaines – voire des centaines – de Dora et de leurs époux coiffés de la kippa fit courir un frisson glacé dans son dos.

— Mais, maman, tout le monde va me regarder, protesta-t-elle. Je ne peux pas lire devant autant de gens.

— Bien sûr qu'ils vont tous te regarder, répondit

sa mère d'une voix pétulante. Pourquoi ne le feraient-ils pas ? Une belle jeune fille comme toi ! Pense à ta Bubby, comme elle sera fière ! Et ta sœur aussi, elle qui n'a pas eu cette chance.

Sur ces mots, elle se précipita dans la cuisine.

— Pour l'organisation, on verra ça plus tard, Jack, lança-t-elle gaiement. Ce sera simple et sans prétention, rien à voir avec la grande fête qu'a organisée ton frère pour Tony. Juste la famille et quelques amis, tu vois ?

Judith jeta un regard impuissant à son père et à Gertie qui la gratifia d'un gentil sourire et d'un haussement d'épaules éloquent.

— Je suis obligée ? chuchota-t-elle.

— Oh, Judit, ma chérie, mais c'est merveilleux ! s'exclama sa sœur.

Son visage rond rayonnait de bonheur derrière ses lunettes à la grosse monture sombre. Elle les redressa d'une main et, de l'autre, du bout de ses doigts doux et chauds, effleura la joue de sa cadette. Sans que sa femme puisse l'entendre, Jack se pencha et lui chuchota :

— Ces Bat Mitsvah, honnêtement, je ne vois vraiment pas pourquoi les filles devraient s'embêter avec ça. Mais c'est tout nouveau, et ta mère adore innover, Dieu la bénisse.

Rebecca elle aussi trouvait l'idée excellente.

— De mon temps, les gens auraient trouvé cela risible qu'une fille fête sa majorité religieuse, dit-elle en caressant la nuque de Judith. Tout ce qu'on savait, c'est que quand on avait ses règles, on était en âge de se marier.

Judith rougit. À peine une semaine plus tôt, Dora l'avait fait asseoir pour une « discussion ». Quelle torture !

— Avant, les Bar Mitsvah étaient réservées aux garçons. Je n'ai donc pas eu ce privilège, ni Gertie ni ta maman. Tu vois, les temps ont changé à ton avantage, *mommellah*.

— Je ne vois pas en quoi, se plaignit Judith. Et si je n'arrive pas à apprendre tous les versets, si je me trompe ?

Rebecca sourit. Sous son foulard bleu, ses cheveux roux avaient perdu de leur éclat, mais ses yeux d'un vert profond étaient pleins de vie.

— Ne t'inquiète pas, mon cœur, dit-elle. Tu vois, chaque enfant a peur de grandir. Même les petits goyim. Mais tu as plus de chance qu'eux, parce que tu connais précisément le jour où tu pourras cesser d'avoir peur : celui où tu reposeras la Torah et où le rabbin bénira l'adulte que tu seras devenue.

Elle prit le visage de Judith au creux de sa main, aussi fragile qu'un papillon, et le serra tendrement.

— C'est un grand honneur, ma Judit. Cela signifie que tu vas prendre ta place en tant que femme parmi ton peuple. Alors courage, ma petite, montre-toi brave. Sois une *mensch* !

Au club de natation de Wearside, Kath n'en croyait pas ses oreilles.

— Ça a l'air dingue, Judy-Rudy ! commenta-t-elle alors qu'elles s'alignaient le long du bassin, au milieu des cris et des éclaboussements, dans l'attente du coup de sifflet de M. Hicks. Moi, je me ferais pipi dessus. Mais pourquoi tu ne lui as rien dit, à ta maman, pour les sélections ? Tu es la meilleure du club, tu vas intégrer les juniors, c'est sûr !

Aux yeux de Judith, devenir membre de l'équipe de natation junior de Sunderland North East représentait un bien plus bel honneur qu'être l'élue de Dieu. Comme les épreuves de sélection de Wearside approchaient à grands pas, elle s'entraînait jusqu'à l'épuisement et rentrait tard, les cheveux mouillés, les yeux irrités, en éludant savamment les questions de Gertie. Quant à ses résultats, ils dépassaient tous les objectifs du club. Faire partie des juniors était son espoir secret, elle le désirait si ardemment que cela l'effrayait elle-même. Tout récemment, à la fin de sa dernière course, alors qu'elle sortait de l'eau tout essoufflée, M. Hicks avait déclaré en hochant la tête :

— Tu feras l'affaire.

Attristée à l'idée qu'après l'été son amie et elle ne seraient plus jamais assises dans la même salle de classe, Judith serra le bras de Kath. L'examen d'entrée en sixième était pour bientôt. Jack et Dora voulaient à tout prix que leur fille aille au collège de Bede. La mère de Kathleen n'en avait jamais entendu parler et cette dernière avait autant de chances d'y être admise que de marcher sur la lune. Mais elles s'étaient promis de rester amies. Un pacte scellé par le sang, avait déclaré Kath lorsqu'elles s'étaient entaillé le bout de l'index avec le rasoir de Molly avant de presser les deux petites perles écarlates l'une contre l'autre.

— Arrêtez de bavasser, vous deux ! leur hurla M. Hicks. Premier essai pour le groupe numéro 1.

Attention au départ ! Et rappelez-vous, je veux voir des poissons volants, pas des baleines échouées, hein !

Judith avança d'un pas puis recroquevilla ses orteils sur le bord carrelé du bassin, prête à se laisser happer par les flots. Du coin de l'œil, elle vit Kath rougir et saluer quelqu'un de la main. Avant le coup de sifflet, elle n'eut que le temps d'apercevoir une silhouette qui la dominait d'une tête, un bonnet de bain rouge et des yeux d'un bleu métallique.

L'instant d'après, elle plongeait dans un monde silencieux peuplé de bulles bleues, un univers dont la fraîcheur délicieuse lui caressait la peau au passage, synchronisait ses membres capricieux, faisait battre son cœur et ses jambes à l'unisson de son souffle régulier. *Vas-y !* criait quelqu'un et, entre deux expirations, elle perçut les mots sans vraiment les entendre. *Allez, Judith ! Bats-toi !* Quand l'extrémité du bassin se dressa devant elle, elle s'élança vers lui corps et âme ; au moment où ses doigts entrèrent en contact avec la paroi, elle jaillit à la surface. Mais alors qu'elle aspirait sa première goulée d'air, elle vit des yeux bleus la regarder, espiègles : la grande nageuse enlevait déjà son bonnet rouge. Judith continua de flotter sur place, écarlate, pantelante lorsque sa concurrente se pencha vers elle :

— Désolée, ma poupée, murmura-t-elle avant de se hisser hors de l'eau comme une liane pour se diriger vers les vestiaires.

— C'est pas grave, dit Kath pendant qu'elles se séchaient, un peu plus tard. Tu seras quand même dans le premier groupe pour les épreuves de sélection. Ils prennent les deux premières qualifiées.

Judith baissa la tête, déçue. Elle espérait terminer en tête du meilleur groupe – elle y comptait, même.

Son amie lui donna un petit coup de coude dans le bras.

— Regarde, Judith… la voilà. Elle est vraiment incroyable, je te jure !

Sans son bonnet, Judith la reconnut immédiatement : Margaret Smailes, alias Peggy S, le surnom qu'elle s'était choisi d'après la chanson de Buddy Holly. Depuis qu'une épidémie d'angine avait frappé l'école deux semaines auparavant, elle partageait le pupitre de Kath, déjà complètement sous le charme.

Peggy, avec ses longues jambes fuselées et sa jupe qui ne respectait pas la longueur réglementaire, dominait toutes les filles de la classe d'une tête. À l'école, telle une comète, elle ne se déplaçait jamais sans sa cour de camarades gloussantes. Ce jour-là, sa longue queue de cheval blond pâle encore mouillée lui descendait très bas dans le dos et ses ongles vernis rutilaient. Judith distinguait les maillons de la chaîne en or qu'elle portait autour du cou.

Peggy pointa un index ivoire vers elle.

— Alors, Kitty K, c'est elle, ton autre amie ?

— Oui, je te présente Judy, répondit Kathleen avec un grand sourire.

Judith se dandina, mal à l'aise, embarrassée par ses couettes et ses chaussettes marron.

— Qui est Kitty K ? demanda-t-elle.

Peggy se mit à rire.

— Quoi, tu ne devines pas ? C'est Kitty Kallen, l'actrice de cinéma ! dit-elle en posant sa main sur les cheveux en bataille de Kathleen. Elle est tellement sublime avec ses boucles brunes. Ma mère dit qu'elle ne deviendra jamais une grande comédienne parce qu'elle n'est qu'une petite starlette. Mais moi, je pense que quand on est aussi glamour, ça n'a aucune importance, pas vrai ?

Sa chemise blanche entrouverte sur sa peau toujours humide révélait une poitrine naissante et Judith remarqua, glissé dans son décolleté, un pendentif en forme de cœur. Elle crut aussi apercevoir la dentelle d'un soutien-gorge et se surprit à approuver machinalement son propos, tout comme Kath.

— Alors c'est toi, Judy, pas vrai ?

Peggy émaillait ses phrases de « pas vrai » qu'elle décochait comme des balles ; on ne pouvait que tomber d'accord avec elle.

— Mais ce n'est pas ton prénom, pas vrai ? J'ai vu ça sur la liste d'appel. Tu t'appelles Judith, c'est ça ? Tu fais partie des filles juives de l'école. Ce n'est pas grave, tu peux me le dire.

Sa voix était chaude et amicale, mais Judith sentit le souffle d'un vent glacé. Personne ne l'avait jamais désignée comme une « fille juive » – à part sa mère.

Elle lança un coup d'œil à Kathleen qui répondit en souriant :

— Oui, n'empêche qu'elle est super géniale ! C'est ma meilleure amie, hein, Judy ?

— Bon, d'accord, concéda Peggy. Dans ce cas je pense qu'on peut trouver mieux que *Judith*, pour une si jolie fille. Pas vrai, Kitty K ? Mais Judy, ça ne te va pas très bien, à mon avis. Pourquoi pas Jude ? Ça pourrait t'aller, Jude, pas vrai ?

— C'est un prénom de garçon, objecta Judith machinalement.

— Mais tellement à la mode ! Tu ne veux pas être à la mode, Jude ? Tu es déjà une vraie poupée, avec tes petites couettes blondes.

La tête penchée sur le côté, Peggy la regardait en affichant un sourire étincelant. Soudain, la nervosité de Judith se dissipa et elle retrouva son entrain.

— D'accord, ça me plaît, décida-t-elle.

— Super !

La tête en arrière, les yeux fermés, Peggy balança ses hanches comme si elle dansait le twist pour le public de *Crackerjack*.

— Kitty K et Jude, les super copines de piscine !

Elle serra affectueusement le bras de Judith qui rougit et répondit par un gloussement.

Au cours des semaines qui suivirent, Judith eut l'impression d'être amoureuse. Peggy était l'être le plus fascinant qu'elle eût jamais rencontré. À douze ans, elle était déjà le genre de personne que Judith rêvait de devenir à l'âge adulte. Elle savait arranger son uniforme scolaire de manière que tous les garçons se retournent sur elle, et se montrer juste assez gentille et méchante à la fois. Elle savait d'autres choses, aussi, des choses dont ses camarades n'avaient même pas encore idée. Elle savait « tout » des hommes ; elle avait un flirt régulier, leur confia-t-elle un jour à voix basse, quelqu'un de sophistiqué, qui lui offrait de beaux cadeaux comme son pendentif orné de diamants. Elle s'en servait pour dissimuler une marque pourpre sur sa gorge. Un suçon, prétendit-elle. Sa seule faille, c'étaient ses ongles, aux cuticules meurtries et rongées qu'elle camouflait sous une couche de vernis.

Grâce à la belle assurance que dégageait Peggy, l'anxiété de Judith s'amenuisa. Sa nouvelle amie lui apprit l'insouciance, et même l'examen d'entrée au collège n'eut plus d'importance pour elle. Quant à Peggy, quels que soient ses résultats, elle irait dans une école privée l'année suivante, et elle promit à ses deux camarades préférées de leur écrire une lettre par semaine.

— J'ai dit à papa que je voulais fréquenter un collège pour jeunes filles de bonne famille à Londres, mais il a répondu qu'il ne supporterait pas de vivre aussi loin de moi, soupira-t-elle en tripotant sa chaîne.

Lorsque Judith suggéra qu'elle et Kath aillent lui rendre visite, Peggy s'esclaffa, pliée en deux, et sa jupe courte découvrit un peu plus ses cuisses.

— Oh, Jude, quelle rigolote ! Toi, venir à mon école ? Je laisserai un petit mot à la porte pour qu'on te laisse entrer, pas vrai ? Ah ah ah !

Elle se remit à rire à gorge déployée, et Judith l'imita comme les autres filles malgré la pointe de dépit qui l'étreignit. Peggy avait ce genre d'humour ; depuis le jour où Judith avait glissé au bord de la piscine avant de s'étaler dans l'eau, son amie la surnommait Jude la Méduse.

Quand son cousin Tony vint à Sunderland pour le dîner de la Pâque juive, Judith lui raconta l'incident.

— C'est ma meilleure amie, conclut-elle. Elle est jolie et vraiment tordante.

— Ce n'est pas celle que ta mère appelle sa majesté la déesse *shiksa* ?

— Elle ne l'a vue qu'une fois, à la soirée des parents, maman ne sait pas de quoi elle parle.

— Et tu connais sa famille ?

— Non, répondit Judith, soudain hésitante. Ils sont riches, je crois, comme toi.

— Écoute, il ne suffit pas d'être riche pour faire partie du sérail, surtout si on est J-U-I-F, épela-t-il d'un air entendu. Les gens comme nous, on ne les admet pas dans les country clubs, tu sais. J'ai eu droit à mon lot de vexations à l'école, moi aussi.

Tu ne comprends pas, pensa Judith. Personne ne comprenait. À leurs yeux, elle n'était qu'une petite Juive malléable que ses parents façonnaient à leur guise pour que sa communauté la trouve à son goût. Mais aux yeux de Peggy, elle était quelqu'un d'autre. Une personne à part entière.

Une semaine avant les épreuves de sélection, Judith parvint enfin à arracher à Dora la permission de rater une demi-heure de cours d'hébreu. Peggy était tout excitée, Kath, étrangement morose. La première s'était mise à serrer Judith dans ses bras en s'écriant :

— Je suis folle de joie : on sera dans la même équipe de natation l'année prochaine, ma petite Jude !

Judith savait qu'elle et Peggy étant les deux meilleures nageuses du groupe, elles devaient attiser la jalousie de Kath. Pourtant, elle ne pouvait s'empêcher de laisser paraître son triomphe. Elle savourait l'idée qu'une nouvelle vie, rien qu'à elle, s'annonçait : son être inachevé allait s'épanouir pour atteindre une plénitude qu'elle n'aurait pas su expliquer tout en l'espérant ardemment.

Les épreuves de natation auraient lieu le lundi suivant. Judith était prête à voir son univers changer à jamais. Même l'angoisse de la Bat Mitsvah s'estompait, éclipsée par l'excitation qu'elle ressentait.

Le vendredi précédent, à l'heure du déjeuner, Peggy S réunit les filles de son petit cercle près de la grille de l'école et leur annonça qu'elle organisait une fête avant la sélection pour ses meilleures amies.

— Vous allez tellement me manquer l'année prochaine ! dit-elle en prenant une pose de star, main délicatement posée sous le menton, lèvres roses entrouvertes. Papa va faire imprimer des invitations pour chacune d'entre vous. Il n'y a qu'une règle à suivre : être glamour. Ça ne devrait pas te poser de problème, Kitty K, pas vrai ?

Kathleen, rouge de plaisir et d'embarras, sourit jusqu'aux oreilles, tandis que son amie caressait ses indomptables boucles noires. Son autre main se referma sur celle de Judith qui sentit la douceur de sa paume, aussi lisse que la porcelaine.

— Et toi, ma petite Jude ? Tu pourras te trouver un personnage glamour ?

— Lequel dois-je choisir ? demanda Judith d'une voix anxieuse.

Elle était la seule à qui Peggy n'avait donné aucun nom de célébrité, chanteuse ou actrice.

— Oh, Jude, ce n'est pas à moi de te le dire ! Tu n'as qu'à t'en inventer un, pas vrai ? Débrouille-toi.

Elle se retourna vers les autres et laissa Judith se demander avec inquiétude quel personnage pouvait lui correspondre.

Le père de Peggy arriva à l'école au volant d'une

Jaguar gris métallisé pour déposer les invitations que sa fille distribua sur place le jour même. Sur le carton de Judith, il y avait un tourbillon de ballons et de cœurs aux couleurs sombres et, au-dessus : *Jude.*

À l'intérieur, on pouvait lire : *dimanche 12, à midi.* Elle avait hébreu à la même heure, se rappela-t-elle. Comme elle peinait à lire ses passages de la Torah, le rabbin pensait qu'elle avait besoin de soutien. Parviendrait-elle à convaincre Dora de la laisser faire l'école buissonnière, pour une fois ?

Après les cours, Peggy rangeait son pupitre avec l'aide de Kathleen, quand elle vit Judith approcher. Percevant son hésitation, elle afficha un grand sourire étincelant.

— Quoi de neuf, petite Jude ?

— Peggy, est-ce que je peux vous rejoindre plus tard pour la fête ?

— Mais pourquoi ? Quelle drôle d'idée !

— Ça tombe en même temps que mon cours d'hébreu. Ma mère a déjà dit oui pour les épreuves de sélection, aucune chance qu'elle accepte de me laisser rater l'hébreu par-dessus le marché.

Judith entendit quelques gloussements derrière elle. Peggy lança un coup d'œil en biais à Kathleen et Judith crut les voir échanger un sourire furtif.

À présent, Peggy l'observait, et le petit rictus moqueur était toujours là, sur ses lèvres.

— Un cours d'hébreu ! Wouah ! Passionnant ! s'exclama-t-elle. On ne voudrait surtout pas que tu manques ça ! Si tu préfères y aller, ça m'est complètement égal.

— Non, non, répondit Judith. J'ai envie de venir, mais…

Sa voix mourut. Peggy prit son sac et se dirigea vers la porte. Vue de dos, sa silhouette longiligne dessinait comme un point d'exclamation. Elle s'arrêta un instant sur le seuil, queue de cheval bondissante, et se retourna pour jeter un regard par-dessus son épaule.

— Si tu as envie de venir, viens, Jude. À toi de décider. J'espère vraiment que tu seras là.

Judith la regarda quitter la salle de classe. Kath rangeait toujours ses livres dans son sac. Judith essaya de croiser son regard, mais les yeux bleus de son amie restaient obstinément baissés.

— C'est des snobs, Judith, dit-elle tout à coup en se redressant pour soulever son cartable d'un geste brusque. Peut-être que ce n'est pas plus mal si tu es prise.

Ce soir-là, pendant le dîner de sabbat, Judith aborda le sujet de la fête de Peggy et du cours d'hébreu.

— C'est non, décréta Dora. Deux fois en une semaine, n'y pense même pas ! Aurais-tu oublié que ta Bat Mitsvah approche ? Le rabbin Geshen a dit que tu étais en retard sur tes lectures. D'abord la natation, et maintenant une fête… Quelle mouche t'a piquée ?

— Je me rattraperai la semaine prochaine, c'est promis, supplia Judith. Papa, s'il te plaît !

Mais Jack se contenta de secouer la tête.

— Écoute ta mère, ma puce.

— Que Dieu nous vienne en aide ! Mais où as-tu la tête, Judit ? demanda Dora. Serais-tu amoureuse de cette déesse *shiksa* ? Tu veux te convertir ? Les fêtes, ce n'est pas ce qui manque, jeune fille, mais on n'a qu'une Bat Mitsvah dans sa vie. Alors je ne veux plus en entendre parler.

Mais les disputes se poursuivirent jusqu'au samedi et Dora, au comble de la frustration, y mit fin en partant pour la *Shul* tandis que Judith battait en retraite dans sa chambre. Le dimanche matin, elle caressa l'idée de filer en douce. Mais, pour une fois, sa mère avait tout prévu et demandé à Gertie d'aller faire le guet devant la porte de sa sœur.

Dans ce rôle, Gertie fut tout bonnement désespérante ; avec son opulente poitrine et ses hanches larges, elle ne savait que faire d'elle-même sur l'étroit palier qu'elle devait surveiller. Assise dans sa chambre, Judith se consuma de haine rien qu'en pensant à sa jeune gardienne aux lunettes sévères et aux austères collants bruns.

Pour finir, Gertie ouvrit la porte.

— Judit, il est presque l'heure de ton cours, dit-elle. Tu veux qu'on y aille ensemble ?

Sa sœur lui lança un regard noir mais n'eut pas le courage de refuser. Se méprisant elle-même, elle se leva et mit son sac sur son épaule. Dans quelques minutes à peine, Kathleen se présenterait chez Peggy dans ses plus beaux habits et Judith, assise en compagnie du rabbin à la peau moite de sueur, s'escrimerait à déchiffrer la Torah.

Soudain, Gertie émit un bruit étrange, comme un cri de surprise. Avec une rapidité que sa sœur ne lui avait jamais connue, elle traversa la pièce et s'empara de quelque chose sur le lit. C'était l'invitation de Peggy, dans toute sa splendeur rehaussée de reliefs.

— Rends-moi ça ! s'écria Judith d'une voix farouche, mais Gertie ne l'écoutait pas.

Elle lui fit face, sa lourde poitrine agitée par l'émotion, le carton tendu devant elle comme un révolver.

— Qu'est-ce que c'est que ça ? demanda-t-elle dans un souffle. Qui t'a écrit ce message ? Judit, pourquoi ne nous en as-tu pas parlé ?

— Ce n'est rien, répondit sa sœur, méfiante. C'est l'invitation à la fête de mon amie. Quelle importance ?

— Mais qu'est-ce que c'est que ça ? répéta Gertie, encore plus pâle, le doigt pointé sur le nom de l'invitée.

— C'est mon prénom. Jude. Les filles m'appellent comme ça, à l'école.

À ces mots, elle vit son aînée reculer, le front plissé par une expression à la fois incrédule et horrifiée.

— Tu te fais appeler comme ça, toi ? Mais tu ne sais pas ce que ça signifie ?

Gertie s'était mise à transpirer, et des gouttes perlaient sur son grand front luisant.

— *Jude. Juden.* C'est le nom qu'ils nous donnaient, dans les ghettos et dans les camps.

Elle s'approcha de Judith qui recula.

— Comment peux-tu laisser quelqu'un t'appeler comme ça ? dit-elle en agitant l'invitation sous le nez de sa sœur effrayée. Comment as-tu pu ?

Judith ressentit une honte fugace mais, presque aussitôt, c'est sur son propre sort qu'elle s'apitoya avec un douloureux pincement au cœur. *Pieuse Gertie*, songea-t-elle, pleine de ressentiment. *Tu trouves toujours le moyen de me mettre en tort.*

— Je ne les ai pas laissées m'appeler Jude, rectifiat-elle avec une nonchalance affectée. Je me suis choisi ce nom. Je l'aime bien. Il est chouette.

Avant même qu'elle ait terminé sa phrase, Gertie la gifla – une claque qui lui causa une vive brûlure. Sidérée, Judith hurla, tandis que sa sœur couvrait son visage de ses mains et se mettait à pleurer.

— Est-ce que tu te rends compte de ce que tu dis, Judit ? chuchota-t-elle. Tu ne comprends vraiment rien à ce que nous sommes ni à ce que nous avons subi.

La douleur causée par sa gifle était cuisante. Judith n'en revenait pas. Sa sœur tenait toujours gauchement l'exquis carton blanc entre ses doigts ronds qui ne connaissaient pas le vernis. L'espace d'un instant, une autre image se superposa sur le petit rectangle : *Gertrude, Esther et Daniel Kraus, Vienne, 1939.* Alors, une rage incandescente dirigée contre sa sœur, contre cette éternelle culpabilité, saisit Judith à la gorge.

— Non, c'est toi qui ne comprends rien à rien ! cria-t-elle, les joues en feu. J'en ai assez de vous entendre m'expliquer ce que je dois faire et qui je dois être ! Je déteste être juive ! Fichez-moi tous la paix !

Alors qu'elle prononçait ces paroles, ses jambes se mirent en mouvement. Elle entendit Gertie l'appeler mais, le cœur battant à tout rompre, elle dévalait déjà l'escalier, longeait le couloir au pas de course et claquait la porte de la maison derrière elle. Le contact froid du vent marin qui soufflait dehors fut douloureux et euphorisant, comme la première bouffée d'oxygène qui brûle les poumons à la fin d'une course.

Elle prit le bus pour aller chez Peggy. Dans un bruit de ferraille, le véhicule s'éloigna de Ryhope Road et roula vers les quartiers plus chics. Judith serrait son sac contre sa poitrine. Grisée à l'idée de la fête qui l'attendait, elle regardait les rangées austères de maisons mitoyennes défiler le long de la route qui l'emportait loin des chantiers navals. *Elles vont être si contentes de me voir. Et elles vont bien rire quand elles sauront dans quel pétrin je me suis mise !*

Le bus s'arrêta à la lisière de la ville, là où les maisons avaient des jardins à l'avant et à l'arrière, et où aucune fumée n'entachait le bleu du ciel. Judith descendit et regarda les autres passagers disparaître dans le grondement du moteur, puis elle se retrouva seule sur le trottoir silencieux.

En remontant la rue qui menait à la demeure des Smailes, Judith se sentit aussi grande et majestueuse que Peggy elle-même. Elle tira sur sa jupe et rejeta ses cheveux en arrière. Une inquiétude passagère lui traversa l'esprit : elle avait dérogé aux règles de son hôtesse puisqu'elle était tout sauf *glamour*. Pourtant, après s'être pincé les joues et mordillé les lèvres, elle se dit qu'avec un récit amusant de ses aventures cela passerait.

Elle ouvrit le portail avec précaution et perçut du mouvement derrière les rideaux d'une des larges fenêtres. Des rosiers poussaient dans le jardin et leurs fleurs, telles des écolières, inclinaient leurs lourdes têtes. Le sourire aux lèvres, Judith gravit les marches du perron en quelques enjambées et tendit la main pour frapper.

À cet instant, quelque chose l'arrêta. En reculant un peu, elle vit ce que c'était : quelqu'un avait accroché un grand écriteau jaune sur le mur, à côté de l'entrée.

Dessus, en capitales, s'étalaient les mots INTERDIT AUX JUIVES.

D'abord, Judith contempla le message sans le comprendre. Les lettres dansaient devant ses yeux et ses jambes se mirent à flageoler, au point qu'elle dut s'appuyer sur les colonnettes du perron. Sa poitrine se contracta comme si elle avait des cailloux plein la gorge.

Elle entendit alors un déclic. La porte d'entrée s'était ouverte et Judith découvrit Kathleen, debout dans le hall. Peggy se tenait derrière elle, la main posée sur son épaule. La grande blonde aux lèvres vermillon affichait un sourire narquois. Le visage de Kath s'était empourpré sous ses taches de rousseur et elle gardait les yeux fixés sur le sol.

Judith se redressa en se demandant si elle était censée rire ou pleurer. Est-ce que tout rentrerait dans l'ordre si elle réagissait comme il le fallait ? Était-ce un test ? *Tout ça n'est qu'une plaisanterie*, pensa-t-elle avec angoisse, *elles vont m'inviter à entrer.* Mais son regard se posa sur les doigts qui enserraient l'épaule de son amie, distinguant avec une précision brutale le vernis rose pâle qui luisait dans la pénombre.

Une simple pression de la main, et Kathleen releva brusquement la tête. Quand leurs regards se croisèrent, le visage de son ancienne camarade exprimait un chagrin si sincère que Judith en eut les larmes aux yeux et, au même moment, ne douta plus de son abandon. *N'empêche, elle n'osera pas retourner à l'intérieur*, pensa-t-elle. *Elle ne fera pas ça.*

Pendant quelques secondes, personne ne bougea. Judith inspira profondément, pleine d'espoir. Puis

Kathleen lui ferma la porte au nez et le long grincement du battant en chêne poli lui signifia son exclusion.

Lorsque Judith revint à Ryhope Road, tout son univers avait basculé. La première chose qu'elle entendit en ouvrant la porte d'entrée, ce furent des pleurs. Ils semblaient tout droit sortis de son cœur brisé et, l'espace d'un instant, elle s'imagina qu'elle était bel et bien en train de sangloter. Puis elle pensa à Gertie. Presque aussitôt, aussi vive qu'un serpent, la réalité la rattrapa. C'était Rebecca. *Elle sait*, pensa-t-elle, *elle pleure à cause de moi.*

Soudain, Gertie apparut sur le seuil du salon. Le visage couvert de marbrures rouges, elle saisit la main de sa sœur et l'agrippa.

— Oh, Judit, Dieu merci. Nous avons reçu une terrible nouvelle. Ton oncle Max… je laisse père te l'annoncer.

Tremblante, Judith la suivit. Rebecca se balançait d'avant en arrière sur le canapé vert et se lamentait contre l'épaule d'un Jack désemparé. Assise de l'autre côté, Dora la tenait fermement par le bras.

Rebecca ouvrit les yeux à l'approche de Judith ; elle se pencha pour attirer sa petite-fille vers elle. Mais celle-ci résista instinctivement, tant la honte lui collait à la peau.

— Qu'est-ce qui est arrivé ? demanda-t-elle, la gorge nouée.

Dora lui répondit à voix basse, comme si elle lui confiait un secret.

— Ton oncle Max est blessé, Judit. Il était dans un bus qui a été attaqué. Ils lui ont tiré dessus.

Judith mit quelques instants à comprendre ce qu'on lui disait, à se rappeler qu'elle était toujours liée à d'autres existences. Alors même qu'elle se moquait de sa sœur et se sauvait de chez elle, des gens qui haïssaient les Juifs s'en étaient pris à sa famille.

Dora regarda Jack qui serra sa mère plus fort.

— Il va s'en sortir, maman. Max est un battant. Il reçoit les meilleurs soins.

Rebecca secoua la tête.

— Oh, mon petit, mon pauvre petit garçon ! gémit-elle d'une voix rauque. N'en aurons-nous jamais fini avec tout ça ? D'abord les Russes, ensuite les Allemands et maintenant mon fils qui tombe sous les balles dans un bus. Quand cela s'arrêtera-t-il ?

Ils mirent Rebecca au lit puis Jack expliqua la situation à sa fille. Max était hospitalisé à Tel-Aviv, dans un état critique. Jack et Alex allaient prendre le premier avion pour Israël.

C'est avec une gratitude silencieuse que Judith s'entendit recommander d'être bien sage. Comme son père la regardait en secouant la tête, elle crut qu'il allait lui dire combien elle l'avait déçu. Mais au lieu de cela, il déclara simplement :

— Quelle ignominie, Judith ! Max s'occupait de sa ferme, cultivait et bâtissait sur ses terres. Qu'y a-t-il de mal à ça ?

Plus tard, elle monta à pas de loup jusqu'à la chambre de sa grand-mère. Un silence angoissant régnait dans la maison. Dora et Gertie étaient assises dans la cuisine, devant leurs tasses de thé refroidi. Jack était parti se renseigner sur les prix des vols pour Tel-Aviv. Par la porte entrouverte, Judith aperçut Rebecca, la tête calée sur ses minces oreillers. Elle frappa doucement et vit son aïeule tendre légèrement le cou.

— Entre, *mommellah*, dit-elle d'une voix que l'adolescente trouva douloureusement frêle.

Judith s'agenouilla près d'elle et prit sa main entre les siennes.

— Je suis désolée, Bubby.

Rebecca acquiesça puis regarda par la fenêtre les nuages blancs suspendus dans le ciel d'été. Judith, silencieuse, sentait le pouls de sa grand-mère battre faiblement entre ses doigts. Mais le fardeau du secret lui délia la langue et elle se surprit à avouer tout à trac :

— Je me suis disputée avec Gertie, aujourd'hui.

Rebecca se retourna vers elle et la contempla de ses yeux fatigués.

— Ah oui, elle m'en a parlé. À cause de ce surnom.

Soudain écarlate, Judith attendit le verdict de Rebecca. Mais celle-ci se contenta de reposer la tête sur son oreiller avant de soupirer.

— Je n'oublierai jamais le jour où elle est arrivée chez nous, raconta-t-elle, les yeux dans le vague. Ce n'était qu'une fillette, encore plus petite que toi… Et maigre, jamais on ne pourrait l'imaginer aujourd'hui. Elle a débarqué dans un des trains de réfugiés du *Kindertransport* en provenance d'Autriche. Ta mère et moi, nous sommes allées la chercher à la gare, à Liverpool Street Station, à Londres. Gertie était avec sa sœur, elle serrait sa main avec une telle force que j'ai cru qu'elle ne la lâcherait jamais. Elles se ressemblaient comme deux gouttes d'eau et cela m'a brisé le cœur de les séparer, mais nous ne pouvions pas les accueillir toutes les deux. Gertie a pleuré pendant tout le chemin du retour, et ensuite pendant des semaines entières. Elle ne parlait pas un mot d'anglais, alors j'ai essayé le yiddish. Ne le répète pas à ta mère, mais si son yiddish est aussi bon, c'est grâce à Gertie !

Elle s'interrompit, le temps de tousser dans sa main.

— La petite refusait de parler de sa maman, de son papa et des frères qu'elle avait laissés derrière elle. Elle ne voulait ni manger ni dormir. Elle ne pensait qu'à revoir sa sœur. Je me suis dit que c'était bien étrange de sauver une enfant de la barbarie pour la laisser mourir de chagrin, bien à l'abri. Ensuite, j'ai découvert que sa sœur vivait à seulement quelques kilomètres de chez nous, si bien que Dora et moi avons pris l'habitude d'y emmener Gertie à tour de rôle, le vendredi avant les prières. Cela nous prenait quatre heures de marche aller-retour, mais nous ne laissions jamais passer ces rendez-vous. J'écoutais les deux petites bavarder tant qu'elles pouvaient, en allemand et en yiddish, et ça me mettait du baume au cœur. Mais c'était avant la guerre. Les membres de leur famille ont été envoyés dans les camps et n'en sont jamais revenus. Ensuite, la sœur de Gertie est partie vivre ailleurs, parce que la maison des gens qui l'accueillaient avait été bombardée. Et Gertie ne l'a plus jamais revue, même si elles ont échangé des lettres.

Le visage de Judith était inondé de larmes qu'elle n'osait pas essuyer. *Gertrude, Esther et Daniel*, se rappela-t-elle. Rebecca poursuivit son récit.

— Tu ne peux pas savoir à quel point cela a été

difficile pour les Juifs quand la guerre a éclaté. Les nazis avaient tellement de sympathisants, ici, qui croyaient tout savoir sur nous. Quand les chantiers navals ont été bombardés, je l'ai lu sur le visage des gens. Ils pensaient que c'était notre faute, que nous les avions affligés d'une véritable calamité. Peut-être avaient-ils raison. Où que nous allions, la haine nous poursuit. Nous continuons à rêver que la prochaine génération se débarrassera de cette malédiction.

Elle soupira et serra la main de Judith.

— Je lui ai dit des choses terribles, avoua cette dernière non sans un sentiment de soulagement. Elle n'aimait pas mon surnom, ça m'a mise en colère, alors je lui ai dit que je regrettais d'être juive.

Rebecca tapota la joue de sa petite-fille en souriant.

— Toi et ton prénom ! Laisse-moi te dire une chose : ce prénom a une histoire édifiante. Quand Nabuchodonosor a envoyé l'un de ses méchants généraux anéantir les Juifs, la jeune Judith s'est introduite dans sa tente. Et sais-tu ce qu'elle a fait ? Elle l'a enivré et lui a coupé la tête. Ce qui a mis son armée en déroute. Voilà comment Judith a sauvé son peuple. C'est une femme moderne, ma Judit. Il y a pire, comme prénom, pour une jeune fille, tu ne trouves pas ?

Judith se força à sourire. Dans la confusion causée par l'épuisement, Peggy, Kathleen, Gertie et les enfants anonymes du *Kindertransport* semblaient tous l'appeler. Elle avait envie de s'allonger pour ne plus les entendre.

— Tu es fatiguée, Bubby, dit-elle en se levant. Je vais t'apporter une tasse de thé.

— Attends. Laisse-moi d'abord te donner quelque chose, *mommellah.*

Elle tendit son bras pâle vers le tiroir de sa table de chevet et prit une enveloppe au nom de Judit. Celle-ci reconnut l'écriture penchée, en pattes de mouche, de son aïeule.

— Je la gardais pour ta Bat Mitsvah, mais j'ai fini de l'écrire. Je te la donne. Seulement, ne la lis pas avant le grand jour. Ça porte malheur.

Judith la lui prit délicatement des mains puis Rebecca se rallongea et ferma les yeux.

— Qu'est-ce que c'est ? demanda l'adolescente en sentant plusieurs épaisseurs de papier.

— Rien de spécial, s'entendit-elle répondre dans un murmure. Mais promets-moi que tu attendras pour l'ouvrir.

— Promis, dit Judith, mais, cette fois-ci, Rebecca ne parut pas l'entendre.

Elle s'éloigna sans faire de bruit et s'arrêta sur le seuil pour regarder la silhouette qui reposait sous les couvertures.

— Je t'aime, Bubby, chuchota-t-elle.

Le souffle léger, sa grand-mère avait déjà sombré dans le sommeil captivant de la vieillesse.

Une fois dans sa chambre, elle posa la lettre sur son lit. Après un instant d'hésitation, elle glissa son doigt sous le rabat de l'enveloppe. Plusieurs feuilles s'en échappèrent, noircies par Rebecca. Judith lut la première ligne :

Judit, ma petite chérie,

Aujourd'hui, c'est le jour de ta Bat Mitsvah. Un jour particulier pour toi, qui t'apprêtes à devenir une femme. Je suis certaine que tu vas faire des merveilles, et que tu nous rendras fiers de toi.

Sa vision se troubla et elle se frotta vigoureusement les yeux, jusqu'à en avoir mal. Quand elle distingua de nouveau ce qui l'entourait, elle vit son sac de natation accroché au bouton de la porte. Elle le décrocha d'un geste vif puis le serra contre sa poitrine. La toile rouge vif était encore imprégnée d'effluves chers à ses narines, l'odeur piquante du chlore et celle du caoutchouc mouillé. Pour son premier jour à Wearside, Kath lui avait dessiné un cœur jaune sur le coin qui s'effilochait. Elle sentit les contours rigides du programme de sélection du lendemain contre sa chemise.

Prise de honte et de dégoût, elle sortit le programme, le déchira et jeta les morceaux sous son lit. Elle ouvrit alors son placard, relégua le sac tout au fond, à l'arrière, en l'enfouissant sous un tas de chaussures comme s'il n'avait jamais existé. Quand elle se recoucha en chien de fusil sous sa couverture, la lettre de Rebecca glissa et tomba par terre. *Fiers de toi.* Comment était-ce possible, alors qu'au fond d'elle-même toutes ses certitudes avaient volé en éclats pour laisser la place à un grand trou béant ? *Je ne suis pas une* mensch, *Bubby*, murmura-t-elle à son oreiller. *Ni maintenant, ni jamais.*

Il n'y eut aucune hâte pour faire revenir la mère de Salim, ni menaces, ni coups de téléphone, ni exigences. Elle avait disparu, complètement et irrévocablement, comme si elle s'était évaporée.

Malgré la colère qu'il éprouvait envers sa mère pour

l'avoir abandonné, Salim ne parvenait pas à la haïr. Le chagrin le poussait à chercher d'autres coupables : les Juifs, le destin, et surtout son père. Ce jour-là, il sortit de sa chambre et attrapa la main d'Abou Hassan ; il la serra contre sa poitrine et le supplia de la retrouver.

— Elle ne doit pas être loin, dit-il en sanglotant.

Son estomac se révulsa et sa détresse enfantine fut suivie d'un sentiment de honte lorsqu'il sentit le liquide couler le long de sa jambe. Mais Abou Hassan se contenta de rester figé sur place, la bouche ouverte, le regard brouillé. Un son étouffé sortit de sa gorge, puis il se détourna de son fils lorsque celui-ci hurla :

— C'est ta faute ! Tu l'as rendue malheureuse ! Tu as tout raté ! Maintenant, nous n'avons plus rien.

Tareq tira violemment Salim vers lui et le prit dans ses bras, à moitié pour le retenir, à moitié pour l'apaiser. Il maintint son étreinte et, la bouche posée sur le sommet de sa tête, lui murmura de ne jamais accuser son père, qui l'aimait plus que tout.

— Il ne peut pas te le dire parce qu'il est âgé, et que la vie l'a privé de mots.

Mais à cet instant, Salim ne ressentait que rage et désespoir ; au point que si Abou Hassan avait encore possédé la maison aux Orangers, le jeune garçon aurait été capable d'aller y mettre le feu lui-même.

La nuit, la place à ses côtés, où Rafan avait l'habitude de dormir, était désormais froide. La chambre où les trois frères s'étaient couchés et avaient projeté leur retour à l'orangeraie était vide. Et ses rêves étaient hantés par sa mère, par des maisons étranges dont il poussait la porte, et où il la retrouvait.

Au cours des mois qui suivirent, son cœur blessé

demeura inconsolable. Le jeune garçon souffrait surtout du fait que sa mère ait emmené Rafan, et non pas lui. L'aiguillon de la jalousie et du chagrin le torturait dès qu'il essayait de trouver un peu de repos.

Pourtant, malgré lui, il passa des heures à se représenter les lieux où elle pouvait être, et cette évocation le rendait légèrement fébrile. Peut-être se promenait-elle sur les larges boulevards des grandes villes d'Europe, ou dans les rues ensoleillées de Beyrouth ? Puis la douleur provoquée par sa fuite finit par l'animer d'une nouvelle énergie, elle brisa les liens qui l'attachaient à la Palestine, laissa son imagination s'élever jusqu'au ciel, au-delà des immeubles surpeuplés de Nazareth, pour l'entraîner vers l'inconnu.

Concrètement, la fugue de sa mère le libéra. Abou Hassan, qui avait été remis à flot par l'argent de la honte remis par Abou Mazen et avait à présent deux bouches de moins à nourrir, se laissa plus facilement influencer quant à la façon d'élever le fils qui lui restait.

Nadia et Tareq aimaient sincèrement Salim et s'inquiétaient pour son avenir. Rester à Nazareth ne lui apporterait rien de bon, il fallait trouver une solution. Et si Salim perfectionnait son anglais et apprenait un vrai métier ? suggéra Tareq à Abou Hassan, un soir. S'il partait rejoindre Hassan en Angleterre, il pourrait envoyer de l'argent et subvenir davantage aux besoins de son père.

Le vieil homme s'empressa d'accepter. Après tout, il n'avait plus l'âge de s'occuper d'un adolescent. Les visas étaient alors simples à obtenir si l'on trouvait un garant.

Salim sauta de joie lorsque Tareq lui annonça la nouvelle. Il promit de travailler dur, d'obtenir de bonnes notes, d'éviter les ennuis et de ne pas contrarier son père. Il avait hâte de quitter cette médiocre existence réservée aux Arabes, désormais privés de tout pouvoir. Vivre sur la nouvelle terre d'Israël n'éveillait plus en lui une seule once de désir.

Lors de sa dernière nuit au pays, il rassembla toutes ses affaires. Les vêtements furent rangés dans un petit sac noir et les photos jetées à la poubelle. En vidant le fond de son armoire, il trouva une boîte à chaussures et en souleva le couvercle.

Après toutes ces années, l'image de la maison aux Orangers avait jauni. C'était la première fois qu'il la regardait depuis son retour de Tel-Aviv. À quoi bon, à présent ? Il la mit à la poubelle et entendit un triste bruit sourd quand elle atterrit au fond. Il s'assit sur le lit, le souffle court.

Après quelques instants, il se baissa et la ramassa. Les yeux accusateurs du garçonnet le fixaient depuis le cadre. Salim répondit : *J'ai de nouveaux rêves, maintenant.* Mais il se dépêcha de fourrer le cliché dans sa valise.

À l'automne, après son dix-septième anniversaire, alors que la saison de récolte des oranges approchait, Salim se retrouva à l'aéroport de Lod, à Tel-Aviv, pour prendre le vol El-Al à destination de Londres. Dans sa poche, il avait un aller simple, son passeport israélien, sa carte d'identité et son certificat de naissance palestinien. Son père lui avait donné l'équivalent de cent livres sterling pour qu'il puisse commencer sa nouvelle vie. C'était tout son héritage du passé, le dernier legs de la maison aux Orangers.

Tareq et Abou Hassan l'accompagnèrent jusqu'au comptoir d'enregistrement. Nadia, trop bouleversée, s'était sentie incapable de venir. Salim avait refoulé ses larmes lorsqu'il l'avait serrée dans ses bras pour lui dire au revoir. D'une certaine manière, elle aussi perdait un fils ce jour-là.

Tareq lui donna une vigoureuse accolade et le pressa fortement contre lui.

— Que Dieu te bénisse, que Dieu te bénisse, répétait-il, les joues inondées de larmes. Fais attention à toi. Tu sais que tu auras toujours une place chez nous, toujours.

— Je sais, répondit Salim, profondément ému.

Il avait envie de dire à Tareq à quel point il l'aimait, qu'il avait été à la fois un frère et un père pour lui. Mais en la présence d'Abou Hassan, il n'osa pas.

— Dis au revoir à Nadia pour moi, parvint-il à lui murmurer. Dis-lui que je mangerai bien et que j'étudierai, et que ça me manquera, de ne plus l'entendre me crier dessus.

Tareq hocha la tête et s'éloigna pour laisser Abou Hassan faire le dernier adieu.

Père et fils se dévisagèrent longuement. Dans la lumière crue du hall des départs, Salim se rendit soudain compte que son père avait vieilli. Lui-même, se rappela-t-il, appartenait à la seconde famille d'Abou Hassan, au dernier sursaut d'une longue vie. Il observa son corps et ses jambes affaiblis, la teinte grisâtre de ses vieilles lèvres, et une bouffée de tendresse inattendue le submergea.

Il passa le bras autour de ses épaules.

— Au revoir, baba, dit-il doucement, cherchant des mots à la fois sincères et chaleureux. Je… je t'écrirai souvent. Prends bien soin de toi.

Abou Hassan entoura la taille de son fils d'un bras tremblant. Il serra Salim tout contre lui, et ce dernier sentit les battements de son cœur. Puis Abou Hassan le lâcha, avant de prononcer *Ma salameh* – Va en paix. Salim resta immobile quelques secondes avant de remonter son sac à dos sur ses épaules et de se tourner vers les portes.

Le passage brusque d'une vie à une autre fut beaucoup trop soudain. L'heure suivante, Salim se retrouva assis, ceinture bouclée sur son siège, tandis que l'avion d'El-Al s'élevait au-dessus des nuages de poussière jaune provoqués par la chaleur de l'été.

Ils avaient quitté Israël avant même que l'avion eût pris de l'altitude. La tête collée au hublot, Salim avait vu disparaître sous ses yeux cette bande de terre pour laquelle tant de gens s'étaient battus. Un territoire si petit qu'il en eut le souffle coupé.

Quand ils atteignirent le bleu du ciel, il eut l'impression d'entrer dans un vide intérieur aussi profond que celui qu'il contemplait de son hublot, un gouffre terrifiant et grisant, prêt à être comblé.

Quatre heures plus tard, l'avion se posa à l'aéroport de Londres. Le ciel gris et sinistre ainsi que les immenses étendues de verdure lui parurent étrangement apaisants. Il était prêt à accueillir les différences entre le monde qu'il venait de quitter et celui auquel il appartiendrait bientôt.

Tandis que Salim faisait la queue pour présenter son passeport et son visa, il observait les visages autour de lui, certains sombres, d'autres pâles, tous manifestant une expression contenue. Il se demanda combien parmi eux étaient venus ici, comme lui, pour prendre un nouveau départ. L'autre file, celle des titulaires de passeports britanniques, avançait rapidement. Il se fit la promesse que, la prochaine fois, il ferait partie de ce groupe.

Un visage familier l'attendait dans le hall des arrivées. Hassan, toujours costaud, grassouillet et jovial, agita frénétiquement la main et un sourire réjoui éclaira ses traits.

— Mon Dieu, Salim ! dit-il en prenant son frère dans ses bras.

Il était emmitouflé dans un épais pull-over et un manteau en cuir noir.

— Tu n'as pas changé. Quelle allure ! Tu ressembles à une star de cinéma ! On va sortir tous les deux ; comme ça, j'aurai peut-être plus de chance avec les filles !

— Pas si tu portes ce pull, imbécile, fit Salim en riant.

Il était sincèrement heureux de le voir et soulagé de trouver en son frère un point de repère. Hassan lui donna une grande tape dans le dos.

— Viens, on rentre à la maison.

En sortant, Salim fut saisi par l'air lourd et humide. *Comment font les gens pour vivre ici ?* Tout le dérouta : le ciel oppressant, l'aéroport immense, les files continues de voitures filant dans l'obscurité, le vacarme de la circulation et les dizaines de voies qui partaient dans toutes les directions. Les deux frères mirent près d'une demi-heure pour trouver leur véhicule et prendre la route.

Tandis qu'ils roulaient dans les rues pluvieuses et encombrées, Salim écoutait d'une oreille distraite Hassan lui parler de son garage, des projets excitants qu'ils allaient pouvoir réaliser ensemble et des filles qu'ils allaient rencontrer. Quand Hassan lui demanda quels étaient ses plans, Salim tripota les billets rangés dans sa poche et répondit sans réfléchir :

— Je veux prendre des cours d'anglais et essayer d'entrer à l'université.

— À l'université ? Pour quoi faire ? Crois-moi, Salim, tu n'as pas besoin de toutes ces satanées études. Tu vas te faire plein d'argent avec moi au garage.

Salim ne dit rien. Il contemplait les façades bétonnées et grises par la vitre et se demandait comment il allait pouvoir s'imposer et réussir dans ce pays inconnu.

Enfin, ils passèrent sous un pont de chemin de fer et débouchèrent dans une petite rue crasseuse. En contemplant les bâtiments délabrés qui bordaient la chaussée et les silhouettes sombres des passants, Salim devina qu'ils étaient dans un quartier pauvre, réservé aux étrangers comme lui. Hassan prit le sac de Salim dans le coffre de la voiture et le porta jusque sur le seuil d'une petite porte. À côté, il y avait un magasin d'alimentation indienne, surmonté d'un panneau lumineux vert et jaune qui brillait tristement dans la bruine.

— Nous y voilà ! dit Hassan lorsqu'ils entrèrent dans une cage d'escalier sombre. C'est pas un palace, mais c'est pas cher et très pratique. Tu verras.

Il ouvrit la porte en face du palier et tous deux entrèrent dans un appartement encore plus petit que celui de Tareq et Nadia. Il était composé d'une chambre, d'une petite cuisine et de la salle principale, dont la moquette était recouverte d'un motif à spirales orange.

— Tu dormiras sur le canapé, expliqua Hassan. Mais grâce à l'argent que tu vas gagner, on pourra bientôt vivre dans un endroit plus grand ! Ça te va ? Tu veux une bière ?

Salim hocha la tête. Il était épuisé et frigorifié. Pendant que Hassan se rendait à la cuisine, il s'assit sur le canapé marron qui grinça et s'affaissa sous son poids. Salim tourna la tête vers les minuscules fenêtres qui donnaient sur la rue et aperçut un petit parc. Au milieu, il y avait un espace de jeux. L'endroit formait une tache de couleur vive au milieu du gris alentour.

Hassan lui apporta sa boisson. Elle lui parut à la fois douce et amère. Des enfants s'amusaient dans le parc. Il observa leurs silhouettes floues aux vêtements colorés s'agiter en tous sens. Alors qu'il était là, dans la petite pièce sordide, Salim eut l'impression que ces enfants vivaient dans un autre monde que le sien. Et tandis qu'il buvait, il se sentit étrangement coupé de tout, comme s'il n'était pas vraiment là ; il ressemblait au personnage d'un vieux film, triste et muet, dont les couleurs crues illustraient la perte et le chagrin.

Plus tard, Hassan demanda à Salim de descendre faire des courses *pour s'habituer*. Salim empocha le portefeuille de son frère bourré de pièces et sortit sous le crachin. Dans les rues quasi désertes, les rares passants le dépassaient à la hâte, têtes baissées. Aucun geste, aucun signe de reconnaissance, ils étaient tous des étrangers, chacun absorbé par ses difficultés, ignorant la présence de l'autre. Le mal du pays l'étreignit et, semblable à l'humidité glaciale, l'envahit tout entier.

L'enseigne de l'épicerie de quartier où Hassan l'avait envoyé indiquait Chez Freddy. Le commerçant leva les yeux lorsque Salim entra au son d'un carillon. Il portait une barbe blanche et un turban orange terne. Salim parcourut les allées de la boutique en étudiant le nom des marques. Certaines étaient les mêmes qu'en Palestine, à l'époque des Britanniques, quand le soldat Jonno distribuait des cigarettes à Hassan et Mazen. Lorsqu'il eut rempli son panier avec les produits qu'il connaissait, il lui parut absurde de penser qu'il retrouvait là, en Angleterre, le contenu de leur garde-manger de Jaffa : il y avait le thé anglais que sa mère buvait, les biscuits d'importation dont elle raffolait.

Arrivé au comptoir, il fouilla parmi les pièces étrangères couleur bronze et argentée, les tourna et les retourna avec anxiété, tandis que, derrière lui, la queue s'allongeait. Un homme l'interpella, mais Salim ne le comprit pas. Peut-être ne parlait-il pas en anglais ? Agacé, le caissier écarta la main de Salim et prit lui-même les pièces et les billets avant de faire signe au client suivant. Salim attrapa ses sacs et sortit.

La pluie tombait dru, et les nuages gris qui roulaient dans le ciel arboraient une teinte luisante métallique et marbrée aux pourtours éclatants. Les sacs pesaient lourd mais c'était le début, juste un début, se dit-il. Chaque chose viendrait en son temps.

Tandis qu'il remontait la rue éclairée, il entendit de nouveau les enfants, dont les voix aiguës perçaient les bruits de la circulation. Leurs cris de joie dissipèrent son chagrin.

Lorsqu'il les aperçut, simple esquisse au loin, il pensa : *Il y a peut-être des récoltes à faire ici aussi.* Il resta un moment à les observer pendant que Londres se mouvait tout autour de lui en une masse confuse de visages et de bruits de klaxon. Indifférents, les enfants, eux, continuaient de se poursuivre et de rire ; exultant de joie, ils défiaient la gravité en tournoyant encore et encore sous la pluie.

Au matin du jour où Judith devait faire sa Bat Mitsvah, elle prit place avec ses parents à côté du rabbin, hébétée et résignée. Son passage de la Torah était gravé dans sa mémoire. Il hantait ses rêves depuis des semaines, comme autant de chauves-souris dans un ciel obscurci.

Sa tenue convenait à son rôle : jupe neuve, chaussures à talons, élégante chemise bleue et gilet en laine ajusté. Ses ongles et ses cheveux avaient été apprêtés la veille. Elle ressemblait à une Dora en miniature, ou à la poupée que Dora aurait pu choisir, enfant. *Ce n'est rien qu'un jeu, on se déguise et on fait semblant*, se dit-elle. *Je ne suis pas vraiment une grande personne, pas plus aujourd'hui que demain.*

Sans crier gare, quelqu'un ouvrit la porte du bureau du rabbin ; des voix impérieuses s'élevèrent dans le couloir et Judith vit Jack saisir le bras de sa femme. Un geste qui glaça son cœur d'adolescente, avant que ne s'y déverse un flot de terreur.

— Venez vite, dit un homme coiffé d'une kippa, elle est juste là, dehors.

Comme dans un rêve, elle suivit ses parents qui se précipitaient vers l'entrée. Un hurlement pénétra dans la synagogue, une plainte étrange et insondable. Quand la porte s'ouvrit, Judith découvrit Gertie que l'hystérie rendait écarlate.

Ils parcoururent les cinq cents mètres qui les séparaient de leur maison au pas de course, Jack et Dora devant, Judith dans leur sillage, serrant la main de Gertie.

Ils n'étaient encore qu'à mi-chemin lorsque Judith aperçut l'ambulance dont le gyrophare clignotait sans bruit. Ce silence lui fit l'effet d'un terrible présage et elle accéléra, martelant le trottoir de ses talons neufs au point que la douleur lui vrillait les jambes.

Leur porte était grande ouverte, et Judith entra en trébuchant. Un homme se tenait sur le seuil de la chambre de Rebecca, il parlait à Jack. Le mascara de Dora avait coulé, Judith entendit les mots *pneumonie*, *congestion* et *défaillance cardiaque.* Elle vit son père secouer violemment la tête et Dora se couvrir la bouche.

— Qu'est-ce qui est arrivé à Bubby ? chuchota Judith.

Sa mère prit la parole d'un ton bienveillant mais ferme.

— Ta Bubby va nous quitter, Judit. Il n'y a plus rien à faire. Elle a eu une vie merveilleuse. Ils veulent l'emmener à l'hôpital mais ton père pense qu'elle devrait rester ici, dit-elle en prenant la main de Jack. C'est ce qu'elle voudrait.

Judith hocha la tête. *Sois courageuse. Sois une mensch.*

— Combien de temps lui reste-t-il ? demanda-t-elle.

— Peut-être un jour ou deux, mon cœur, répondit Jack d'une voix rauque. Pas plus. Bientôt, elle s'endormira et elle connaîtra le repos.

— Je peux la voir ?

Jack échangea un regard avec Dora. Elle acquiesça d'un hochement de tête.

— Oui, ce serait bien. Elle t'aime plus que tout, tu sais.

Judith entra dans la petite chambre, comme elle l'avait fait des centaines de fois pour y trouver du réconfort. Aujourd'hui, ce serait à elle d'en donner.

Rebecca était appuyée sur ses oreillers, un masque à oxygène sur la bouche. Elle avait les yeux mi-clos et les lèvres entrouvertes. La seule touche de couleur visible sur son corps provenait de l'étoile de David fixée à sa chaîne qui brillait sur sa peau grisâtre.

Dans ses enseignements sur la Torah, le rabbin avait dit toutes sortes de choses à propos de la dignité face à la mort. Mais il n'y avait aucune dignité dans cette pièce. Sa grand-mère paraissait vaincue, éreintée et délestée de son énergie vitale. Judith ressentit une colère qui l'effraya elle-même ; elle avait l'impression d'avoir été dupée. Ils lui avaient tous raconté qu'aujourd'hui elle deviendrait une adulte et qu'ensuite tout irait mieux. *Tu connais précisément le jour où tu pourras cesser d'avoir peur*, lui avait dit sa grand-mère, *celui où tu reposeras la Torah et où le rabbin bénira l'adulte que tu seras devenue.* Mais à quoi bon accomplir tout cela, si Rebecca n'était plus là ?

Elle se pencha et prit la main inerte de son aïeule. Elle lui sembla étrange au toucher, comme si Rebecca se consumait de l'intérieur et qu'il ne restait de son corps que des os brûlants sous une peau parcheminée.

— Je suis là, Bubby, dit-elle. N'aie pas peur. Nous sommes tous là.

Rebecca ouvrit les yeux. Elle tourna son visage blême encadré de cheveux roux vers Judith ; un faible murmure s'échappa de sa poitrine. Ses doigts noueux se refermèrent sur ceux de sa petite-fille, exerçant une pression aussi légère qu'une plume qui tombe sur le sol. Puis un médecin s'approcha et força Judith à s'écarter. Il se pencha sur la patiente qui disparut derrière l'écran de sa blouse blanche.

Jack attendait sa fille sur le seuil.

— Mon cœur, il faut prendre une décision concernant la cérémonie et la réception. Nous pensons qu'il vaudrait mieux annuler. Ta mère est d'accord. Tout le monde comprendra.

Judith resta indécise. Une partie d'elle-même avait envie de pousser un cri de soulagement, d'enlever son manteau et ses chaussures neuves et de redevenir une enfant. Elle ferma le poing, serrant le souvenir de la peau de Rebecca entre ses doigts.

— On peut attendre ? finit-elle par demander. Il faut que je prie pour Bubby.

C'était un mensonge. Si un Dieu avait créé un tel monde, un monde où l'on vous volait ce que vous aviez de plus précieux, Judith ne voulait surtout pas de Lui. Mais l'excuse suffit à faire patienter son père.

— Bien sûr. Nous avons un peu de temps, dit-il en se passant la main sur le front.

Dans le silence de sa chambre, Judith ressortit les pages froissées qu'elle avait cachées sous son lit avec le programme de sélection tout déchiré. L'écriture penchée de Rebecca s'étirait sur le papier comme les branches tombantes d'un arbre. Judith, qui avait du mal à distinguer les lettres, se frotta les yeux d'un geste impatient. *Sois courageuse. Sois une* mensch. N'avait-elle pas promis ? Après avoir pris une profonde inspiration, elle oublia le reste de la maison et se mit à lire.

Un peu plus tard, elle sortit sur le palier où l'on entendait les chuchotements de Dora et de Jack. Gertie se tenait près d'eux, les bras autour de la taille.

— N'annulez pas la Bat Mitsvah. Je peux la faire. Je veux la faire.

— Tu es sûre ? demanda son père, surpris, tandis que sa mère plaquait sa main sur sa poitrine comme pour calmer les battements de son cœur.

— Certaine, répondit Judith fermement.

La porte ouverte de la chambre de Rebecca nimbait de lumière son expression déterminée.

Par la suite, Judith se souviendrait de cette journée de célébration comme d'une étourdissante frénésie d'appels téléphoniques, de gestes compatissants durant la réception, et d'une douleur sourde qui grandit en elle tel un arbrisseau.

Elle serait incapable de se rappeler un seul visage familier parmi ceux qui étaient tournés vers elle. Jack avait pourtant dû lui sourire du premier rang pendant que Dora et Gertie essuyaient leurs larmes. Le seul souvenir distinct qu'elle en garderait, la seule empreinte qui resterait gravée dans sa mémoire, était fait non pas d'images, mais de sons. C'était celui de sa propre voix à l'instant où elle avait pris le parchemin de la Torah, car alors, elle avait eu l'impression que d'autres voix avaient jailli en elle ; et la mélopée qu'elles chantèrent l'éloigna de la peur pour la mener vers le monde des adultes.

Judit, ma petite chérie,

Aujourd'hui, c'est le jour de ta Bat Mitsvah. Un jour particulier pour toi, qui t'apprêtes à devenir une femme. Je suis certaine que tu vas faire des merveilles, et que tu nous rendras fiers de toi. Durant toute cette année, je t'ai regardée travailler dur pour te préparer, au point que, parfois, j'avais l'impression de me préparer moi-même. Je n'ai pas eu la chance d'avoir des filles, jusqu'à ta naissance. Alors pardonne-moi si je te considère à la fois comme une autre moi-même, comme ma fille et ma petite-fille. Quand on vieillit, on n'arrive plus à se souvenir des quand et des qui de la vie. Et pourtant, la vraie nature des choses devient bien plus claire. Et la vérité, c'est que tu es tout pour moi, et même davantage.

Quand j'étais enfant, la tradition voulait que l'on offre au garçon pour sa Bar Mitzvah une part de son héritage. La famille reconnaissait ainsi qu'il n'était plus un enfant, mais un pilier de sa communauté, de notre foi tout entière. Je me suis demandé ce que je pouvais t'offrir, ma Judit. Je ne détiens qu'un petit bout de ton héritage. Et ce n'est rien de plus que le récit de ma vie, qui est une partie de la tienne aussi. C'est un modeste présent et j'en suis désolée. J'espère qu'un jour tu penseras qu'il était digne de toi.

Tu sais que Rebecca n'est pas mon vrai nom. C'est Rivka, en hébreu. Mon père l'a choisi dans la Torah. Rivka est la jeune fille qu'Isaac a épousée, celle qui a donné de l'eau du puits au serviteur d'Abraham. La Torah raconte qu'Abraham cherchait une bonne épouse pour Isaac, mais qu'il n'arrivait pas à la trouver. Alors il a envoyé son serviteur toujours plus loin, jusqu'à ce que celui-ci et ses chameaux souffrent de la chaleur et d'épuisement. Lorsque le serviteur s'est arrêté près d'un puits pour se reposer, une jeune fille est venue à sa rencontre et lui a donné à boire. Elle était encore plus jeune que toi. Elle lui a dit que si ses chameaux avaient soif, elle irait aussi tirer de l'eau pour eux. Elle était si gentille qu'elle avait même eu le temps de penser aux bêtes.

Je pense que c'est pour cela que Dieu l'a choisie pour être la mère de tous les Juifs. Elle avait un cœur profondément bon, et c'est ainsi qu'une mère doit être. Elle devait aussi être une fille courageuse, pour avoir quitté son foyer et tant voyagé pour trouver sa place dans la vie. Nos deux histoires, d'une certaine façon, sont les mêmes. Lorsque j'étais à bord du bateau qui m'emmenait ici, que je pleurais ma mère, mon père et ma sœur Etka, j'ai pensé à Rivka et je me suis sentie mieux.

Quand j'avais ton âge, je vivais à Kichinev, en Russie impériale. Les noms ont changé aujourd'hui, comme tous les noms en général. C'était une très belle ville : des immeubles majestueux entourés de pins et de rosiers. On racontait que les oiseaux venaient à Kichinev l'été parce qu'il y faisait frais, et qu'ils restaient l'hiver parce qu'il y faisait bon.

Mon père leur mettait des graines dehors, et nous les entendions chanter.

Nous vivions aux abords de la ville, dans une ferme qui appartenait à mon oncle Simeon. Tous les Juifs confinés dans la Zone de résidence vivaient dans des schtetlech. *Mon père m'avait raconté que la Grande Catherine avait fait rassembler tous les Juifs de Russie dans la Zone comme du bétail et leur avait intimé l'ordre d'y rester ou de mourir. C'était une époque difficile pour les Juifs, ma Judit. Les Russes enlevaient nos petits garçons pour les enrôler de force dans l'armée. Et à vie. Certaines mères coupaient l'index de leurs fils afin qu'ils ne puissent pas tenir un fusil. Le nouveau tsar avait instauré d'autres lois contre nous, on les appelait les Lois de mai : aucun Juif n'avait le droit de vivre avec des chrétiens, de posséder des terres ou d'aller dans les écoles chrétiennes.*

Mon oncle Simeon faisait partie des chanceux. Sa ferme était trop petite pour être remarquée, et assez près de Kichinev pour que l'on puisse se rendre à pied en ville en cinq minutes. Cela nous permettait de duper le maire et d'assurer notre sécurité. Mais nous n'allions pas à l'école. Nous étudiions à la maison, pendant que mon père et ma mère cousaient des vêtements.

Etka, ma sœur, avait neuf ans de plus que moi. Elle était brutale et vive. Honnêtement, j'avais peur d'elle. Elle me donnait des tapes sur la tête quand elle me trouvait trop lente. J'avais aussi un petit frère, Moshe, né quand j'avais neuf ans. Il était drôle, il faisait toujours des bêtises comme ton oncle Alex et il souriait tout le temps. Il y avait aussi mes cousins,

Isaac et Chayah qui avaient mon âge, Gurta, encore trop petite pour apprendre à lire, et Benjamin, le bébé. Sais-tu que, dès que je sens un feu de bois, je pense à eux ? Nous vivions en permanence avec cette odeur, et celle de la marmite qui chauffait sur le poêle. Le plus grand chagrin de ma vie, c'est de les avoir quittés, d'avoir été emportée, comme nous tous, par cette terrible tempête.

Voici la partie la plus difficile, ma chérie. Elle a eu lieu en avril, au cours de la troisième année de notre siècle. Je me souviens que c'était le jour de la Pâque chrétienne. J'avais onze ans, comme toi, j'allais atteindre ma majorité. Nous n'avions pas le droit de travailler pendant les jours fériés chrétiens, aussi nous restions chez nous à attendre que la journée passe.

C'est oncle Simeon qui est venu nous avertir. À son retour de la ville, il nous a raconté que les Russes avaient quitté leurs églises et commençaient à défiler dans les rues. Ils affirmaient que nous avions tué un garçon dans une ville voisine. Des docteurs juifs avaient essayé de le sauver, mais il était mort quand même, empoisonné. Les Russes prétendaient qu'on l'avait tué pour prendre son sang afin de faire notre pain azyme. Tu ne peux pas savoir à quel point j'étais dégoûtée d'entendre de pareilles choses, ma Judit. Est-ce qu'ils nous prenaient pour des monstres, des porcs qui se nourrissaient de toutes sortes d'ordures ?

Ce jour-là, ma mère devait rendre visite à notre ami Navtorili à sa boutique de la rue Stavrisky. Elle avait besoin de bougies pour le prochain repas de sabbat. Elle a donc attendu jusqu'au soir, à l'heure où les chrétiens allaient s'attabler pour leur dîner du dimanche. Puis elle a emmené Moshe et ils sont partis en ville.

Nous l'avons attendue, attendue. À la nuit tombée, l'un des fils de Navtor nous a apporté un mot. La population était agitée, maman avait trop peur de rentrer. Elle est restée là-bas, chez notre ami. Depuis, des milliers de fois, j'ai rêvé qu'elle avait pris le risque de sortir et qu'elle avait réussi à revenir à la maison. À quoi ressembleraient nos vies, aujourd'hui ? Il est vain de se poser de telles questions.

Nous avons vécu cette nuit-là tenaillés par l'angoisse. À l'aube, nous avons vu une fumée noire et sale s'échapper de la ville. Mon père voulait aller chercher ma mère, mais Etka n'arrêtait pas de répéter : « Reste, elle va rentrer. »

Il était près de midi lorsque nous avons entendu crier. Isaac est venu en courant pour nous dire que les Russes arrivaient par la colline avec des bâtons et des couteaux. Je me suis imaginée me faire poignarder et mon sang s'est glacé.

Mon père et mon oncle nous ont fait descendre avec eux dans la cave qu'ils ont verrouillée de l'intérieur. À travers les planches du parquet, j'ai pu voir les hommes entrer dans la maison et commencer à tout détruire comme des bêtes sauvages. Ils ont tout fracassé jusqu'à ce que leurs bâtons se rompent. Ils ont arraché la mezouzah *de la porte, ils ont cassé chacune de nos marmites et jeté à terre la machine à coudre. J'ai entendu les cris des poules dehors, quand ils les ont tuées une par une.*

J'ai dû avoir très peur, dans cette cave, mais tout ce dont je me souviens, c'est de la honte que j'éprouvais :

honte de notre puanteur, de devoir nous cacher comme des rats. Je n'avais pas le sentiment d'être une mensch *ni même un être humain. Nous étions devenus des animaux, comme ils l'avaient dit.*

Quand enfin nous avons pu sortir, il nous a fallu du temps pour penser de nouveau comme des êtres humains. Pendant quelques minutes, nous nous sommes contentés de ramasser les objets sans but précis. Puis papa a commencé à crier et à pleurer. Il était mort d'inquiétude pour maman. Il ne voulait plus attendre, il devait aller la chercher. Je voulais aller avec lui. Mais il nous a demandé à tous d'attendre dans la maison et de nous cacher. Etka est restée avec nous, elle s'est tenue devant notre porte d'entrée fracassée avec une hache dans les mains.

Je crois que, au fond de moi, je savais qu'elle ne reviendrait pas, Judit. Une fille sait. J'entendais au loin les hurlements et les sanglots, mais j'ignorais si c'était réel ou si je rêvais. Etka savait aussi. Je voyais les larmes tomber sur sa hache. Depuis, j'ai appris ce qu'il s'était vraiment passé : les Russes étaient venus à la boutique de Navtorili à onze heures du matin, ils avaient brisé la porte et tué presque tout le monde à l'intérieur. Maman est morte avec Moshe derrière son dos. Ensuite ils l'ont assassiné lui aussi. Je ne veux pas savoir si Moshe leur a souri quand ils ont surgi dans la pièce, ou si maman a crié. Je veux me souvenir d'eux comme je les vois maintenant dans mon cœur.

Près de cinquante personnes sont mortes ce jour-là dans notre belle Kichinev. Nous les avons enterrées avec la peur d'être les prochains. Moshe et maman reposaient dans le même cercueil. Deux jours plus tard, papa nous a emmenées, Etka et moi. Nous avons quitté notre maison avec un âne et une charrette. La terreur, Judit, la terreur des couteaux et des bâtons nous a fait nous sauver comme des voleurs. Quant à moi, je me suis assise dans la charrette et j'ai contemplé mes cousins devenir de plus en plus petits, avant de disparaître, comme s'ils n'avaient jamais existé.

Mon père nous a dit que nous allions dans un endroit qui s'appelait Pinsk, où nous avions de la famille. Il aurait aussi bien pu me dire que nous allions sur la lune. Je n'étais jamais sortie de Kichinev, tu te rends compte ! Je n'avais fait que quelques kilomètres pour aller jusqu'à la rivière et revenir. Et là, nous avions plus de mille kilomètres à parcourir à pied, à travers la Zone de résidence. Et c'est ce que nous avons fait en nous reposant ou en tirant l'âne à tour de rôle.

Au bout d'un moment, à force de marcher, j'ai eu l'impression d'être dans un rêve qui ne s'arrêtait plus. Nos jambes tressautaient même pendant notre sommeil. Parfois nous dormions dans des auberges au bord de la route, parfois dans la charrette. Souvent, Etka levait les poings vers le ciel et remerciait Dieu que ce soit l'été. En hiver, nous serions morts. Il y avait d'autres Juifs sur la route. Certains se dirigeaient vers le nord, comme nous. D'autres allaient vers le sud, à Odessa. Ils voulaient rejoindre la terre sacrée, disaient-ils, la Palestine, comme on l'appelait à l'époque. Etka disait qu'ils étaient fous ; que Dieu avait rompu sa parole et qu'il valait mieux aller de l'avant que repartir en arrière.

J'ai atteint ma majorité sur cette charrette, Judit, mais personne ne l'a remarqué. Les Bat Mitzvah n'existaient pas encore pour les filles, nous n'avions droit qu'à porter notre fardeau. Etka ne s'en est souvenue que lorsque nous sommes arrivés à Pinsk, et elle m'a grondée de ne pas le lui avoir rappelé. Elle m'a serrée dans ses bras et m'a acheté une portion de ragoût. J'étais tellement soulagée que nous puissions enfin cesser de marcher que je me suis mise à manger en oubliant complètement ma fête, et je me suis contentée de remercier Dieu de nous avoir gardés sains et saufs.

J'ai vécu à Pinsk avec mon père et Etka pendant cinq longues années. Tu dois croire que cet endroit était devenu mon nouveau foyer, mais en réalité, je le détestais. Les membres de notre famille étaient morts depuis longtemps, et la ville se remplissait de Juifs aussi apeurés et pauvres que nous. Etka s'occupait de la maison. Quant à moi, j'étais une sorte de servante : je cuisinais et faisais le ménage toute la journée. Ma sœur devait craindre que nous nous arrêtions brusquement comme le mécanisme d'une horloge si elle cessait de remonter nos rouages tous les jours. Elle avait peut-être raison. Parfois, on entendait parler d'un nouveau pogrom quelque part, ou il se passait des choses horribles en ville. Alors mon sang se figeait comme les flaques prises dans les glaces de l'hiver. Sans Etka, je pense que je me serais laissée aller et j'aurais sombré.

Puis papa est mort. Etka ne pouvait pas remonter éternellement son mécanisme et, un jour, son cœur a cessé de battre. Un matin, elle est allée le réveiller dans sa chambre et, pendant quelques secondes, seul le silence lui a répondu. Elle est alors revenue dans l'atelier où nous dormions et elle m'a dit : « Papa est mort. Va chercher le rabbin pour organiser ses funérailles. » Immédiatement, elle a commencé à faire chauffer nos boulettes de farine bouillies et nous avons mangé notre petit déjeuner. À ma grande honte, je crois n'avoir versé aucune larme à ce moment-là. Mais plus tard, j'ai pleuré en me souvenant de son odeur, de nos jeux, quand il nous poursuivait, Moshe et moi, en nous faisant croire qu'il était le grand ours des forêts.

Après l'enterrement de notre père, Etka a fait nos bagages et m'a annoncé que nous partions. Il n'y a aucun avenir pour nous ici, m'a-t-elle dit. Cet endroit est un mouroir pour les Juifs, et même les riches habitants de Pinsk sont condamnés à finir en dépouilles misérables. Je me suis demandé où nous pouvions bien aller. Je n'étais alors plus une enfant. J'avais seize ans. Les autres filles de mon âge étaient mariées et mères. Etka, à vingt-cinq ans, était déjà presque vieille, son visage était marqué. J'étais jolie, et je me souviens d'avoir pensé par orgueil que ma sœur était une mégère. Ce n'est que plus tard, lorsque j'ai tenu mon premier fils dans mes bras, que j'ai compris : ma sœur avait renoncé à tout, à tous ses espoirs, dans le but de me protéger.

Nous n'avions plus de charrette. Nous avons donc parcouru à pied plus de trois cents kilomètres jusqu'à Minsk. Pour la première fois de ma vie, j'ai vu une gare, et j'ai pu admirer toutes ces dames russes avec leur chapeau en fourrure. Notre voyage m'avait paru irréel jusque-là, mais à partir de ce moment-là, j'ai compris qu'il allait nous mener vers une vie totalement nouvelle.

Nous avons acheté un billet pour Libau[1]*, sur la mer Baltique. Etka avait entendu des histoires affreuses sur des gardes russes qui attendaient les Juifs cherchant à atteindre les frontières allemandes. Il était bien plus facile de passer par Libau, mais c'était aussi beaucoup plus long. Nous avons payé cinq roubles, une grosse somme à l'époque. Etka gardait notre argent dans un portemonnaie caché dans ses sous-vêtements. Quel homme aurait été assez courageux pour aller chercher quelque chose là-dedans ? disait-elle.*

Nous avons passé le voyage debout comme des vaches entassées avec beaucoup d'autres. Mais nous étions bien contentes d'avoir des roues en acier qui marchaient à notre place. Etka ne m'a parlé qu'une seule fois de tout le trajet, quand elle m'a donné de petits coups de coude dans les côtes pour me dire que nous étions passées en Courlande, aujourd'hui la Lettonie. Mon visage devait être dénué de toute expression parce qu'elle m'a dit : « Tu ne comprends pas ce que ça signifie, imbécile ? Nous sommes sorties de la Zone de résidence. » On était sorties ! Que c'était excitant à entendre ! Pourtant, le monde ne semblait pas vraiment différent, si ce n'est qu'il était bien plus grand et que nous étions encore plus loin de chez nous.

Nous avons changé de train à Kovno et voyagé le

1. Aujourd'hui Liepāja, en Lettonie.

jour suivant jusqu'à Libau. C'était là que les Juifs venaient prendre le bateau pour quitter la Russie à destination des nouveaux mondes. Les villes portuaires de Russie n'avaient rien à voir avec notre Sunderland. Libau m'effrayait. C'était sale, ça sentait mauvais. Partout, il y avait des hommes soûls et des femmes de mauvaise vie. Nous avons pris une chambre dans une pension de famille où la puanteur des toilettes me donnait des haut-le-cœur dès que j'y entrais. La nuit, on entendait chanter en permanence sous nos fenêtres et il faisait trop chaud pour dormir.

Etka a passé deux jours à chercher l'une des associations juives d'entraide afin d'acheter un billet sur un bateau danois en partance pour l'Angleterre ou l'Amérique. Le deuxième jour, elle est revenue au bord des larmes et a jeté deux morceaux de papier sur le lit. Elle a pris la ménorah que nous avions emportée depuis Kichinev et l'a jetée sur le sol en criant : « Voleurs, monstres ! Que Dieu détruise cet endroit comme Sodome à la seconde où nous monterons à bord de ce maudit bateau ! » Je suppose qu'elle avait dû donner tout l'argent que nous possédions pour acquérir ces billets des mains d'un escroc qui s'était pris une belle commission.

Cette nuit-là, j'ai rêvé qu'Etka me parlait dans mon sommeil. Quand je me suis réveillée, j'ai découvert que ses draps étaient rouges et trempés. J'ai dû devenir hystérique, car je me souviens d'être descendue en courant et en criant. La tenancière de la pension de famille a appelé un médecin qui est arrivé très vite. D'après lui, ma sœur souffrait de dysenterie, et c'était très grave. Même à un tel moment, je pouvais voir qu'il n'avait pas beaucoup de compassion pour les Juifs. Il n'a pas arrêté de répéter « les gens comme vous » en nous posant des questions.

J'ai passé deux nuits auprès d'Etka à vider son seau. Le troisième jour, elle a émergé de sa fièvre et m'a serré si fort la main que j'en ai eu mal. Elle m'a demandé d'aller au port avec nos billets. Je pouvais vendre le sien, m'a-t-elle dit, afin d'avoir un peu d'argent pour l'Angleterre. Elle voulait que je monte à bord du bateau avant qu'il ne prenne la mer. Bien sûr, j'ai refusé. Pas du tout parce que j'étais courageuse. Au contraire. Etka me protégeait. Comment pouvais-je m'en sortir sans elle ? Elle m'a tordu le poignet et son visage, comme je l'avais vu tant de fois auparavant, était rouge de colère. « Arrête de faire l'idiote, bon sang, Rivka, m'a-t-elle dit. Il est temps que tu te comportes en mensch. *Si tu laisses passer ta chance, maman et papa ne te le pardonneront pas. Et moi je viendrai te hanter et tu ne trouveras jamais le repos. »*

J'ai fini par m'en aller, mais je peux t'assurer que l'âme d'Etka m'a quand même hantée. Je lui ai fait promettre de garder le second billet et de me rejoindre par le bateau suivant. Nous savions toutes les deux, évidemment, qu'Etka allait mourir dans cette chambre, mais que pouvions-nous dire d'autre ? Quand nous nous sommes fait nos adieux, elle était aussi impatiente que d'habitude. La dernière chose qu'elle m'a dite, c'était : « Dépêche-toi de partir, ma petite. » Je suis allée sur les docks pour trouver mon bateau. J'avais la ménorah de papa, un rouble et quelques vêtements. Après tous ces longs kilomètres que j'avais parcourus, c'était tout ce qu'il me restait. Le nom de la compagnie de navigation était Det Forenede Dampskibs-Selskab. *J'ai regardé tant de fois mon billet que je me souviendrai de ces mots pour toujours. Le bateau était énorme et il dégageait une horrible odeur de vaches malades. J'y suis montée comme une somnambule, le cœur vide de tout ressenti. Aujourd'hui, on dit que c'est la façon dont on réagit pour refouler tout ce qui nous est insupportable. Si c'est le cas, je suis reconnaissante de m'être protégée ainsi.*

L'individu qui a vendu les billets à Etka *a dû finir très riche : tous les Juifs d'Europe étaient à bord de ce bateau. Si nous avions été des vaches, nous nous serions donné des coups jusqu'à nous entretuer avant même d'avoir fait la moitié du voyage. Quand le bateau a quitté le port, j'ai eu l'impression que toute ma vie me glissait entre les doigts, que j'étais en train de tout perdre : ma famille, mon foyer, et même ma foi en l'avenir.*

Ce fut le moment le plus sombre de mon existence, Judit. Mais alors, il se passa quelque chose qui me sauva la vie. Sur le pont, juste à côté de moi, il y avait un garçon de mon âge qui voyageait avec son frère. Quand ils ont vu que j'étais seule, ils m'ont tendu la main. Nous avons passé quatre jours en mer ensemble, nous avons écouté les passagers vomir et prier. Si tu parles à quelqu'un, si tu lui parles vraiment pendant une heure, tu connaîtras presque tout de lui. Alors imagine, nous avons parlé pendant quatre jours et quatre nuits. J'ai commencé ce voyage aussi seule qu'il est possible de l'être. Mais lorsqu'il s'est achevé, j'avais rencontré l'homme qui allait devenir ton grand-père.

Il aurait suffi qu'il y ait une seule personne entre nous, sur ce pont, et nous ne nous serions jamais connus, et tout ce qui est né de cette rencontre n'aurait jamais vu le jour. Dieu m'a fait ce cadeau, alors je peux presque Lui pardonner le reste.

Quand nous avons accosté, j'ai dû demander où nous étions. C'était le port de Hull, dont je n'avais bien sûr jamais entendu parler. Ton grand-père, qui avait de la famille à Newcastle, m'a proposé de m'y emmener pour nous marier. Il comptait ouvrir un magasin qui vendrait des boutons et, grâce à mon père, je savais suffisamment bien coudre pour l'aider.

Une fois sur le quai, j'ai fait une sorte de rêve éveillé : je voyais les roses et les pins de Kichinev, et le ciel bleu. Je pouvais sentir le parfum des fleurs comme si elles étaient là, qu'elles caressaient ma peau crasseuse.

Ton grand-père avait de la famille au Jewish Board of Guardians, l'œuvre de charité. Quand nous sommes arrivés à Newcastle, ils sont venus nous attendre à la gare. Ils étaient tellement heureux de le voir et de m'accueillir comme sa fiancée. C'était le dernier jour de ma seizième année, mais je ne suis pas arrivée à l'avouer à qui que ce soit. Célébrer la vie me paraissait coupable, alors qu'Etka, maman, papa et Moshe avaient tous péri.

Que te raconter de plus, ma Judit ? Je me suis mariée avec ton grand-père et nous avons été heureux ensemble, aussi heureux que deux personnes peuvent l'être. Nous avons ouvert notre petite mercerie à Sun-

derland et cette ville est devenue mon foyer. Nous avons changé de noms, nous avons remplacé le yiddish par l'anglais, et avons enseigné à nos enfants les usages du pays de leur naissance, et non ceux de leur histoire. Nous nous sommes débarrassés de nos vieilles vies comme les chenilles qui font leur mue, car elles ne nous étaient plus d'aucune utilité.

Ton oncle Max, Moshe en hébreu, est né. Puis vinrent ton père et ton oncle Alex. Pendant des années, j'ai espéré avoir une fille, pour conserver le souvenir d'Etka et de maman. Mais il semble qu'elles étaient en paix, et que Dieu ne souhaitait pas déranger leur âme. Certaines choses sont vraiment perdues, c'est du moins ce que j'ai pensé, jusqu'à ton arrivée parmi nous.

Quelle longue lettre je t'ai écrite, Judit chérie. J'espère que tu me pardonneras. Mais je voulais que tu comprennes pourquoi c'est une telle joie pour moi de te voir atteindre ta majorité. Tu franchis ce cap dans un monde nouveau. Ici, les Juifs n'ont pas besoin de se cacher ou d'avoir peur quand on frappe à leur porte. Tu peux célébrer cette nouvelle étape de ta vie dans une synagogue, entourée de ta famille, et non dans une vieille charrette sale poursuivie par des fantômes. Les Juifs ont même leur propre nation, et un drapeau qui flotte avec ceux des goyim. Ta génération sera peut-être celle qui nous apportera la sécurité et mettra enfin un terme à toutes nos souffrances.

La seule chose qui me rend triste, c'est de savoir que je ne serai peut-être pas auprès de toi le jour où tu feras tes vœux. Mais ne sois pas triste, ma chérie. Ton voyage vient juste de commencer, et je suis prête à achever le mien. Tu es déjà sur la route et, quel que soit l'endroit où ce périple te conduira, il fera de toi la femme que tu deviendras. Tu dois m'imaginer te tenant la main tout du long. Je prie pour que tu trouves le courage de suivre ton propre chemin. Et que ton voyage t'apporte la joie, comme moi, à la fin.

Avec tout mon amour,

Ta grand-mère,
Rebecca

II

IMPLANTATION

Moi aussi, en maintes épreuves, une semblable fortune a voulu me meurtrir, avant de m'arrêter enfin sur cette terre. Je n'apprends pas à secourir les malheureux en femme qui ignorerait le malheur.

Virgile
L'Énéide, Livre I, vers 628-630,
Les Belles Lettres

1967

Londres

La première vision qu'il eut d'elle, ce fut le bref éclat d'une chevelure dorée ainsi qu'une longue chaîne brillante terminée par une étoile. L'étoile avait six branches et, l'espace d'un instant troublant, elle lui rappela sa terre natale.

Puis la foule se referma sur elle. Margaret le prit alors par le bras avant de l'entraîner dans un coin pour l'embrasser. Sa bouche avait un goût de cigarette et de citron acide provenant du cocktail rose qu'elle tenait à la main.

Tandis que le couple se tenait près de la fenêtre, la pluie battait contre le carreau comme de petites mains qui auraient griffé la vitre pour essayer d'entrer. La tête lui tournait légèrement. Le télégramme de Nadia était toujours posé sur son bureau, au même endroit depuis trois semaines. Hassan venait d'en envoyer un ce matin, que Salim avait immédiatement jeté.

Margaret se dégagea de son étreinte. Ses yeux étaient lourdement maquillés de khôl et elle avait noué un foulard violet dans son abondante chevelure brune. Elle avait enroulé l'une de ses longues jambes autour de la sienne, faisant remonter sa jupe sur sa cuisse. Tout le monde désirait Margaret ; et elle faisait tout pour : elle fumait cigarette sur cigarette comme une starlette de cinéma, apprenait la guitare et masquait son accent provincial chantant par celui, plus monotone, de Soho. La première fois qu'ils avaient fait l'amour, la bouche de Margaret s'était abîmée dans la sienne comme un animal affolé. Mais à présent, son baiser était tendu et maussade. *Nous y voilà*, songea-t-il.

— Sal, qu'est-ce que tu as, merde ? lui demanda-t-elle.

Si elle gardait son pied pressé contre le sien, son regard était loin d'être chaleureux.

— Tu as fumé un truc pas terrible ? Je m'amuserais mieux avec un mollusque, ce soir, poursuivit-elle.

— Je suis désolé, répondit-il d'un air totalement indifférent.

Pourquoi Margaret lui plaisait-elle, mis à part pour la seule raison évidente ? Quant à elle, tout ce qu'elle aimait chez lui, c'était qu'il était grand, exotique et surtout plus âgé. À vingt-cinq ans, il était un homme et elle, sa jolie petite poupée adolescente.

— Je pense à mon père.

Ces derniers temps, cette réponse calmait la colère de Margaret neuf fois sur dix. Il était difficile de se disputer avec un homme qui avait perdu son père depuis moins de deux mois, en plein milieu de ses examens.

— Oh, bon Dieu, alors tu aurais dû aller à son enterrement.

— C'était impossible, répondit-il, et il se sentit agacé de devoir mentir. Je te l'ai dit.

— Ouais, mais c'est fini les examens, maintenant. Tu pourrais y aller, au lieu de rester ici et d'être un vrai boulet.

Margaret dégagea ses jambes et jeta un œil dans la pièce surchauffée. Ses yeux étaient extraordinaires. Ils étaient capables de percer l'arrière du crâne d'un homme et de voir ce qu'il se passait de plus intéressant derrière lui. *Il y a quelque chose de plus prometteur que moi, par là-bas*, se dit Salim. *Eh bien vas-y, ne te gêne pas.* Comme si elle lui répondait, Margaret lui pinça le bras.

— Je vais me chercher un meilleur truc à boire, dit-elle, et elle posa son cocktail rose sur le rebord de la fenêtre. Cette merde bourrée de sucre me donne mal à la tête.

Sa silhouette se perdit au milieu des invités, comme celle d'une tigresse disparaissant dans de hautes herbes. C'était tout à fait le genre de soirée de Margaret : beaucoup de fumée, plein de monde, une belle jeunesse dans le vent, et une musique qu'il n'avait jamais entendue. *This is the end, my only friend*, chantait un homme. *Of our elaborate plans, of everything that stands*[1].

Abou Hassan s'en était allé deux semaines avant Noël. Une crise cardiaque l'avait emporté dans le fauteuil où il avait l'habitude de s'asseoir et de grignoter des noix toute la journée. Sa main était montée à sa

---

1. Extrait de la chanson des Doors, « The End » : « C'est la fin, ma seule amie. De nos plans échafaudés, de tout ce qui a un sens. »

bouche et, l'instant d'après, elle reposait le long de son flanc, molle et vide.

Salim s'attendait à la mort d'Abou Hassan depuis des années. Mais toutes les larmes qu'il versa furent destinées au père qu'il aurait rêvé d'avoir, et non pas à celui qu'il avait connu. Il ressentit surtout un profond rejet à l'idée de rentrer pour l'enterrement.

Il avait une bonne excuse. Il était en dernière année de sciences économiques à l'université de Londres et devait passer ses examens. Il était le seul Al-Ishmaeli à avoir jamais fait des études supérieures. Nadia et Tareq ne cessaient de lui répéter que son père était très fier de lui. Salim, qui en doutait, fut soulagé de laisser Hassan accepter la lourde charge de se rendre à Nazareth. Selon la tradition, les funérailles devaient avoir lieu dans les vingt-quatre heures suivant le décès. De ce fait, aucun des deux fils n'avait eu la possibilité d'arriver à temps pour s'occuper de la dépouille de leur père. Ce fut donc à Nadia, sa fille aînée, de l'accompagner hors du monde, avec tout le respect que lui-même ne lui avait jamais accordé de son vivant.

Salim resta en retrait pendant que Hassan se chargeait des autres devoirs familiaux, dont le testament. Lorsque son frère aîné en avait parlé, il avait éclaté de rire.

— On apprend à compter, à l'université, tu sais, lui répondit-il. Et la dernière fois que j'ai vérifié, rien divisé par deux était toujours égal à rien.

Margaret n'était pas revenue. Mais Salim était content de rester seul et de regarder les autres danser. Il se sentait toujours à l'aise, à Londres. Il avait tous les atouts nécessaires pour se faire une place : son teint pâle et ombrageux si attirant, son corps grand et mince, son sourire que les gens trouvaient engageant, comme s'ils croyaient pouvoir le connaître. Cela avait été une révélation de découvrir que les Anglaises étaient prêtes à se jeter dans les bras d'un jeune Arabe sans le sou, capable de les faire rire, mais aussi de les faire pleurer. Elles l'imaginaient passionné, mystérieux, charmant et cruel, comme Omar Sharif dans *Lawrence d'Arabie*. Et il savait faire en sorte de ne jamais les décevoir. Mais tous ces bras autour de son cou n'avaient pas été capables de l'atteindre ou de le toucher. Au fond, il préférait être seul.

Après quelques minutes, il décida de partir à la recherche de la fille à la chevelure dorée. Il fendit la foule pour rejoindre le bar mais il ne la vit pas. Margaret y était, cependant, en pleine conversation. Salim fit le tour de la pièce et se retrouva devant la fenêtre. *C'est ridicule. Je devrais rentrer chez moi.*

Il vit passer l'hôte de la fête, coiffé d'un grand chapeau vert qui lui tombait sur les yeux. Salim l'attrapa par le poignet.

— Hé, Mike.

— Sal, mon gars ! Comment ça va ?

— Je cherche une fille.

— C'est notre lot à tous ! Où est Margaret ?

— En train de faire ses griffes sur quelqu'un d'autre. Celle que je cherche est plutôt petite, avec de longs cheveux blonds, habillée comme une bonne sœur.

— Jude ? Quel crétin ! Elle est juste derrière toi.

Pour la première fois depuis des années, Salim rougit lorsqu'il se rendit compte de sa maladresse. La jeune fille, juste sous son nez, se tourna en entendant son prénom.

— Désolé, mon pote, dit Mike. Je vous laisse faire connaissance, tous les deux. J'ai un besoin pressant, ajouta-t-il en se tapotant le nez.

Elle était petite, remarqua-t-il, et peut-être était-ce pour cela qu'il ne l'avait pas vue. Le sommet de sa tête devait à peine atteindre son menton. Ses cheveux blonds étaient longs et pourtant sa coupe, avec une frange qui barrait son visage sérieux, faisait garçonne. Sa peau avait la blancheur d'une colombe, et ses yeux bleus un peu inquiets lui évoquèrent le lointain souvenir de Lili Yashuv et de ses cheveux couverts par un foulard.

— Est-ce que je suis vraiment habillée comme une bonne sœur ? demanda-t-elle avec curiosité.

Salim détailla de nouveau sa robe peu seyante, et elle y posa inconsciemment ses mains, lissant le devant du vêtement comme pour se protéger de son jugement. Son geste remua quelque chose d'inattendu en lui, une sorte de sympathie en miroir.

— Une jolie bonne sœur, répondit-il en souriant. Prête à rompre ses vœux.

Elle répondit à son sourire.

— Ce n'est pas vraiment mon style de fête, remarqua-t-elle en observant la salle avant de baisser la tête. J'accompagne ma colocataire. Et je connais Mike de la fac, il est étudiant en littérature comme moi. Et toi ?

— Ce n'est pas non plus mon style de fête.

Elle leva les yeux vers lui d'un air sceptique.

— Tu parles ! Tu es venu ici avec Margaret.

— Tout le monde est venu ici avec Margaret, non ?

Salim sourit et essaya de croiser son regard. Mais elle avait de nouveau baissé les yeux, ce qui l'irrita. *Qu'est-ce que je dois faire pour que cette fille me regarde ?*

— J'ai fait tout le tour de cet endroit pour te retrouver, tu sais. Et toi, tu te cachais ici.

— Je ne me cachais pas, s'insurgea la jeune fille, et ses yeux bleus se braquèrent sur les siens d'un air de défi. Peut-être que tu ne savais pas vraiment qui tu cherchais.

— Possible, reconnut Salim.

Il aperçut pour la deuxième fois la chaîne en or avec l'étoile de David qui pendait sur sa poitrine.

— Et d'où vient-elle ? demanda-t-il en la pointant du doigt.

Elle porta la main à son médaillon et il observa ses doigts en dessiner le contour d'un geste qui semblait familier. Des années plus tard, il se demanderait si ce n'était pas à ce moment précis qu'il était tombé amoureux, s'il n'avait pas été très jaloux d'un bijou et désiré être aimé tout autant.

— Elle appartenait à ma grand-mère, répondit-elle, puis elle poursuivit d'une voix hésitante : Une étoile de David, c'est…

— Je sais ce que c'est, répondit-il vivement, et il eut une pensée non pas pour Abou Hassan et la fuite de Jaffa, mais pour Elia et l'après-midi où ils avaient compris qu'ils ne pourraient plus jamais être amis.

Le silence s'installa. Elle avait l'air un peu effarouchée et il comprit qu'il l'avait rendue anxieuse. Mais il ne parvint pas à trouver les mots pour plaisanter.

— Sinon, tu viens d'où ? lui demanda-t-elle enfin.

Ce fut à son tour d'hésiter.

— De Londres.

— Vraiment ? lança-t-elle en souriant.

— Eh bien quoi ? dit-il, inquiet d'être surpris en plein mensonge.

— C'est simplement que... Eh bien, tu ressembles à un de mes oncles.

— Holà, dit-il en riant, j'espère qu'il est bel homme.

— Non, je ne parle pas de ça, répondit-elle, et elle se mit à rire aussi. Tu me fais penser à lui, c'est tout. Vous êtes tous les deux très... très ténébreux et tellement sérieux.

— Et où est cet oncle si formidable ?

— Il vit à l'étranger.

— Ah, tant mieux ! Je m'appelle Sal, dit-il en lui tendant la main.

Elle la serra avec ardeur de haut en bas comme une enfant à qui on vient de donner une médaille.

— Et moi, Jude, répondit-elle. Je suis contente que tu m'aies retrouvée.

— Moi aussi, dit-il d'un ton aussi sincère que celui de la jeune fille.

Deux jours s'écoulèrent avant qu'ils ne se revoient. Jude avait accepté de prendre un café avec lui à Bloomsbury, près de ses cours. Elle était en première année à l'université, et Londres, cette immense ville pressée, frénétique, pleine de vacarme et toujours en mouvement la terrifiait encore. Les gens pensaient que le nord du pays était gris, mais souvent, sous le grésil du long hiver londonien, Jude se prenait à rêver du bleu vif des cieux balayés par les vents de Sunderland, de la course des nuages semblables à des mouettes au-dessus des docks.

Quand Sal lui proposa un rendez-vous, Jude ne sut pas vraiment quoi en penser. À presque dix-neuf ans, elle n'avait jamais eu de petit ami. Il y avait bien eu Stuart, un garçon presque aussi timide qu'elle, qui venait lui parler à l'entraînement de natation et qui, un jour, avait poussé l'audace jusqu'à la ramener chez elle en lui tenant la main. Il avait recommencé la semaine suivante, et elle s'était demandé s'il allait l'embrasser. Mais il s'était comporté en vrai gentleman. Pourtant, la main molle et moite de l'adolescent dans la sienne avait fini par l'agacer au point qu'elle était rentrée chez elle en courant pour l'éviter. Un sentiment de soulagement joyeux l'avait animée tout le long du trajet.

Ce qu'elle savait de l'amour, elle le tenait des informations ; des histoires sur la guerre du Vietnam, ou des *kiss-in* de protestation en Amérique. Mais tout cela était aussi irréel qu'une séance de cinéma. Même maintenant, après cinq mois à Londres, l'amour lui paraissait factice, comme un décor, comme les fleurs qu'elle voyait partout sur les vêtements ou dans les cheveux des gens, s'épanouissant de Chelsea à Soho en motifs virevoltants. Des fleurs, il n'y en avait point à Camden Lock, dans la résidence étudiante où Jude logeait. Il n'y avait que du béton et de l'acier, des chaussées défoncées, et une succession de fenêtres encrassées par une pluie sale.

Dans le monde de Jude, il était poli d'être en avance. Elle s'assit dans un coin du café Chez Virginia et prit un livre. Dehors, la bruine de la fin de février tombait silencieusement. La faible musique diffusée dans la salle était presque étouffée par le son enthousiaste d'un harmonica, à l'extérieur. Les bus rouges aux couleurs ternies par la fumée de cigarette et la vitre embuée défilaient.

Sal. Ce prénom ne révélait rien. Qui était cet homme, avec ses yeux farouches qui ressemblaient tant à ceux d'oncle Max, et sa manière si curieuse et douce de parler ? À cette fête, il avait eu l'air encore plus déplacé qu'elle. Et c'est cela qui lui avait donné envie de lui dire oui, de voir se dessiner un sourire franc sur ses lèvres, à la place de celui, contrefait, qu'il affichait. *À quoi ressemble le sourire qu'il destine à Margaret ?* Elle chassa cette pensée et saisit la chaîne de Rebecca pour se donner du courage. L'or dans sa main lui sembla chaud et rassurant.

Lorsqu'elle leva la tête, il se tenait devant elle. En découvrant son expression embarrassée, une pensée surgit dans son esprit : *il s'est trompé, il n'a pas envie d'être là.* Avant qu'elle ait prononcé un mot, il avait tiré une chaise et s'était assis.

À la lumière du jour, il paraissait plus pâle que dans son souvenir, ses cheveux plus noirs et ses yeux plus graves. Son visage était trempé par la pluie, son épais manteau et son écharpe verte s'égouttaient sur le sol. Elle aurait voulu lui demander pourquoi il était sorti sans parapluie, mais elle se retint. *Parce que, c'est comme ça*, disait Dora. Comme tous les autres Juifs de la planète, demander *pourquoi* était une habitude contre laquelle Jude s'était entraînée à lutter.

Il y eut un moment de silence, puis Salim se lança.

— Qu'est-ce que tu lis ?

— *Les Frères Karamazov.* Dostoïevski, répondit-elle en lui montrant son livre.

L'expression de Salim demeura neutre et polie, et Jude expliqua d'un ton mal assuré :

— À la fac, j'ai choisi la littérature étrangère comme option. Je fais du russe et du français.

— Ça a l'air intéressant, répondit-il, bien qu'elle perçût dans son intonation une pointe de doute. Pourquoi ces deux langues ?

Elle réfléchit un instant, afin de lui donner la vraie réponse, et non celle, rationnelle, qu'elle avait donnée à ses parents.

— Un jour, je suis partie en vacances en France. C'était mon premier voyage à l'étranger.

Elle se rappelait le gris intense des eaux de la Seine sur la rive gauche, le rire parisien chantant, l'odeur de la peinture et la nudité exaltante du ciel.

— Je n'avais jamais vu un endroit pareil. Je me sentais si vivante, là-bas. Ils ne raisonnent pas comme nous, ils sont plus libres. J'avais envie de…

Les mots lui manquaient pour exprimer le désir qu'elle avait ressenti et, gênée, elle se mordit les lèvres. Mais à sa grande surprise, il parla à sa place.

— Tu avais envie d'en emporter un morceau avec toi, pour avoir l'impression de ne jamais vraiment partir.

— C'est ça, dit-elle en rougissant, agréablement étonnée de se sentir comprise. Les auteurs français comme Stendhal sont tellement courageux. Ils n'ont pas de limites, contrairement à nous. Ils créent leurs héros, Fabrice ou… Candide, et ces personnages sont toujours si différents selon les endroits où ils se trouvent ; ils vivent des milliers de vies.

Salim, feignant l'étonnement, haussa les sourcils.

— Des milliers de vies ? Est-ce qu'il te faudrait des milliers de vies pour trouver celle qui te rendrait heureuse ?

— Non, dit-elle en réfléchissant avec sérieux. Mais tu ne trouves pas que ce serait intéressant d'imaginer qui tu pourrais être si tu acceptais d'abandonner tout ce que tu es maintenant ?

— Ça dépend.

— De quoi ?

— Est-ce un échange qui en vaut la peine ? Suppose que tu laisses tout tomber pour quelque chose ou quelqu'un, et qu'ensuite tu découvres que, finalement, ça ne valait pas le coup ?

Jude sourit en haussant les épaules.

— Je n'ai pas la réponse. C'est pour ça que je lis des livres, pour savoir ce qu'il se passe à la fin de l'histoire.

— Mais ces frères, dit-il en pointant du doigt le livre que Jude tenait toujours ouvert à la main, ils ne sont pas français.

— Non, ils sont russes. Ma grand-mère l'était aussi, à l'origine.

Elle attrapa l'étoile qui pendait à son cou, ses pointes usées si rassurantes au toucher. Elle posa la question qu'elle avait en tête depuis leur rencontre.

— D'où vient ta famille ?

Il leva les yeux vers elle puis les baissa de nouveau ; il semblait malheureux, presque honteux.

— Je m'appelle Salim, répondit-il avec nonchalance, et pourtant on eût dit une confession. Salim Al-Ishmaeli. Nous sommes une famille arabe, et non pas russe, malheureusement. Ni française.

— Pas de problème, répondit Jude spontanément, mais son cœur commença à battre.

Plus que tout, elle sentait le besoin de le rassurer ; mais de quoi ?

— Mon oncle vit en Israël.

Ces mots aussi s'étaient échappés, ces paroles idiotes et irrépressibles étaient sorties maladroitement de sa bouche.

— Je l'avais deviné, fit-il en hochant la tête vers l'étoile d'or qu'elle tenait dans sa main. Je viens de là-bas, moi aussi. À l'époque, on appelait ce pays la Palestine.

Jude garda le silence. Elle en oubliait presque qu'elle était assise là, qu'elle faisait partie de l'histoire. Elle était suspendue à ses lèvres, prête à écouter la suite. Salim était tassé sur son siège, mains jointes sur la table. Tout d'abord, elle crut qu'il souffrait, mais il lui sourit d'un air narquois.

— Tu ne t'attendais pas à ça, hein ?

— Non, répondit-elle.

Elle préféra se taire par crainte de dire ce qu'il ne fallait pas, d'entendre la voix de Dora à la place de la sienne. *Maudits Arabes.* Finalement, il leva les mains et se recula sur sa chaise.

— Ne fais pas cette tête ! J'avais des amis juifs, là-bas, et je me suis fait des amis juifs ici aussi. On peut très bien s'entendre, tu sais.

Jude porta sa tasse à ses lèvres. Le café était léger, blanc et insipide. Elle le repoussa sur le côté.

— Je n'ai jamais rencontré d'Arabes, dit-elle. Oncle Max en a parlé, c'est tout. Pour être franche, je pensais que vous deviez nous haïr.

— Qui dit que je *dois* faire quelque chose ? Tu es une personne. Je suis une personne. Pourquoi devrais-je te haïr avant même de te connaître ?

— Je ne vaux pas la peine qu'on me déteste. Je ne suis qu'une fille de Sunderland qu'on obligeait à aller à des cours d'hébreu.

— Je crois que tu ne sais même pas qui tu es. Tu es intelligente, sympa et honnête. Et tu es très jolie, en plus. Peut-être que tu vaux le coup d'être détestée.

Jude posa son livre sur la table et attendit que son visage devienne écarlate. Rougir était son seul point commun avec Gertie. Leurs visages blancs avaient tendance à prendre la couleur de la pivoine à la moindre provocation. Mais la chaleur qu'elle sentait sur ses joues avait été provoquée plus tôt par le vent cinglant et, à présent, son cœur battait plus lentement.

— Tu es né là-bas ? demanda-t-elle.

— À Jaffa, avant la guerre.

Un profond sentiment de tristesse envahit Jude.

— Je ne peux pas imaginer, dit-elle doucement. Je n'ai jamais su grand-chose à ce sujet.

Salim haussa les épaules.

— Je n'étais qu'un enfant quand on est partis de Jaffa. Je devais avoir sept ans. Je ne m'en souviens plus très bien. Après, on a continué notre vie.

Jude remarqua que ses mains se serraient et se desserraient, et qu'il passait l'un de ses doigts sur ses jointures blanches, à la manière d'un enfant qui essaierait de frotter une trace de saleté.

— Ta famille est ici avec toi ?

— Non. Ma mère nous a quittés il y a des années. Elle faisait partie de ces gens, dans les histoires dont tu parlais. Elle voulait une autre vie. Mon père était âgé, et pas très intelligent. Il est mort il y a quelques mois.

Jude hocha la tête. Elle mit sa main sur la sienne, et il s'immobilisa. Soudain, elle se rendit compte de son geste. Comme si elle s'était brûlée, elle retira brusquement sa main et serra le poing. Les yeux de Salim cherchèrent les siens.

— Pourquoi as-tu fait ça ?

— Excuse-moi.

Elle se sentait malheureuse, pour lui, pour sa maladresse à elle, pour toutes les souffrances endurées et infligées.

— Je voulais te dire que j'étais désolée.

Il soutint son regard, sans sourire.

— Je ne te demandais pas pourquoi tu tenais ma main. Je te demandais pourquoi tu avais enlevé la tienne.

Salim ne sut pas pour quelle raison il avait quitté Jude sans lui proposer un autre rendez-vous. Il était parti sans même se retourner, en enroulant son écharpe trempée autour du cou.

Il comprit, au martèlement de ses pas sur la chaussée, qu'il était en colère. Plus tard, il laissa un message à Margaret. Cette nuit-là, il se soûla et passa la nuit à l'écouter gratter sa guitare, étendue nue entre ses jambes.

Ils avaient fini leur café comme deux enfants honteux surpris en train de s'embrasser. Elle lui avait raconté l'histoire de sa grand-mère qui avait fui les Russes et il lui avait parlé du siège de Nazareth et du commandant juif qui avait refusé de piller la ville. Ils étaient d'accord tous les deux, la religion ne comptait pas, ils avaient beaucoup de choses en commun, et ils avaient échangé quelques poncifs sur la paix qui lui avaient rappelé toutes les chansons hippies.

Mais cela ne signifiait rien. Comment une petite Juive anglaise pourrait-elle le comprendre ? Le mot hurlé par son père lui revint en mémoire. *Abadan !* Jamais ! La main qu'elle avait posée sur la sienne n'était qu'un mensonge. Il le savait, même si elle l'ignorait encore.

Une semaine plus tard, il acheta *Les Frères Karamazov* dans une librairie de Charing Cross Road et, après une brève conversation embarrassée avec le libraire, il prit aussi un exemplaire de *La Chartreuse de Parme*. Il ne comprit rien aux deux romans. Les livres lui étaient un supplice, à l'exception de ceux remplis de chiffres et de formules. Hassan lui avait d'ailleurs déclaré que son arabe était tombé à un niveau lamentable, à peine celui d'un enfant.

Il commença à passer un jour sur deux devant le café, après ses cours à King's Cross. Parfois, elle était là, emmitouflée pour se protéger du froid. Elle ne leva jamais la tête.

La nuit, il se rappelait ses yeux bleus fixés sur les siens et son air légèrement perplexe. La franchise de Jude l'avait complètement déstabilisé. Il se sentait percé à jour et irritable. Il appela Nadia, lui fit croire qu'il voulait tout savoir de sa vie, et tenta de trouver l'apaisement en écoutant sa voix douce et maternelle à travers les craquements de la ligne téléphonique.

Finalement, il découvrit Jude en train de l'attendre devant Chez Virginia. Il l'aperçut cent mètres plus tôt, éclairée par les pâles rayons du soleil, et remarqua les gouttes d'eau glacées former des perles scintillantes sur ses cheveux blonds. Autour d'elle, la circulation de Bloomsbury s'agitait avec frénésie – éclats métalliques noir, rouge et argent. Son manteau était si large qu'elle y semblait pelotonnée comme un petit animal. Il s'arrêta près d'elle et lui adressa un faible sourire. Elle le lui rendit en essuyant son nez rose.

— Bon, comment as-tu su ? lui demanda-t-il.

— Je t'ai vu plein de fois. Tu t'es peut-être cru malin, mais même la serveuse t'a remarqué en train de m'observer et elle s'est moquée de moi.

Il leva les mains vers les cieux et explosa de rire. Le tourment qui lui pesait sur les épaules depuis des semaines venait de voler en milliers de petits éclats.

— J'aurais dû te dire que je voulais te revoir. Je n'étais pas sûr que tu le voudrais aussi, et je n'avais pas envie d'être déçu.

Le demi-mensonge s'échappa naturellement et lui parut sincère.

— Je sais que c'est compliqué, dit-elle en le fixant de ses yeux limpides, mais j'espérais que ça ne te dérangerait pas. Que nous pourrions essayer.

Il se demanda si c'était la première fois qu'elle avouait ses sentiments à un homme, avec sa façon détournée bien à elle. Il se souvint comment ses mains avaient touché l'étoile de David et il en saisit une.

C'est ainsi qu'avait débuté une histoire pas encore

écrite, pensa Salim plus tard. Il la raccompagna jusqu'à sa salle de cours puis, au moment de lui dire au revoir, se pencha pour déposer un baiser sur ses lèvres. Tandis qu'elle levait son visage vers lui, il vit le soleil embraser la blancheur de sa peau et pénétrer en elle, jusqu'à son cœur battant. *Blanche comme la toile d'un peintre*, pensa-t-il. *Blanche comme une page vide, comme un nouveau départ.*

Pour leur premier rendez-vous officiel, il l'emmena assister à un concert des Walker Brothers au théâtre Astoria, à Finsbury. Les billets étaient rangés dans son portefeuille depuis des semaines. À l'origine, c'était un cadeau pour Margaret, qui détestait ce groupe mais appréciait Cat Stevens et Hendrix, également à l'affiche. Margaret lui avait raconté qu'elle avait partagé des piaules avec la sœur de Cat Stevens à Marylebone, qu'elle et Hendrix roulaient leurs joints de la même manière, entre le pouce et l'annulaire.

Inviter Jude à sa place lui parut une brillante idée. Après que les lèvres de la jeune fille eurent quitté les siennes, Salim s'était senti pousser des ailes. Il avait endossé avec facilité le rôle de l'homme cultivé avant de lui proposer de l'inviter à un concert. Mais tandis que sa porte d'entrée se refermait et qu'il se glissait dans l'air vif du soir, il fut saisi d'inquiétude. Il était allé trop vite, il s'était montré irréfléchi ; ça n'allait pas lui plaire, elle verrait clair dans son jeu.

Il n'avait pas les moyens de payer un taxi depuis son petit logement au sud de Londres jusqu'à la résidence universitaire de Jude à Camden, puis plus au nord, jusqu'à Finsbury Park. Mais il refusait qu'elle marche, comme une femme de *fellah*. Aussi prit-il le métro jusqu'à Camden Town et appela-t-il un taxi d'une cabine devant la station. Lorsque le chauffeur se gara devant l'immeuble de Jude quelques minutes plus tard, Salim, les paumes moites, se passa nerveusement les mains dans les cheveux.

La porte s'ouvrit grande à l'instant où il frappa. Et elle apparut, tout sourire. Elle avait coiffé ses cheveux blonds en deux couettes hautes et portait une robe longue imprimée de ronds vert clair. Dans la pénombre du hall étroit, alors que les gens le bousculaient et que les portes des dortoirs claquaient, elle lui évoqua une fleur pâle, vibrant d'espoir sur sa fine tige.

— Salut, dit-il en se penchant pour lui donner un rapide baiser. Tu es magnifique.

Elle rougit, et Salim sentit ses joues s'empourprer à son tour. C'était ridicule ; il avait envie de se secouer. *Tu es sorti avec une centaine de femmes, imbécile. Que t'arrive-t-il ?*

— Tu es très beau, répondit-elle en lui prenant la main. Tu as fière allure, aurait dit ma grand-mère.

Il sentit les doigts de Jude serrer les siens, une pression légère qui suffit à diminuer le poids de son anxiété.

Il lui ouvrit la portière du taxi. Ils bavardèrent pendant une demi-heure, tandis que la voiture s'enfonçait dans l'obscurité naissante vers Finsbury Park. Ils s'arrêtèrent sur Seven Sisters Road près de l'Astoria.

— Une livre, mon gars, annonça le chauffeur.

Salim lui tendit l'argent et lui sourit avec insouciance. Il avait mis de côté la même somme pour le trajet de retour, ce qui représentait le reste de son budget du mois. Les prochains jours, il mangerait du riz.

Il s'empressa d'aller ouvrir la portière de Jude et elle leva les yeux en s'extirpant de son siège.

— Wouah, regarde-moi ça.

Les yeux de Salim suivirent les siens. L'Astoria, gris et gigantesque, se dressait devant eux tel un îlot encerclé par une folle agitation, un tourbillon de klaxons et de phares de voitures qui se fondaient ensuite dans la nuit londonienne. Sa façade en brique était noire de suie et de poussière ; des affiches d'un rouge éclatant étaient accrochées à ses colonnes. L'esprit de Salim s'évada, et il s'imagina devant le cinéma Al-Hambra de Jaffa, ou devant son fantôme, avec ses murs blancs et ses drapeaux rouges désormais gris et déchirés. Il saisit la main de Jude et chassa la vision d'un clignement d'yeux.

À l'intérieur, les gens faisaient la queue devant la salle de spectacle. Il entendit le son d'une batterie, la clameur de la foule et le gémissement d'une guitare tels qu'il n'en avait jamais entendus auparavant. L'air était alourdi par la fumée des cigarettes, la sueur et les joints, et la file ressemblait à un enchevêtrement de jambes nues et de cheveux longs. L'homme près de Salim avait enlevé son tee-shirt. Le symbole de la paix était tatoué sur son dos sous les mots *hell no we won't go*[1]. Une fille aux boucles brunes et grasses était nichée dans ses bras.

À côté de Salim, qui agitait ses billets à l'intention

1. Slogan contre la guerre du Vietnam : « Allez vous faire voir, on n'ira pas. »

du portier, Jude était aussi raide qu'une statue. La musique s'était arrêtée à l'intérieur, remplacée par un déferlement de cris perçants. Les portes demeuraient closes et deux hommes baraqués en bloquaient l'accès, bras croisés.

— Il doit y avoir un problème, dit Salim, désespéré.

Il regarda Jude.

— Je ne suis pas sûr que ce soit vraiment ton truc, en fait ? poursuivit-il.

Elle détourna les yeux, comme si la question l'embarrassait.

— J'avais une amie qui aimait ce genre de musique, dit-elle, et sa main se leva pour toucher la chaîne cachée sous sa robe. Quand je vivais à Sunderland. Ça me fait toujours penser à elle. On aimait bien passer des disques après l'école, on dansait, on s'amusait. On se donnait des surnoms, pour faire comme si on était célèbres. Mes parents désapprouvaient.

— Et alors ? Qu'est-ce qui s'est passé ?

Elle haussa les épaules.

— On n'est plus amies. Désolée, Sal. Tu m'attends ? J'ai besoin d'aller aux toilettes.

Il la regarda se faufiler à travers la foule. Elle avait l'air si peu à sa place qu'il s'en émut. La lointaine ressemblance qu'il perçut entre eux résonna dans son cœur comme un écho doux-amer. *On n'est plus amies.* Il songea à Elia et à Mazen, et même à Rafan, le petit frère qui dormait chaque nuit accroché à ses jambes. *Eux aussi, peut-être, sont tristes de m'avoir perdu.* Qu'il était étrange d'imaginer que d'autres payaient aussi le prix qu'il se croyait seul à verser.

Quand Jude revint, l'homme juste devant était en train d'embrasser sa petite amie, sa bouche fouillant la sienne. Son bras se cogna violemment contre Jude lorsqu'elle se glissa dans la queue ; le couple perdit l'équilibre et la jeune femme trébucha.

— Fais gaffe, merde ! protesta l'homme.

La fille se tourna vers Jude et Salim, les lèvres encore humides de salive, les cheveux en bataille sous leur bandana rouge.

— Hé, pousse-toi ! s'exclama-t-elle d'une voix suffisamment forte pour que toutes les têtes se tournent vers eux. Faut te calmer.

— Désolée, répondit Jude en rougissant et, sous les regards des curieux devenus insistants, elle baissa les yeux.

Salim, surpris, intervint :

— Tu n'as pas à t'excuser, c'était leur faute.

— Ah ouais ? Ta copine nous a bousculés, mec.

— Vous étiez en train de vous sauter dessus comme des animaux. Elle, elle était juste dans la queue.

La fille éclata de rire et se passa la main dans les cheveux.

— Non mais t'as entendu ? Des animaux. Quel connard.

Elle leur tira la langue, rose et ronde comme un ongle peint.

— T'as vu ça, chérie, fit l'homme torse nu.

Ses cheveux gras lui tombaient sur les yeux et un sourire méprisant se dessina au-dessus de son bouc.

— Les Pakis et les nases nous aiment pas.

Salim sentit l'épaule de Jude se presser contre sa

poitrine, là où la brûlure de l'insulte formait un nœud douloureux.

— Excusez-moi, dit-il en essayant de prendre un ton dédaigneux, mais son anglais si parfait lui parut soudain maladroit. Elle vaut bien mieux qu'une centaine d'idiots comme vous.

— C'est ça. Barre-toi, Mustafa.

— Toi, tu te barres.

Jude, écarlate, avait fait volte-face, et les mots avaient jailli de sa bouche sans prévenir, comme la vapeur d'une cocotte-minute.

— Comment oses-tu ? Comment *oses*-tu ? Tu n'as rien d'un mec cool, tu es dégueulasse, et tu ne sais rien de nous.

Elle se tenait entre le couple et Salim et, pour la première fois, ce dernier remarqua son accent du Nord aux voyelles prononcées.

— Allez, foutez le camp ! cria-t-elle.

L'homme torse nu fit un pas en arrière et son expression de mépris se transforma en un sourire incrédule.

Puis Jude se retourna et partit en courant, Salim à sa suite, laissant tous deux la foule derrière eux.

La fraîcheur de l'air nocturne les saisit. Jude pivota vers lui et ses joues rougies reprirent leur teinte pâle. Quand il vit sur ses lèvres qu'elle allait encore s'excuser, il l'arrêta :

— Non. Ne dis rien.

Il s'approcha d'elle mais elle se figea. Elle avait serré ses bras autour de sa poitrine afin d'apaiser sa respiration haletante.

— Jude, tu as été formidable. Une vraie combattante. Une lionne.

Nimbée par l'éclairage blanc des lampadaires, elle aurait pu être un chevalier, un de ces rois chrétiens dont les frères* faisaient le récit et qu'il aimait tant, ces héros qui peuplaient ses jeux et qui lui avaient valu tant de moqueries.

— Jude Cœur de Lion, dit-il sans réfléchir.

Le regard de la jeune fille retrouva sa douceur, son rire tinta, et le son cristallin apaisa le cœur de Salim.

Ils remontèrent Seven Sisters Road jusqu'à Finsbury Park, où ils abandonnèrent le grondement de la circulation pour se plonger dans l'obscurité verdoyante et le silence des jardins. L'hiver avait dénudé les arbres du parc ; Jude contempla leurs bras dressés vers les ténèbres, les bourgeons dessinant de petites taches sombres sur les branches. Ils croisèrent les passants de la nuit londonienne, certains bras dessus, bras dessous, d'autres avec des chiens. Sous l'éclairage en demi-teinte, leurs visages sans âge étaient semblables à des masques vides et identiques. Pour Jude, cet instant était à mille lieues de la solitude. Elle imagina que tous ces gens étaient de paisibles planètes lancées dans leur propre course, chacune percevant la présence rassurante des autres autour d'elle.

Salim avait passé son bras sur les épaules de Jude ; il s'appuyait de tout son poids contre elle, comme s'il cherchait sa protection, de la même façon qu'elle s'était appuyée sur Rebecca, et peut-être même sur Dora. Pourtant, il semblait aussi lui insuffler toute sa force. Quelque chose entre eux, une différence fondamentale, s'était effacé. Et Jude n'était plus tout simplement Jude : on aurait dit qu'un autre corps avait investi le sien ; et seul Salim pouvait le savoir.

Devant eux, une lumière filtra à travers les arbres et ils entendirent des chants. Quelqu'un avait fait un feu de camp avec du petit bois et des gens s'étaient regroupés tout autour. Les ombres dansaient sur leur visage. Jude s'arrêta devant le cercle et elle reconnut la chanson. Et en sentant la poitrine de Salim vibrer, elle devina que, lui aussi, chantait les paroles à mi-voix. *If you should ever leave me, though life would still go on believe me, the world could show nothing to me, so what good would living do me*[1] *?* Il s'écarta de Jude pour la regarder.

— Ça, c'est plus ton genre de musique, pas vrai ?

— C'est l'une de mes chansons préférées.

L'ancienne Jude lui aurait donné une explication, mais à présent, elle se sentait trop comblée pour en ressentir le besoin. Le guitariste était en train de s'accorder avec deux nouveaux venus ; leur interprétation des chansons des Beach Boys était aussi agréable et chaleureuse que les versions originales, et le feu la transporta hors de Londres, vers un lieu empli de douceur et de bienveillance. Salim s'appuyait toujours contre elle, donnant à Jude le sentiment de s'enraciner plus profondément dans la terre et de gagner en puissance. Les paroles du chœur montèrent à ses lèvres et lui rappelèrent une phrase chère à Rebecca – une réponse de sa grand-mère à tous les mystères de la vie. Et, se joignant

1. Paroles de la chanson des Beach Boys, « God Only Knows » : « Si jamais tu me quittais, la vie continuerait crois-moi, le monde n'aurait plus rien à m'apporter, alors à quoi bon vivre ? »

aux autres voix, elle la murmura : *Dieu seul le sait, Dieu seul le sait.* Elle serra la main de Salim tandis que le bois endormi les embrassait de son souffle.

Hassan revint de Nazareth en mai. Les cieux s'étaient éclaircis : la chaleur venue du vaste océan Atlantique s'étendait sur l'Angleterre. Elle ressemblait à une pâle imitation de celle qui emplissait les vergers du sud de la Méditerranée.

Salim redoutait les signes avant-coureurs de l'été. Ils signifiaient l'arrivée des derniers examens, la fin des études et le début des choix difficiles que les hommes doivent faire s'ils veulent subvenir à leurs besoins.

Mais il était facile de dissiper son angoisse avec Jude. Ils passèrent le printemps à se promener le long de la Tamise et à s'épancher sous les arbres en fleurs de la rive sud. Ils ne se considéraient pas comme un couple car ils n'étaient pas encore amants et n'avaient échangé qu'un baiser. Jude et Salim étaient semblables à deux innocents à bord d'un bateau qui descendait la rivière, trempant leurs orteils dans les courants inconnus et plongeant leur regard dans un ciel infini.

D'abord, elle lui parla de Paris, de Flaubert et de Voltaire, et il lui raconta la saison des récoltes et les danses, aux carnavals du désert de Nabi Rubin. Puis vinrent d'autres histoires : celle de Kath et Peggy et du message à la porte, Elia et Mazen, place de l'Horloge, les portes claquées à Jaffa et les lames des couteaux qui brillaient au-dessus de la cave à Kichinev, la chambre abandonnée à Nazareth et les sirènes de l'ambulance dans Ryhope Road. Jamais Salim n'avait vécu un tel échange entre deux âmes, un tel soulagement du poids des souffrances et de la honte. Il savait que les chrétiens recevaient l'absolution de leur Dieu ou de leurs prêtres ; un jour, Hassan l'avait défié de rentrer dans un confessionnal. L'intérieur, tapissé de rouge, sentait la sueur et le bois humide. *Qu'ils gardent leur Dieu indulgent.* Jude était humaine et imparfaite, mais elle le comprenait sans le juger. Et c'était mieux que n'importe quelle justice divine.

Enfin, Salim se força à aller voir son frère. Hassan était devenu un simple soldat de l'histoire, il avait accompli exactement ce qu'il avait toujours promis de faire, pas plus, pas moins. À l'aube de ses trente ans, il possédait un garage qui marchait bien, situé dans l'une des banlieues de la capitale. Il avait épousé une fille palestinienne à la poitrine généreuse qui avait commencé sur-le-champ à lui donner des enfants. Deux étaient déjà en maternelle, ils parlaient davantage l'arabe que l'anglais, et un autre était en route. Leur maison sentait l'eau de rose, les épices et les noix salées. Ils jeûnaient pour le ramadan, bien que Hassan refuse d'arrêter de fumer, et ils se rendaient parfois à la mosquée du quartier. Leurs amis étaient tous faits de la même étoffe. Mais Shireen était différente de son groupe d'amies aux cheveux blonds et aux ongles soignés au salon de beauté du coin ; ces femmes dont Hassan se plaignait auprès de Salim, mais avec lesquelles il l'avait vu flirter.

Quand son frère lui proposa de le retrouver au garage, Salim lui en fut reconnaissant. C'était là que Hassan était le plus joyeux, et qu'il risquait le moins de faire la leçon à son frère. Les odeurs d'huile et de graisse lui parurent apaisantes après la dureté de son pupitre dans l'amphithéâtre et la noirceur de l'encre sur ses doigts.

— Abou Saeed ! s'exclama Salim par-dessus le grondement des moteurs en réparation.

Il utilisait le prénom honorifique de son frère car, comme on pouvait s'y attendre, Hassan avait donné le nom de son père à son premier garçon.

— Abou Mushkila, lui répondit-il.

Salim sourit malgré lui. Pour montrer son mécontentement du fait que son frère, à vingt-six ans, n'était pas encore marié, il le surnommait « Père des Ennuis ». Après avoir épuisé ses blagues, Hassan ne pouvait s'empêcher de les recycler, encore et encore.

— Viens un peu ici, mon vieux, cria-t-il depuis son bureau dissimulé derrière une masse de voitures, de portières et de pièces de moteurs éparpillées sur le sol.

Salim les enjamba avec précaution, regrettant de ne pas avoir retiré la belle chemise qu'il avait enfilée pour son rendez-vous avec Jude le matin même. Hassan vint à sa rencontre et lui donna une bonne tape dans le dos de sa main huileuse.

— Mais qu'est-ce que tu as fichu depuis la semaine dernière ? J'ai attendu ta visite tous les jours.

— Je révisais, répondit Salim, et il fit semblant de regarder par-dessus l'épaule de Hassan la Coccinelle rouge démontée. Je suis venu dès que j'ai pu, grand frère.

— Tu passes trop de temps à étudier. Tu te prends pour Einstein, ou quoi ? Tu vas finir avec un gros cerveau et sans couilles, comme lui.

— D'où sors-tu des idées pareilles ? répliqua Salim, tout sourire, en donnant une tape dans le dos de son frère. C'est ma dernière année, il faut que je bosse. Un jour, quand je serai un riche comptable et que je vivrai à Mayfair, je t'enverrai ma Jaguar à réparer, ne t'en fais pas.

Hassan éclata d'un rire tonitruant.

— D'accord, alors je vais attendre ta foutue Jag. Maintenant, allons prendre une bière et je vais te raconter Nazareth. Un vrai désastre.

Les deux frères se servirent une bouteille dans le réfrigérateur du bureau. Salim écouta d'une oreille distraite Hassan se plaindre de tout, de l'imam de Nazareth à leur famille. La seule personne qui suscita son émotion fut Nadia. *Ce n'est pas juste. On ne t'a jamais fait de cadeau dans la vie, et on t'a laissée t'occuper de toute la merde.* Il se demanda ce que Nadia penserait de Jude. Comment pourrait-elle ne pas l'aimer ? N'étaient-elles pas deux âmes délicates aux nuances différentes ?

Lorsqu'il partageait une bière avec Hassan, Salim se remémorait toujours son premier jour à Londres, sur le vieux canapé marron et miteux. Il avait travaillé tellement dur depuis, pour tenir ses engagements. Les premières années, il avait trimé comme un *fellah*. Employé au garage de Hassan le jour, il étudiait la nuit pour rentrer à l'université. Il avait un don pour les chiffres et savait parfaitement s'y prendre avec les Anglais : il parvenait à les impressionner tout en leur laissant croire qu'ils appartenaient à la race dominante. Salim se souvint que, quand sa demande de passeport avait enfin été acceptée, il avait marché jusque chez lui, ébloui par un sentiment de triomphe, le livret noir à couverture rigide pesant dans sa poche comme une grenade dégoupillée.

— Alors, quoi de neuf, sinon, *ya habibi* ? demanda Hassan, lassé par les histoires de Nazareth et impatient de tout connaître sur la vie amoureuse de son frère. Tu vois toujours cette cinglée de Margaret ?

— Non, c'est fini, déclara Salim, qui se demanda comment aborder le sujet avec Hassan. Elle a trouvé quelqu'un d'autre qui se fiche de se faire arracher les yeux pour un rien.

Hassan se mit à rire.

— Dommage que je sois marié, s'esclaffa-t-il. J'aimerais bien me faire arracher les yeux de temps en temps. Et mon derrière aussi, si elle n'est pas trop occupée !

— Elle est toute à toi, répondit Salim. J'ai rencontré quelqu'un d'autre.

— Ah oui ? Qui, qui ?

— Ça n'a pas d'importance, fit Salim, les paumes des mains soudain moites. Elle est à l'université, elle aussi. Elle est étudiante en littérature. Elle lit des poèmes en russe et en français.

— *W'Allahi ?* Vraiment ? répliqua Hassan, qui semblait trouver tout cela hilarant. Avec ou sans vêtements ? S'il te plaît, dis-moi qu'elle le fait toute nue.

— Ce n'est pas ce que tu crois. C'est une fille bien.

Hassan lui envoya un petit coup dans les côtes.

— Oh, mon pauvre frère est trop amoureux pour coucher. Que va-t-il faire ?

— Je ne suis pas amoureux, dit Salim en s'écartant

de la table de travail poussiéreuse de son frère. C'est juste que... C'est une *Yehuda*, en fait.

Hassan écarquilla les yeux.

— Wouah, Abou Mushkila. Tu sais faire ton petit effet, hein ? Dieu merci, baba n'est plus là. Il t'aurait coupé les couilles.

Brusquement, Salim en eut plus qu'assez de son frère.

— Tes paroles sont aussi ignobles que cette pièce est crasseuse. Nettoie cet endroit, bon Dieu.

Il avait parlé en anglais, et Hassan poussa un grognement.

— Oh, monsieur Salim, répondit-il dans la même langue. Je suis vraiment désolé de t'offenser. Mon atelier n'est pas assez propre pour toi ? Alors dégage. Tu ne faisais pas autant le difficile, quand tu n'avais nulle part où aller.

— D'accord. Je suis désolé.

Salim fut saisi par ce mélange de désespoir et d'amour si caractéristique de sa relation avec Hassan. Ils se disaient du même sang, mais il n'en était rien : celui de Hassan, rouge foncé, contrastait avec le sang bleu royal de leur mère. Ils tentèrent de retrouver leur entrain, mais un mur d'incompréhension et d'embarras les en empêcha.

— J'essaie de te dire qu'elle n'est pas comme les autres, déclara Salim. Elle n'est pas sioniste. Elle nous comprend. Elle *me* comprend.

Hassan lui jeta un regard dubitatif.

— Salim, tu as toujours cherché quelqu'un qui te comprenne. Mais tu n'es même pas capable de te comprendre toi-même. Ne secoue pas la tête, écoute-moi.

Les Juifs ne me posent aucun problème. J'ai eu des copines juives, moi aussi. Mais s'il te plaît, baise-les, ne tombe pas amoureux d'elles. Quoi que tu penses, elles ne peuvent pas comprendre un Arabe. Ce n'est pas dans leur nature.

— Tu ne la connais même pas.

Hassan se leva et alla se chercher une autre bière.

— Tu sais ce qu'il se passe en Palestine, en ce moment ? Les Juifs veulent aussi la Syrie et le Sinaï. Ils ont envoyé des soldats de l'autre côté de la frontière. Mais Nasser tient tête à ces salauds de la Knesset. Il va leur fermer l'accès à la mer Rouge, et donc aux océans. Plus de commerce pour les Juifs, hein ? Ça va être l'enfer ! Cette fois, ce sera leur tour de subir la Grande Catastrophe.

Salim se souvint de Hassan suspendu à la radio, après leur départ de Jaffa. Il avait vraiment cru au grand mythe de la libération des Arabes par eux-mêmes. Mais malgré tous ses grands discours sur la Palestine, il n'aurait jamais quitté son garage confortable pour aller vivre là-bas. Salim était le seul à rêver encore de fleurs d'oranger et de la mer.

— Encore de belles paroles, dit-il à Hassan. Les chefs arabes ne peuvent rien faire pour nous. Nos vies sont ici, maintenant. Tes enfants grandiront en Angleterre, pas dans le Sinaï.

— Pour l'instant, répondit Hassan en lui donnant une nouvelle tape dans le dos. Mais qui sait ? De toute façon, ce n'est pas le bon moment pour ramener une femme juive à la maison, si tu veux mon avis.

Salim hocha la tête. Cela lui parut plus simple.

Lorsqu'ils se séparèrent, Hassan lui dit :

— Oh, au fait, j'ai quelque chose pour toi. Nadia

pense que je ne devrais pas te le donner, elle te prend toujours pour un petit pleurnichard.

Il sortit une enveloppe pliée de sa poche arrière, froissée et salie après avoir traîné un mois dans la chaleur. Salim devina immédiatement ce que c'était. Elle avait été affranchie au Liban, et le timbre représentait des cèdres verts dans un champ rouge.

Le souvenir qui surgit brusquement lui fit l'effet d'un coup de poignard : il revit sa mère sur le balcon de l'appartement de Nazareth, sa lettre à la main et ses secrets enfouis dans le cœur. *Ce jour-là, tu es morte pour moi, maman. J'ai fait mon deuil depuis des années.* Avoir sous les yeux des preuves de son existence fut comme de voir apparaître un fantôme.

À travers les battements qui cognaient dans ses tempes, il entendit Hassan.

— Ils ont appris la mort de baba. Rafan écrit pour expliquer qu'il n'a pas pu venir non plus, il était occupé, comme son intelligent de frère Salim. Mais il donne son adresse et son numéro de téléphone, et il dit que tu devrais venir lui rendre visite. Il y a plein de filles, à Beyrouth, tu sais. Le soleil est plus chaud, là-bas, et les femmes aussi. Et maman nous passe le bonjour, pour ce que ça vaut.

Une semaine plus tard, Jude eut dix-neuf ans. Tony se vanta d'avoir usé de cajoleries pour persuader Alex de lui organiser un dîner d'anniversaire. Son oncle affirmait que les « Gold du Sud », comme il surnommait la famille de Jude, ne pouvaient supporter plus d'une réunion entre Juifs par saison.

— Je lui ai expliqué que dans ce grand monde de

goyim, tu risquais de te laisser embringuer dans des ennuis sans fin et de couvrir tes parents de honte, sauf si nous arrivions à te maîtriser, expliqua Tony. De plus, peux-tu imaginer ta maman téléphoner et hurler que son *schmendrick* de beau-frère a ignoré sa petite *tchatzkah* et la laisse faire des folies dans toute la ville ? dit-il en prenant un ton aigu et horrifié.

— Jamais Dora ne m'appellerait son trésor, fit Jude en souriant.

— Aïe, aïe. Elle te connaît trop bien.

La perspective de cette fête d'anniversaire vint contrarier pour la première fois ses projets conçus avec Sal. Ils avaient brièvement évoqué l'idée de rencontrer la famille de l'autre. Mais elle ne pouvait pas s'imaginer débarquant dans la maison de style Régence d'Alex, à Portland Place, et présenter Salim comme son… quoi ? Elle ne savait même pas ce qu'il était pour elle.

— Alors, ce n'est pas ton petit ami ? lui avait demandé Ruth Michaels à l'Amicale juive, ce jour-là.

Sal l'avait accompagnée avant d'aller voir son frère. Il l'avait embrassée sur les marches du petit appartement de Manchester Square où l'Amicale se réunissait. Les lieux appartenaient à la présidente, Ruth, une jeune débutante que Tony tenait absolument à appeler Bec, comme il le faisait avec chaque fille juive vivant au nord de la Tamise. « Je n'ai jamais rencontré de Juif à Hampstead sans avoir été *shidduched* par sa fille vierge Rebecca », se plaisait-il à répéter.

— C'est un ami, avait répondu Jude à Ruth.

Et, en son for intérieur, elle avait songé avec un

secret dédain : *mon meilleur ami, meilleur que toi, que vous tous.*

Salim revint de chez Hassan au bord des larmes. Jude pensa que c'était à cause de son père, ou parce qu'il avait évoqué son pays. Ou à cause d'elle.

— Est-ce parce que je suis allée à la réunion de l'Amicale juive ? lui demanda-t-elle, le cœur serré par l'inquiétude et le remords.

Elle s'y était rendue en partie pour voir comment il réagirait. Mais il n'avait même pas cillé, il l'avait simplement embrassée en lui disant « Amuse-toi bien ».

À présent, il la regardait d'un air surpris.

— Non, non. Ce n'est pas à cause de toi. J'ai reçu des nouvelles inattendues, mais ce n'est rien.

Puis il s'assit et prit sa main dans la sienne.

— Ma Jude, dit-il, et il posa la paume de la jeune fille sur ses yeux, comme pour les apaiser. Ma Jude, répéta-t-il. Ça m'est bien égal où tu peux aller, du moment que tu reviens.

Comment, alors, pouvait-elle lui annoncer qu'on organisait une fête d'anniversaire et qu'il n'était pas convié ? Elle attendit jusqu'à la dernière minute, au matin de son anniversaire.

Alors qu'il ne se doutait de rien, il la retrouva ce jour-là au café avec un bouquet de roses et une petite boîte. Le collier qui s'y trouvait était en or, avec en son milieu des lettres tout en courbes qui, expliqua-t-il, signifiaient son prénom en arabe.

— Chez nous, Judith peut vouloir dire « Dieu soit loué ». C'est ce que je ressens depuis que je te connais.

Jude fut profondément émue, et elle devina que

Salim l'était tout autant car son anglais, d'habitude si parfait, était très maladroit.

— Il est magnifique, dit-elle en le tenant devant son cou.

— Je sais que tu adores la chaîne de ta grand-mère. Mais j'espère qu'il y a aussi une place pour celle-ci.

— Oui, bien sûr, dit-elle, très émue.

Puis, encore bouleversée, elle lui dit :

— Sal, mon oncle m'a invitée ce soir à dîner pour mon anniversaire. Je ne peux pas me dérober. C'est juste la famille.

Il parut interloqué, puis résigné.

— Et je suppose que je ne peux pas être considéré comme un membre de la famille, hein ?

— Tu ne rates rien, crois-moi, dit-elle en lui saisissant la main. Demain, on pourra sortir tous les deux.

— D'accord, mais…

Il dégagea sa main et se renfonça dans son siège.

— Ça va durer encore combien de temps ? Est-ce qu'on ment à nos familles, ou à nous-mêmes ?

— Que veux-tu dire ? demanda Jude, bien qu'elle le sache parfaitement.

— Tu ne dis pas à ta famille que tu as un petit ami arabe. Je ne dis pas à la mienne que j'ai une petite amie juive. Et pour ne pas leur mentir, on ne couche même pas ensemble. Où tout cela nous mène, à la fin ?

Jude se sentit démunie. Elle pouvait entendre Rebecca la houspiller. *Sois courageuse. Sois une mensch.* Elle leva des yeux implorants vers les siens et il se redressa, exaspéré.

— D'accord, d'accord. Laisse tomber pour aujourd'hui. Va à ta fête et profite bien de ton anniversaire. Je suis sûr que tu vas beaucoup t'amuser sans moi.

Sa voix se voulait légère, mais son sourire était tendu. Et tandis que Jude se penchait vers lui et l'embrassait en quête de réconfort, elle ferma les yeux pour clore le sujet.

La fête fut un cauchemar. Alex n'avait pas pensé à inviter les amis de Jude. En revanche, on aurait dit une répétition de Pessah : argenterie, candélabres et diamants entourant de vieux cous blancs et ridés.

La conversation passa en quelques minutes sur l'âge de Jude, ses études et la santé de son père. Puis tous se hâtèrent d'aborder avec virulence la guerre qui se profilait contre le monde arabe.

— Ce dont M. Eshkol a besoin, c'est d'une bombe, comme Truman, déclara l'un des convives, les lèvres tremblant d'indignation. Il fait l'imbécile au téléphone avec le président Johnson et les Nations unies, poursuivit-il en crachant derrière son épaule gauche, pendant que les Arabes parlent de sang et d'anéantissement, bloquent nos navires et tirent par-dessus les frontières… Si on avait la bombe, croyez-moi, ça ne se passerait pas comme ça.

— Sacré Stanley, fit Alex en souriant. Toujours à vouloir frapper ceux qui sont déjà à terre.

— Oh, allons, Alex, intervint la femme de Stanley, qui massacrait avec énergie sa part de foie haché. Tu le sais bien, c'est toujours la même histoire. Ils n'ont pas pu nous tuer en 48. Ils ont encore essayé en 56. Aujourd'hui, ils pensent que Nasser va leur donner une nouvelle chance. Quand est-ce que ça va s'arrêter ?

— Je ne crois pas à ces histoires de rivières de sang, répondit Alex en portant une fourchette de blanc de poulet à sa bouche et en la mâchant pensivement. Je veux dire, que vont raconter les chefs arabes à leur peuple ? OK, du sang, toujours du sang. Mais ils n'ont pas de *beystsim*, pas de couilles.

Il fit un clin d'œil à Jude.

— Ils n'ont pas d'armée non plus, pour nous chasser. Ils ne sont bons qu'à taper du poing sur la table.

— Il y a quatre armées arabes contre Israël, et tu ne crois pas à la menace ? Sans compter les Arabes qui sont en Israël, la cinquième colonne. Il va falloir se battre à l'extérieur et à l'intérieur, sauf si nous attaquons les premiers. On ne sera jamais en sécurité sans le Sinaï, la Cisjordanie, et si on ne maîtrise pas les Arabes de l'intérieur.

Jude, mal à l'aise, remua sur sa chaise. Les Arabes de l'intérieur. Comme Sal. Elle pensa à sa tristesse, à tout ce qu'il lui avait raconté, aux silences qui dissimulaient d'autres histoires trop douloureuses pour être dites. Qu'est-ce que ces gens pouvaient bien connaître de lui ?

Elle se redressa et prit une inspiration.

— Il y a peut-être d'autres solutions pour protéger Israël, commença-t-elle. Comme… Si au moins les Arabes qui vivaient dans le pays étaient justement traités, s'ils avaient droit à une vraie justice, peut-être que ça ferait avancer les choses, que ce serait un moyen pour faire la paix avec les autres pays arabes.

Sans s'en rendre compte, elle avait parlé d'une voix plus forte qu'elle ne le souhaitait. Toute la table la regarda, y compris Tony. Quelqu'un se mit à rire. La femme dont Jude ne parvenait pas à retenir le nom pointa sa fourchette vers elle. Des perles jaunes pendaient à ses lobes distendus.

— Est-ce que c'est du communisme, jeune fille ? demanda-t-elle. Alex, votre nièce est communiste. Pour vous les jeunes d'aujourd'hui, tout ce qui vous intéresse, c'est l'amour libre, la paix et tout le bazar, n'est-ce pas ?

— Je ne suis pas communiste. On n'a pas besoin de l'être pour croire en l'équité. Tous les Arabes ne souhaitent pas la disparition d'Israël. Eux aussi ont souffert, ils ont perdu leurs maisons et leurs familles.

— Vous, les jeunes, vous n'y connaissez rien, gronda Stanley. Je suis vraiment désolé pour ces pauvres Arabes, mais ils l'ont bien cherché. Ils pouvaient obtenir la paix, et plusieurs fois. La moitié du pays, leur propre gouvernement, tout, ils pouvaient tout avoir. Chaque fois, leurs chefs nous ont tout renvoyé à la figure. On a transformé ce désert en jardin, on leur a donné de l'eau potable, des hôpitaux, des écoles, des routes ! Et en échange, ils ont abattu des innocents, coupé nos accès commerciaux et menacé de nous détruire pour finir le travail des nazis. Alors dites-moi, qui est injuste ?

— Ils ont chassé du Sinaï la force de maintien de la paix des Nations unies pour que personne ne puisse voir ce qu'il s'y passait, poursuivit sa femme. Et quand les Égyptiens et leur Nasser nous fermeront l'accès à la mer Rouge, nous serons comme des poissons prisonniers dans un bocal.

— C'était notre terre, au départ, fit une voix élégante et fervente, au fond de la pièce – celle d'un avocat, se souvint Jude. Notre terre ancestrale, donnée par Dieu. Un homme qui ne croit pas en cela ne peut pas dire qu'il est juif.

La colère qui saisit Jude fut bien plus violente que tout ce qu'elle avait connu depuis le jour où elle avait tourné le dos à la porte de Peggy. Elle savait qu'ils avaient tort, son cœur le lui disait. Elle l'avait compris grâce à Sal, à ses doutes pleins d'humanité, si opposés à leurs certitudes implacables. Mais elle ne trouvait pas les mots exacts pour leur expliquer pourquoi ils se trompaient, et où était la vérité.

Alors que la conversation se poursuivait de nouveau sans elle, elle surprit le regard de Tony au bout de la table. Il lui adressa un sourire réconfortant, mais tout ce qui lui vint à l'esprit fut : *Tu n'as pas dit un mot. Tu es content de leur ressembler. Tu es intelligent, mais tu n'es pas un* mensch. Et elle lui répondit par le plus charmant des sourires.

Le 5 juin au matin, Jude fut réveillée par la BBC et put constater que les amis d'Alex avaient eu raison au moins sur un point. Les Israéliens frappaient les premiers. Le réveil fut encore plus difficile en Égypte. Là-bas, à la frontière, les filles et les garçons de l'aviation israélienne, à bord de leurs Mirage Dassault, lâchèrent des tonnes de bombes sur la tête des avions égyptiens endormis.

Quelques heures plus tard, Jude entendit que les Jordaniens avaient attaqué Israël et qu'en représailles les Israéliens bombardaient leurs terrains d'atterrissage. Les Arabes de la vieille ville de Jérusalem se soulevèrent. Les troupes israéliennes se tenaient prêtes à la frontière de la Cisjordanie. Le sang commença à couler dans les rues : Arabes contre Juifs.

Ils ne s'étaient parlé que deux fois depuis le dîner d'anniversaire ; chaque conversation n'était qu'un flot d'excuses déversées à la hâte, un pâle vestige de l'intimité qu'elle avait cru partager avec lui. Mais ce jour-là, elle resta dans sa chambre et l'attendit, ses fenêtres résolument fermées sur le monde extérieur.

Les odeurs qui se répandaient dans les couloirs de sa résidence estudiantine, celles d'un toast brûlé, de vêtements humides et de bière bon marché, pénétrèrent sous sa porte et vinrent lui chatouiller les narines. Elle n'y avait jamais prêté attention jusqu'à présent, mais la puanteur de la vie ordinaire lui parut insupportable.

Elle attendit Salim – attendit qu'il vienne la voir, lui crie sa rage, comme Stanley, contre les Juifs assoiffés de sang et leurs armes assassines. Et elle tenta de se souvenir de ce qu'ils avaient dit, à sa fête, sur le fait qu'ils n'avaient pas le choix, qu'ils avaient offert la paix tant de fois, et que les Arabes l'avaient bien cherché.

Il ne vint pas ce jour-là, ni le suivant. Elle commença à croire que le temps qu'ils avaient passé ensemble n'avait été qu'une chimère. Chaque soir, le couloir résonnait de bruits de pas et de rires, des cris de ceux qui s'apprêtaient à sortir dans les bars et les cinémas. Ces sons lui firent mal. Elle essaya de l'appeler ; le téléphone sonna, sonna encore, jusqu'à ce qu'elle se résolve à raccrocher. Pour la première fois, elle goûta l'amertume de la jalousie.

Mais le quatrième jour de la guerre, il vint.

Jude était rentrée chez elle après les cours. Elle avait allumé la radio et s'apprêtait à clore une nouvelle journée. Elle ouvrit le robinet, s'aspergea le visage d'eau tiède et pressa ses mains sur ses yeux. Des gouttes tombèrent sur le tapis. La voix monocorde de la BBC résonnait en fond sonore. Les soldats israéliens étaient tout proches de la victoire : ils roulaient à travers les rues palestiniennes nouvellement conquises de la Cisjordanie et de Gaza ; le désert brûlant du Sinaï égyptien leur appartenait, ainsi que les collines rocheuses du Golan syrien.

Elle entendit les termes d'*autodéfense proactive*, puis une autre voix s'éleva par-dessus la première pour parler de *politique expansionniste cynique.* Les échanges se transformèrent en un pugilat de sons. Entre les maux subis et les maux infligés, qui aurait pu arbitrer ?

Elle entendit cogner derrière elle, des coups pressants et désespérés. De l'eau éclaboussa le sol lorsqu'elle se retourna. *Faites que ce soit lui. Faites que ce soit lui, sinon, je laisserai l'eau déborder du lavabo jusqu'à ce qu'elle emporte tout.*

Elle était toujours animée par son marchandage irréfléchi lorsqu'elle se précipita vers la porte et l'ouvrit. La pulsation qui battait à ses tempes était si forte qu'elle masquait les bruits de la radio et de l'eau qui coulait. Les yeux de Salim étaient rouges et ses mains blanches d'avoir agrippé l'encadrement de la porte.

— Je voulais venir plus tôt, dit-il d'une voix rauque, comme s'il n'avait pas parlé depuis des jours. Est-ce vraiment possible ? Est-ce qu'on est fous ?

Oui, ce fut tout ce qu'elle put penser tandis que ses

mains mouillées l'attiraient à l'intérieur. *Nous sommes tous fous, tout est folie dans ce monde.* Quand elle se saisit du visage de Salim et l'approcha du sien pour l'embrasser, le murmure de l'eau devint un chant à ses oreilles.

— Reste ici, ce soir, souffla-t-elle. Ce n'est pas notre faute, nous n'y sommes pour rien. Reste avec moi, aussi longtemps que tu le voudras.

Et elle sentit la chaleur qui bouillonnait en lui quand il l'entraîna vers le lit.

Ils promirent de tout dire à leur famille le jour même.

Jude s'organisa pour aller dîner chez Tony, dans son appartement du nord de Londres, et Salim prévit d'appeler Hassan pendant la soirée.

— Pourquoi ne vas-tu pas le voir ? demanda-t-elle.

Il sourit et secoua la tête.

— Ne viens jamais donner une mauvaise nouvelle à un Arabe dans l'atelier d'un mécanicien avec des outils à portée de main.

À sa façon, Jude aussi contournait la difficulté. Elle ne savait pas comment l'annoncer à ses parents. Rien que d'y penser, elle sentait son ventre se nouer en une boule compacte. Mais Tony… Tony était différent. Il la comprendrait, il lui dirait comment faire pour que tout se passe bien.

Afin de se donner du courage, elle mit une tenue qui plaisait à Salim – pantalon bleu à pattes d'éléphant, chemisier ample – et posa un béret sur ses cheveux blonds. Assise dans le bus qui l'emmenait à Camden, elle appuya son front contre la vitre et observa les silhouettes des passants se mouvoir dans le pâle crépuscule du début de l'été. Ce monde dans lequel chacun exhalait une joie insouciante n'était plus à sa portée.

Bien que Tony soit le fils d'un homme fortuné, son appartement était de taille modeste. Mais tout y respirait l'argent : la bibliothèque en chêne solide, les livres aux vieilles reliures en cuir. Il y avait des toiles sur les murs, et non les habituelles affiches affectionnées par les étudiants. Un disque d'Ella Fitzgerald tournait sur une platine luxueuse.

Au cours du dîner, ils parlèrent de la famille. Tony s'était récemment fait embaucher dans le cabinet d'avocats de son père. Il montra à Jude la photo d'une jeune assistante juridique qui l'intéressait, une stagiaire juive venant de Suisse. Elle avait un visage rayonnant, de belles dents blanches et une abondante chevelure brune.

Curieusement, Jude se sentit trahie par Tony. Il avait le discours d'un rebelle mais il s'était introduit dans l'univers de son père comme une main dans un gant de soie. *Tu travailles dans la boîte de ton père, tu vas te marier avec cette Bec de Suisse et tu iras t'installer à Regent's Park où tu feras dresser ta table avec du cristal. Tu iras à la* Shul, *tu porteras la kippa et tu célébreras Pessah chez toi avec une petite étincelle dans les yeux pour signifier que tu ne prends rien de tout ça au sérieux. Mais c'est faux. Ça fait partie de toi, tu es ainsi fait, et tu l'as toujours été.*

Enfin, ils prirent le café sur le canapé en cuir souple. Jude sut que le moment était venu. Alors elle lui dit, en mots hésitants, ce qu'elle était venue lui révéler.

Ce fut plus facile qu'elle ne l'avait imaginé. Salim avait la citoyenneté israélienne et britannique, il n'avait rien à voir avec les hommes cruels qui hantaient les cauchemars d'oncle Max. Il avait de nombreux amis juifs, en Israël et ici. Il était l'un des élèves les plus brillants de sa classe et était promis à un bel avenir. Il comprenait mieux les Juifs que la plupart des goyim anglais ne le pourraient jamais. Il parlait hébreu. Et il l'aimait. Il l'aimait plus que tout, et elle aussi.

Tony resta assis sur son siège sans bouger jusqu'à ce qu'elle ait fini de parler puis, après un moment de silence, il la regarda comme s'il la voyait pour la première fois. Jude attendait, la gorge serrée.

Enfin, il lui demanda :

— Et Jack et Dora ? Je suppose que tu ne leur as rien dit ?

Elle secoua la tête et baissa les yeux vers ses mains. Tony expira puis émit un long sifflement.

— Je ne suis pas sûr qu'ils avalent ton truc sur la citoyenneté israélienne, lui dit-il d'une voix ferme et mesurée. Tu sais qu'ils considèrent Max quasiment comme un sauvage. Qu'est-ce que l'Angleterre des classes moyennes veut avoir à faire avec Israël ?

Jude eut l'impression que le petit morceau d'espoir qu'elle nourrissait lui échappait brusquement.

— Qu'est-ce que tu me conseilles, alors ?

— Dis-leur qu'il est juif, répondit-il en haussant les épaules.

— Je ne peux pas leur dire ça ! s'exclama Jude, horrifiée.

— Pourquoi pas ? Il est israélien, il connaît l'hébreu. C'est un Sémite. D'après ce que tu me dis de ce garçon, c'est presque Moïse.

— Tony, je ne peux pas faire ça. Ils sauraient. Et lui aussi. Il croirait que j'ai honte de lui.

— Et ce n'est pas le cas ? Tu es venue ici comme si tu te rendais à l'échafaud. Tu veux que je… quoi, en fait ? Que je te donne ma bénédiction ? Je ne suis pas un rabbin, tu sais.

Il lui adressa un pâle sourire.

— Je voulais que tu m'aides à annoncer la nouvelle à mes parents. À… à trouver comment m'y prendre. J'aimerais qu'ils arrivent à le comprendre. Je sais que ce sera difficile.

— Difficile… Jude chérie, tu n'as aucune idée de la difficulté qui t'attend. Je ne parle pas de Jack et de Dora. C'est à toi que je pense, ma douce. Ce sera invivable, je t'assure. Si tu veux un conseil, attends encore avant de l'annoncer à tout le monde. Attends jusqu'à ce que tu sois vraiment sûre de toi.

— Pourquoi est-ce que j'attendrais ?

Jude était en colère, à présent. Elle s'était levée et, bouleversée, avait fait quelques pas jusqu'à l'autre bout du canapé. Dehors, la nuit tombait, et les lumières de la ville brillaient à travers les vitres.

— Je sais que je n'épouserai jamais un Juif, Tony. Jamais. J'ai essayé. Pour papa, pour vous tous, mais je n'ai jamais rencontré un seul garçon qui m'ait plu, et encore moins un dont je sois tombée amoureuse. Maintenant, c'est le cas, et il se trouve que c'est un Arabe. Dommage pour vous, pour Jack et Dora, mais pourquoi est-ce que ce ne serait pas bien pour moi ? Aussi bien que cette fille à papa pour toi ?

Elle vit Tony tressaillir. Il se leva à son tour, posa sa tasse et marcha vers la bibliothèque – le manifeste communiste, comme Alex aimait l'appeler. L'une des possessions les plus précieuses de son cousin y trônait : la photo dédicacée et encadrée des joueurs du club de football de Sunderland. Jude avait autant envie de s'excuser que de lui hurler sa colère. *Tu es censé être de mon côté. Dis-moi que ça va bien se passer. Aide-moi à ce que tout aille bien.*

Il prit une inspiration.

— Moi aussi, j'ai toujours détesté l'école hébraïque. Tu vois ce que je veux dire, les rabbins avec leurs kippas graisseuses qui n'arrêtaient pas de parler de la destinée du peuple juif. Tous ces week-ends gâchés à les écouter radoter alors que j'aurais pu aller jouer au foot.

Il eut un haussement d'épaules exagéré, et Jude sourit malgré elle.

— Pour moi, ces histoires relèvent de la psychopathie. Si ça se passait à Newcastle, les gens se feraient enfermer. Tu te souviens du récit de la fondation, pas celui de Moïse, mais le premier ?

Jude se sentit perdue.

— Abraham ?

— Oui. C'est l'une des pires histoires. Quand même : il épouse une femme de quatre-vingts ans et lui explique qu'elle est censée enfanter tout un peuple. Elle se met dans tous ses états parce que ô surprise, elle ne peut pas être mère. Alors il couche avec une petite servante du nom d'Agar, lui fait un bébé, puis lui et sa femme le lui prennent. Et quand sa vieille épouse finit par mettre au monde son propre enfant, que fait-il ? Il essaie de le sacrifier sur la montagne parce qu'il a entendu la voix de Dieu lui demandant de le faire. Tu parles d'une histoire ! Pas étonnant qu'on en soit si fiers.

Il sourit de nouveau, mais cette fois Jude dut se forcer pour l'imiter. Sa vieille culpabilité, la crainte de rejeter le pain quotidien que tous les autres appréciaient, lui tordait le ventre.

— Ils ont demandé à cette fille arabe, qui avait accouché du premier garçon, de faire ses bagages. Le petit s'appelait Ismaël. C'était le premier héritier d'Abraham. Sarah était jalouse, elle voulait toute la bonté de Dieu pour son petit Isaac. L'histoire raconte qu'Agar et Ismaël sont partis dans le désert. Une gamine et un bébé, abandonnés en pleine chaleur, envoyés à la mort par le père de l'enfant comme de vieux chiffons usés.

« Les rabbins nous expliquaient que c'était la volonté de Dieu, que ça devait permettre la naissance de la nation élue. Et Ismaël a eu lui aussi sa patrie, à la fin, alors tout s'est bien terminé, pas vrai ? Mais je vais te dire, il n'y a pas un seul Arabe au monde qui ne trimbale pas un petit bout d'Ismaël en lui. Et qui peut les en blâmer ? On les a toujours fichus dehors à coups de pied ; d'abord Dieu, ensuite tout le monde. Et ils n'auront jamais fini de rendre les coups. »

Tony se tourna vers Jude, et sa silhouette grise se détacha dans le contre-jour de la fenêtre.

— *Bubbellah*, je vois bien que tu aimes cet homme. Et si tu dis qu'il t'aime aussi, je ne mets pas ta parole en doute. Mais crois-moi, il ne te pardonnera jamais.

— Me pardonner de quoi ? murmura-t-elle.

Il la rejoignit et prit sa main.

— D'être du côté des vainqueurs, ma chérie.

Ce soir-là, Salim attendit avec anxiété le retour de Jude. Il nettoya les deux pièces de son appartement, fit des sandwiches et alluma la vieille télévision que son voisin lui avait cédée en échange de services de comptabilité. Incapable de manger, il passa de chaîne en chaîne, le son grésillant à cause de l'antenne cassée. La pièce sentait la lessive et le bois humide. Était-il plus inquiet pour elle ou pour lui-même ? Ils allaient lui en faire baver, il le savait. C'était toujours plus dur pour les femmes que pour les hommes.

Hassan le lui avait démontré. Il avait traité Salim de *majnoun*, de fauteur de troubles, d'homme sans fierté envers son peuple, de gamin qui avait oublié sa propre histoire. Mais derrière ses insultes indignées, une certitude inébranlable demeurait, qu'il partageait avec tous les hommes arabes : ils pouvaient soumettre ou abandonner leur femme à leur gré, et tout problème qu'elle pourrait causer dans leur vie serait rapidement réglé.

Quand Jude rentra enfin, elle semblait d'humeur joyeuse. Elle dit à Salim que Tony voulait faire un jour sa connaissance. Mais il remarqua qu'elle était pâle et elle se jeta dans ses bras comme s'il était le seul bateau dans une mer déserte.

— Est-ce qu'il était fâché ? demanda Salim. A-t-il dit qu'il parlerait à tes parents ?

Intérieurement, d'autres questions le tourmentaient : *T'a-t-il montée contre moi ? T'a-t-il fait changer d'avis ?*

— Non, il n'était pas fâché, répondit-elle en le serrant dans ses bras. Il était surpris. Il pense que ce sera difficile pour nous. Mais on le sait déjà.

— C'est vrai, reconnut-il en déposant un baiser sur son front, et elle lui parut tellement frêle pour être aussi vaillante. Tu vaux la peine d'endurer tout ce qu'il pourra arriver. Tu es la personne la plus courageuse que je connaisse.

— Une *mensch*, répondit-elle, les larmes aux yeux mais le sourire aux lèvres. C'est ce que ma grand-mère aurait dit. Une personne doit se montrer courageuse avant d'être digne de louanges. Je sais qu'elle t'aurait adoré, Sal. Elle aurait tout compris, elle aurait vu qui tu es vraiment.

Il la croyait, il avait foi en elle, plus, au fond, qu'il n'avait foi en lui. Elle avait affronté sa famille pour lui. Elle considérait qu'il valait ce risque.

Cet été-là, il travailla comme un forçat pour obtenir les meilleures notes à ses examens de fin d'études. Jude s'asseyait à ses côtés jusque tard dans la nuit, lui rédigeait de petites fiches pour l'aider à mémoriser ses équations et ses théories. Et quand sa tête finissait par tomber, vaincue par le sommeil, il s'allongeait à côté d'elle et la regardait respirer en se questionnant sur le choix qu'elle avait fait. Ses cheveux avaient la couleur dorée de la flamme des bougies et sa peau la douceur de l'eau dormante. Il aurait fait n'importe quoi pour donner raison à cette foi qu'elle avait en lui, pour devenir l'homme qu'elle voyait à travers ses yeux bleus. Elle savait qu'il était destiné à de belles choses. Elle savait ce que cela signifiait de rêver d'une autre vie, une vie impossible.

Il essaya de lui rendre les choses plus faciles. Il prit le thé à l'Amicale juive avec Ruth Michaels dont il supporta l'humeur revêche et l'air fasciné, et se rendit à la synagogue du quartier. Il coiffa la kippa, sourit à ses voisins, et tout le monde aurait juré qu'il était juif. Et dans le froissement des costumes de laine et l'odeur puissante des broderies, il aurait presque pu y croire aussi. Croire que lui, Salim Al-Ishmaeli, n'était pas vraiment un Arabe, condamné à avoir en main les mauvaises cartes, mais l'un des élus, des maîtres, qui remportaient toujours la partie.

Une semaine après ses examens, Salim ramena Jude à Finsbury Park, « la scène de crime », comme il l'appelait. L'été avait recouvert toute la nudité des mois passés ; le vert foncé s'était adouci et les feuilles des arbres bruissaient au loin. Il étala sur l'herbe un pique-nique – sandwiches au fromage et premières fraises de la saison –, elle sortit une bouteille de champagne. Quand elle repoussa les cheveux de Salim sur son front, il remarqua les gouttelettes suspendues à ses lèvres étinceler sous l'éclat du soleil de juillet, et lorsqu'elle colla sa bouche contre la sienne, il goûta le mélange de douceur et d'amertume.

Deux verres plus tard, elle lui répéta à quel point elle était fière de lui, et sa sincérité la rendait encore plus belle. Il profita du moment. Il y avait songé durant des jours et avait attendu toute la matinée l'opportunité de la défier.

En dépit de sa promesse, Jude n'avait pas encore parlé d'eux à ses parents. Aux yeux de sa famille, il n'existait pas. La fierté qu'elle éprouvait pour lui n'était qu'une demi-vérité, un aveuglement, car sinon, pourquoi ce secret ? Tandis que les mots jaillissaient de sa bouche, le visage de Jude blêmissait.

— Tu te sentiras mieux quand tu leur auras parlé, avança-t-il. Ils ont le droit de savoir. Qu'est-ce que tu attends ?

Il vit ses yeux bleus se tourner vers les arbres, comme des oiseaux effrayés en plein vol.

— Je vais leur dire, je veux juste que ce soit le bon moment, parvint-elle à expliquer avec difficulté, comme sur la défensive. J'ai besoin de l'aide de Tony, mais il est parti passer tout l'été en Suisse.

Puis elle contre-attaqua.

— Tu ne l'as même pas dit à ta sœur. Ou à ta mère.

— Je n'ai pas vu ma mère depuis plus de dix ans. Elle se moque de savoir si je suis mort ou vivant. Et je n'ai pas vu ma sœur depuis presque aussi longtemps. Elles ne font plus partie de ma vie, maintenant.

— Tu m'as parlé de la lettre que ton frère t'a envoyée du Liban. Tu as dit que ta mère voulait te voir. Elle t'a écrit. Pourquoi ne vas-tu pas leur rendre visite ? Ça te ferait du bien.

Un stratagème enfantin, extrêmement lisible, mais difficile à contourner.

— Pourquoi sommes-nous en train de parler de ma famille et du Liban ? Il s'agit de *ta* famille à Sunderland, des personnes qui ne doivent surtout pas apprendre que tu vis avec un Arabe.

— Sal, je t'en prie.

— Non, Jude, c'est moi qui t'en prie. Pour nous. Est-ce qu'on ne partage pas quelque chose de particulier ? Qui en vaille le risque ?

— Quelque chose qui vaille qu'on le crie sur tous les toits, oui, dit-elle, mais son visage était troublé.

— Alors, de quoi as-tu peur ?

Elle secoua la tête et posa la main sur la joue de Salim. *Rien*, signifiait le geste. Pourtant, l'inquiétude de Salim s'accrut lorsqu'elle baissa la main pour saisir les deux chaînes enroulées autour de son cou.

Finalement, Salim organisa un rendez-vous avec Hassan. C'était sa dernière tentative pour manipuler le sens inné de l'équité chez Jude et profiter de son profond sentiment de culpabilité.

En vérité, il était aussi réticent à organiser cette rencontre entre Jude et son frère que Jude l'était de passer ce terrifiant coup de téléphone à Sunderland. Hassan était l'un de ces Arabes bruts de décoffrage et fiers de l'être. Il rejetait toutes les subtilités de la culture anglaise que Salim s'était empressé d'adopter. Quelle image donnerait-il à une fille juive préservée de tout pour qui la rive gauche de Paris incarnait l'exotisme ?

Ils se rencontrèrent chez Hassan, un dimanche après-midi. La femme de ce dernier avait cuisiné un festin particulièrement gras : rouleaux de feuilles de chou farcis à la viande et au riz, poulet et pommes de terre huileuses, une imitation du *manquish*, ces galettes qu'elle avait fourrées d'agneau anglais indigeste, et un *kanafi*, dessert extrêmement riche fait de vermicelles au beurre nageant au-dessus d'un lit de fromage blanc sucré.

Ils s'assirent sur de vieux canapés marron, Hassan fuma et Salim but une bière. Ce dernier vit Jude qui observait autour d'elle ce curieux foyer. Comme la plupart des Arabes, Hassan et Shireen préféraient l'électricité aux rayons du soleil pour éclairer leur salon. Les rideaux étaient à moitié tirés et la lumière du jour cédait la place à l'éclat de plafonniers bon marché. Une odeur de friture et d'épices s'échappait de la cuisine et se mêlait à la fumée de cigarettes. Des plateaux en bronze et des tentures murales ornés de hadiths du Coran voisinaient avec des arrangements floraux en plastique. Une pensée désespérée lui vint à l'esprit : *Ce n'est pas son monde.*

Peut-être que Hassan lut à travers lui. Quoi qu'il en soit, il devint de plus en plus irritable et agaçant. Il commença par lui reprocher de ne pas être retourné au Moyen-Orient après l'obtention de ses diplômes.

— Tu es un ingrat, déclara-t-il avec mépris. Tareq et Nadia t'ont envoyé à l'université, et tu n'as même pas cinq minutes à leur consacrer ? Et Rafan ? Il dit que tu n'as jamais répondu à sa lettre. C'est comme ça qu'on se comporte entre frères ?

— Et ne pas donner signe de vie pendant dix ans, c'est comme ça qu'on se comporte entre frères ? rétorqua Salim, le rouge lui montant aux joues. Je reçois une lettre, et je suis censé me précipiter au Liban ? Je suis trop occupé pour ces enfantillages.

Hassan pointa son doigt vers Jude, un rictus sur le visage. Il avait bu, comme put le constater Salim.

— Ce grand monsieur ici présent n'oublie jamais un affront, croyez-moi. Il ne pardonne rien. Vous verrez. Même à sa propre famille. Il est trop fier. J'espère qu'il ne le sera pas autant avec sa famille anglaise.

— Laisse-la tranquille, Hassan, répondit Salim en arabe.

Il devinait que son frère était offensé de devoir parler uniquement en anglais, et que cela le rendait encore plus provocateur.

— Et pourquoi ? demanda ce dernier, qui refusa de passer à l'arabe. Elle vient chez moi. Elle est adulte. Laissons-la entendre la vérité, non ?

— Sal veut retourner voir sa famille, intervint Jude.

Son visage exprimait très clairement sa pensée : *Comment cet homme et le mien peuvent-ils être frères ?*

— Mais il commence un nouveau travail dans quelques semaines, poursuivit-elle. Quand il sera bien installé, on pourra peut-être y aller tous les deux ?

Elle avait prononcé les derniers mots sur le ton de la question. Salim croisa son regard, et elle sourit. Il était stupéfait. Croyait-elle qu'il allait l'emmener au Moyen-Orient ?

— Vous allez partir en Palestine ensemble ? demanda Hassan, les yeux écarquillés. *Ya* Salim, qu'est-ce que tu as raconté à cette fille ? Elle ne regarde pas les infos ?

Salim sentit des fourmillements dans ses jambes, signes annonciateurs de crise.

— Arrête ça, Hassan.

— Non, répliqua-t-il en haussant la voix. Vous croyez à ça, tous les deux, tout ce baratin sur la paix et l'amour ? En Angleterre, d'accord. En Palestine, la paix, l'amour, ça n'existe pas. Si vous partez là-bas, ce ne sont pas des fleurs que vous allez recevoir, mais des pierres. Comment Salim peut-il retourner voir sa famille avec une Juive ? Désolé, mais vous êtes dingues.

Salim vit Jude pâlir et poser sa tasse de café turc à moitié bue sur la table en verre. Sa bouche, d'habitude si douce, formait à présent une ligne étroite et dure.

— Sal et moi avons tous les deux notre place là-bas, dit-elle, et sa voix tremblait d'une colère qu'il n'avait encore jamais perçue chez elle. Nous y avons chacun de la famille. Tout le monde ne jette pas des pierres, ceux qui le font cherchent uniquement à se battre.

— Vous n'avez pas votre place là-bas, répondit Hassan avec fermeté. Les sionistes pensent que Dieu leur a donné ma maison, mais ce n'est pas écrit dans le Coran ni dans n'importe quel autre livre. Salim a dit que vous n'étiez pas sioniste, mais qu'est-ce qu'il en sait ? Moi je dis : grattez un Juif à la surface, et en dessous vous trouverez Ben Gourion.

Jude se leva brusquement. Salim vit qu'elle était au bord des larmes et qu'elle s'en voulait à mort pour cela. Il se leva à son tour.

— Jude, allez, assieds-toi.

Il la saisit d'une main tandis qu'il attrapait son frère de l'autre.

— On devrait rentrer à la maison, maintenant, dit-elle d'une voix brisée.

Hassan leva les bras au ciel et dit à Shireen plus doucement :

— Quelqu'un doit leur dire, *yani*.

Salim avait envie de le frapper, de lui hurler dessus, mais il était trop tard. Il alla prendre le manteau de Jude et tenta de bavarder avec légèreté. En vain. Le mal était fait, il le savait, et il était bien plus profond qu'il n'y paraissait.

Le trajet de la banlieue sud-est de Londres jusqu'au nord-ouest très fréquenté de la ville fut péniblement long. À Piccadilly Circus, Jude était à bout. Elle expliqua à Salim qu'elle retournait dans sa chambre d'étudiante et le verrait plus tard. Il protesta faiblement. Chacun avait envie d'être seul.

Jude marcha à travers Soho dans un état second. Elle déambula le long des avenues mal éclairées où s'alignaient les sex-shops et croisa des jeunes gens dont les cheveux longs arboraient les teintes les plus folles. Elle se faufila à travers un groupe qui riait, respira la fumée de leurs cigarettes et l'odeur fruitée de la bière qui éclaboussa ses chaussures. Des chansons s'échappaient dans l'air du soir en un écho discordant, et Jude eut l'impression que les sons s'agrippaient à elle tels des bras tendus sur son passage. Les cieux limpides de la fin de l'été se préparaient à la venue d'une pâle obscurité emplie d'étoiles.

Elle tremblait encore au souvenir du mépris qu'elle avait perçu dans la voix de Hassan et de la vague de colère haineuse qui s'était emparée d'elle. La brûlante amertume du café turc subsistait encore sur sa langue, un goût fort et entêtant qui heurtait son palais délicat. Jude se rappelait avoir regardé Hassan par-dessus sa tasse de liquide noir et avoir vu la même couleur dans ses yeux.

Il ne fallait pas en vouloir à Salim à cause de son frère, et pourtant, en cet instant, elle était furieuse contre lui, furieuse qu'il soit arabe, qu'il l'ait séduite, furieuse contre elle de s'être liée à lui au point de ne pouvoir imaginer le quitter. *Est-ce ainsi que seront nos vies ? De la rancune de toutes parts, sans aucun foyer possible ?*

Après avoir tourné dans Warwick Street, elle passa devant la chapelle de Notre-Dame-de-l'Assomption, où l'une de ses camarades de classe polonaise allait à la messe.

Jude avait été émerveillée d'apprendre que les portes des églises n'étaient jamais verrouillées. Cela révélait un sens de l'accueil qu'elle ne pouvait concevoir dans sa propre religion, un monde de bras ouverts où personne n'était considéré comme un étranger. Elle poussa la lourde porte de la chapelle. En passant le seuil illuminé, Jude, baignée par la lueur des cierges, se sentit enveloppée par une chaleureuse étreinte.

À l'intérieur, le silence qui régnait l'oppressa. Les flammes des bougies vacillaient dans la semi-pénombre et elle remarqua sur les vitraux aux teintes rosées des représentations de saints tendant les mains vers des personnages vêtus de robes bleu et or. Jude les trouva curieusement sans relief ; leurs visages blancs et impassibles contemplaient de haut les pénitents assemblés sur des bancs d'église rouges.

Elle se glissa dans l'une des rangées et s'assit sur un coussin usé. Que diraient Jack et Dora s'ils voyaient leur précieuse fille unique assise devant une statue de la Vierge Marie ?

Dora avait toujours éprouvé un très fort mépris pour la mère du Christ ; selon elle, Jésus était le fruit d'une crise de somnambulisme de la jeune Marie dans un camp militaire romain, et de sa rencontre fortuite avec un fantassin.

— Elle était somnambule, avait-elle expliqué à Jude afin de contrecarrer l'influence religieuse de son amie Kath. C'était bien connu.

Cette Marie avait en effet l'air endormi, avec ses paupières lourdes et sa moue qui tenait davantage d'une grimace que d'un sourire. Avec sa capuche sur la tête, elle ressemblait à une femme en deuil qui dissimulait ses chagrins.

Jude sentit les larmes qu'elle avait retenues lui monter aux yeux, ces larmes traîtresses qui survenaient chaque fois qu'elle avait envie de hurler plutôt que de pleurer. Alors, elle ne tenta pas de les arrêter et les laissa ruisseler sur ses joues. *Dites-moi ce que je dois faire.*

Jude adressa sa supplique à Marie l'Éternelle, dont la peau blanche et diaphane apparaissait sous le châle bleu, et qui tendait les mains vers elle en un geste de réconfort. Tout autour, le murmure du chagrin et de la rédemption emplissait l'atmosphère. Il s'amplifiait comme les vagues échouant sur le rivage au coucher du soleil, après l'orage.

Elle lui proposa de la retrouver Chez Virginia le lendemain matin.

Quand elle arriva, il était déjà assis, le visage baissé. Son cœur la poussait vers lui, mais elle résista.

— Comment vas-tu ? lui demanda-t-il lorsqu'elle prit une chaise.

Elle inclina rapidement la tête.

— Ça va.

Quelle réponse idiote. Mais il était trop préoccupé pour s'en rendre compte.

— Je suis désolé pour hier, dit-il, une légère pointe d'agressivité dans la voix. Tu sais que ce n'était pas ma faute. Ça ne sert à rien de discuter avec Hassan. Tu aurais dû laisser tomber.

Jude tripota la chaîne de Rebecca pour se donner du courage.

— Mais c'est ça le problème, Sal, dit-elle en lui prenant la main. Eux ne laisseront jamais tomber. Nos familles ne nous accepteront jamais. Je croyais que la tienne en était capable, mais je vois bien que ce n'est pas le cas.

Il se mordit la lèvre.

— Jude, il faut que tu comprennes Hassan. C'est un imbécile, un paysan. S'il te plaît, ne prends aucune décision à cause de lui. On peut tout arranger.

— Il ne s'agit pas que de Hassan, répliqua-t-elle avec vigueur. Je parle de tout le monde. Quand ma famille entend le mot « Arabe », elle imagine des hommes enragés qui tuent des Juifs. Et la tienne pense que je ne suis qu'une Israélienne de plus. Je ne vois qu'une solution pour leur prouver qu'ils ont tort.

Il la regarda d'un air dubitatif.

— Laquelle ?

— Fais ce que Hassan dit que nous ne pouvons pas faire. Emmène-moi dans ton pays. En Israël. En Palestine… tu vois ce que je veux dire. C'est la meilleure façon de montrer qu'on n'est pas d'un côté ou de l'autre. On peut rester chez mon oncle dans son kibboutz et voir comment ça se passe là-bas. Après, on peut aller à Nazareth pour passer du temps avec ta sœur. J'aimerais voir Jaffa et l'endroit où tu as grandi.

— On ?

Il la regarda avec une telle expression d'incrédulité qu'elle sentit ses certitudes vaciller. Elle avait passé toute la nuit éveillée à réfléchir, retournant leur vie dans tous les sens, comme une photo déchirée dont on essaierait de recoller les morceaux. *Il faut qu'il comprenne*, se disait-elle.

— On doit leur montrer, expliqua-t-elle d'un ton implorant. Que Hassan et mes oncles ont tort. Toute ma vie, on n'a cessé de me parler d'Israël jusqu'à l'écœurement. Mes parents voulaient que j'y aille, Max aussi, tout le monde. Mais je n'ai jamais voulu. Ça ne signifiait rien pour moi. Jusqu'à aujourd'hui. Quand tu as parlé de chez toi, mes sentiments ont changé. Je veux voir cet endroit à travers tes yeux. Et si on peut convaincre nos familles *là-bas*, alors personne *ici* ne pourra plus rien nous dire, et on n'aura plus besoin de se cacher.

Il retira vivement ses mains des siennes.

— Comment peux-tu imaginer ça une seule seconde ?

Les mots la frappèrent comme une claque.

— On m'a chassé de chez moi. Je ne suis jamais revenu. Et tu oses me dire que la première fois où je retournerais dans mon pays, je devrais le faire avec une Juive ? Pour rester chez des sionistes ? Tu as perdu la tête ?

Figée sur place, les paumes moites et glacées, elle répondit d'une voix calme :

— Pas avec une Juive. Avec moi.

Il désigna sa chaîne autour du cou.

— Là-bas, tu ne peux pas la cacher. D'ailleurs, ce n'est pas la peine. Ici, peut-être que quelque chose est possible entre nous. Mais là-bas, qui sommes-nous ? Une Juive et un traître palestinien.

Il repoussa sa chaise.

— C'est ça qui est important pour toi ? dit-elle. Ce que ces personnes dont tu t'es toujours moqué pensent de toi ?

— C'est mon peuple, répliqua-t-il de son regard noir devenu furieux. Pour toi, l'approbation de ta famille, ton histoire juive comptent plus que moi. Tu veux m'emmener dans le kibboutz de ton oncle pour prouver que je suis un Arabe domestiqué ? Je vois. Hassan avait raison. On ne se comprend pas du tout.

Comme dans un rêve, elle le vit se lever et s'éloigner. Pendant un court instant, il ralentit. Il était face à la porte, et une toute petite voix monta en elle : *Il va revenir.*

Mais il poursuivit son chemin. Lorsqu'il passa devant elle de l'autre côté de la vitre, elle aurait pu être une étrangère à ses yeux, assise immobile comme une statue, une image brouillée derrière le carreau sale.

Beyrouth

Ce jour-là, ce fut comme si ses jambes guidaient son corps et son esprit pour l'entraîner loin de Jude. Elles martelèrent la chaussée des rues sinistres de Soho, lui donnant l'impression d'avancer dans un tunnel. Deux semaines plus tard, elles le conduisirent en un lieu où il s'était juré de ne jamais se rendre : l'aéroport, afin de prendre un avion et d'aller réveiller les morts.

Même la lettre qu'il avait fini par ouvrir et le coup de téléphone qu'il avait passé à Rafan n'étaient plus que de confuses réminiscences. Il avait voulu ensevelir l'image de Jude sous la caresse de sa mère et l'étreinte d'un frère qui avait dormi tant de fois pelotonné contre lui. À mesure qu'il lisait les mots enthousiastes de Rafan, il les imaginait tous les deux, qui l'attendaient dans un monde plus accueillant.

Rafan lui-même débordait de joie.

— Laisse-moi m'occuper de tout, grand frère, lui avait-il déclaré d'une voix chaude et impatiente à travers la friture de la ligne. Tu verras, tu ne voudras plus jamais repartir.

Pendant les cinq heures de vol, Salim se repassa ces mots dans la tête de nombreuses fois. En fouillant dans sa mémoire, il tenta d'imaginer l'homme à partir de l'enfant qu'il avait connu : le visage souriant qu'il avait vu pour la dernière fois à Nazareth, dans un sous-sol obscur. Comment feraient-ils pour se reconnaître ? Cette pensée lui parut bien amère. Du décollage à l'atterrissage à l'aéroport international de Beyrouth, il tenta de maîtriser ses souvenirs, de les effacer pour laisser la place à ceux qui l'attendaient. *J'aurai de nouveau un frère. Une mère. C'est tout ce qui compte.*

Mais lorsqu'il aperçut l'étranger qui lui faisait signe dans le hall brûlant des arrivées, il sentit un instant une déception si violente qu'elle lui fit l'effet d'un coup de poignard.

— Grand frère ! s'exclama l'inconnu de haute taille en s'avançant vers lui, bras ouverts.

Tout, chez Rafan, lui semblait étrangement familier, comme s'il entendait sa chanson préférée jouée dans une tonalité différente. Les yeux verts étaient toujours immenses et francs. Et son sourire irrésistible, avec les lèvres retroussées aux coins de la bouche, n'avait pas changé. Mais son visage avait perdu ses bonnes joues enfantines et était devenu aussi saisissant que celui de sa mère. Sa mâchoire était assombrie par une barbe de trois jours, il portait une chemise en soie, et de luxueuses lunettes étaient relevées sur sa tête aux cheveux clairs.

Il accueillit Salim d'un rire enjoué.

— Mon grand frère, répéta-t-il en l'embrassant sur les deux joues. Je croyais que ce jour ne viendrait jamais.

Ses lèvres étaient devenues aussi pleines que celles d'une femme.

— Rafan, répondit Salim, la voix altérée par une émotion qui le prit au dépourvu. Je n'arrive pas à croire que ce soit toi.

Mais une question lui brûlait les lèvres : *Pourquoi t'a-t-il fallu tant d'années pour me retrouver ?*

— Tout arrive en son temps, grand frère, dit Rafan qui avait posé sa main dans le dos de Salim. Allez viens, la voiture nous attend.

Installés dans la Mercedes toute neuve de Rafan, radio branchée, ils roulèrent au milieu des gratte-ciel blancs de Beyrouth. Peu à peu, l'aéroport ne devint plus qu'un point à l'horizon avant de disparaître dans un flamboiement de lumière. Devant eux, l'autoroute du Sud s'étendait sous les cieux d'un bleu profond. Une femme chantait, et sa voix réveilla d'étranges réminiscences. Oum Kalthoum, la reine de la musique, était déjà une légende quand la mère de Salim était enfant. Mais un beau jour, le monde arabe tout entier avait cessé de l'écouter. Aujourd'hui, peut-être, ne restait-il plus personne pour le faire.

La tête appuyée contre la vitre fraîche, il se laissa envahir par la tristesse de la chanson.

Mon cœur, ne me demande pas où notre amour s'en est allé,
Il n'était qu'une citadelle de mon imagination qui s'est effondrée.
Étanche ma soif et buvons à ses ruines,
Et raconte pour moi cette histoire, pendant que je pleure.

La voix de Rafan couvrait la musique. Il s'extasiait

sur la chaleur de la mer, les plages blanches de Jounieh et le champagne du yacht-club de l'hôtel Saint-Georges. Salim le laissa parler. C'est pour cela qu'il était venu, pour débarrasser son corps de la terne poussière de l'Angleterre et s'abandonner en toute sérénité aux eaux de la Méditerranée. Par la vitre, il distingua la mer étincelante et, à sa gauche, le soleil qui descendait vers l'ouest. Devant eux, la courbe du rivage s'étendait langoureusement comme une large étreinte.

Beyrouth ! *Le soleil est plus chaud et les femmes aussi*, lui avait dit Hassan. Cela lui convenait parfaitement.

À leur droite, le paysage avait changé ; Rafan avait quitté l'autoroute, et la Mercedes avançait au ralenti devant un ensemble misérable de toits en tôle ondulée qui s'étalait aussi loin que Salim pouvait voir, tel un tapis marron crasseux posé au pied de la ville blanche. *Les camps de réfugiés*. Des dizaines de milliers de Palestiniens avaient trouvé abri ici, avait-il lu. Tous les jours il en arrivait de nouveaux, fuyant les chars israéliens de Cisjordanie. Salim les imaginait en train de quitter leur maison pour la dernière fois en se demandant ce que le futur leur réservait. *C'était censé être provisoire*, pensa-t-il en se rappelant le bruit de la porte qui claquait à Jaffa. *Et ça a duré le reste de nos vies*.

Son humeur s'assombrit. Par-dessus le grondement du moteur, Oum Kalthoum continuait sa complainte. La haute silhouette de Beyrouth se profilait devant eux.

Rafan ne prêtait pas attention aux camps.

— Changement de plan, grand frère, dit-il. Il est trop tôt pour rentrer à la maison. Je ne sais pas ce que tu en penses, mais je prendrais bien un verre.

Salim trouva son accent étrange, presque français, avec ses syllabes rauques et chantantes.

— Nous irons à Hamra plus tard. Maintenant, je vais te montrer le vrai Beyrouth.

Hamra était la partie la plus riche de la ville, le cœur des vieilles fortunes arabes. Quand Salim avait appris que Rafan vivait là-bas, il avait demandé « Comment est-ce possible ? », avant de se rendre compte qu'il n'avait pas vraiment envie de le savoir. Même au téléphone, il avait deviné que Rafan souriait.

— Eh, grand frère, qu'est-ce que tu veux que je te dise ? Maman s'est bien débrouillée.

Beyrouth aussi s'était bien débrouillée. Les routes encombrées menant à la ville se transformaient progressivement en immenses boulevards blancs bordés de palmiers aux feuilles d'un vert éclatant. Partout, les voitures de luxe vrombissaient et des jambes bronzées se faufilaient avec aisance au milieu de la circulation. Autour de la place des Martyrs, au milieu des bus, des berlines en stationnement et des motos flambant neuves, la foule avançait, mue par le rythme de la vie dans toute son ampleur ; les uns se rendaient à des réunions, d'autres à des rendez-vous amoureux, dans des cafés ou des magasins. Salim les suivait des yeux. *Partir danser, s'amuser, aimer.*

Après le centre-ville, la Corniche entraîna les deux frères dans l'univers ludique, bleu et vaste de la Méditerranée. De nouveaux hôtels s'ouvraient sur la promenade, ainsi que des attractions sur la plage.

Au loin, dans la mer, des skieurs nautiques faisaient des allers-retours en projetant des jets d'écume. Une montagne au sommet verdoyant se découpait au-dessus de la brume moirée. En contrebas de la route, au-delà de l'étendue de sable, Salim voyait des hommes et des femmes aux corps souples et chauffés par le soleil se jeter ensemble, tête la première dans la mer. Il se rappela Tel-Aviv, toutes ces années auparavant, les mêmes corps bronzés, les mêmes danses insouciantes.

Ils se garèrent devant l'un des plus petits hôtels. Salim suivit Rafan jusqu'au patio qui surplombait la Corniche. Ils s'assirent en silence et burent leur verre sous une représentation de la Vierge Marie. À l'extrémité de la baie, l'hôtel Saint-Georges rayonnait dans sa coquille rose et blanche.

— Regarde ça, dit Rafan. On dirait un mamelon qui attend d'être tété.

Salim éclata de rire. Comment le petit garçon qui mouillait son lit pouvait-il être la même personne que cet homme accompli ? songea-t-il, ébahi. Il se renfonça dans son siège et se détendit. *Le soleil est chaud et les femmes aussi*, songea-t-il. Jude était froide. Ici, il pouvait être lui-même.

— Tu savais que c'étaient les Français qui avaient construit cet endroit ? Les chrétiens, fit Rafan en montrant le Saint-Georges. Ce sont eux qui détiennent l'argent, ici. Les musulmans n'ont jamais été très malins sur ce plan, sauf quand ils pouvaient s'amuser avec leur pétrole.

— Les musulmans ont l'air de se débrouiller aussi, répondit Salim en scrutant la chemise en soie et la lourde montre en or de son frère. Hassan m'a dit qu'ici c'est un paradis pour les Arabes.

— Un paradis pour les imbéciles. À moins que ce ne soit la même chose. En Israël, ce sont les Juifs qui ont le dessus sur les Arabes. Ici ce sont les chrétiens sur les musulmans, sans compter les Druzes qui jettent de l'huile sur le feu. Un jour, ça va exploser. Mais jusque-là…

Il prit son verre et le leva.

— *Sahtein*, dit-il, santé.

— Les Anglais pensent que les Arabes sont soit des émirs, soit des mendiants, poursuivit Salim, tandis que le cocktail amer coulait dans sa gorge et réchauffait ses entrailles. Ils n'arrivent pas à se faire à l'idée que je ne sois qu'un comptable.

Pourtant, à son arrivée, il était un mendiant et jamais il ne l'oublierait.

Rafan se mit à rire.

— Moi non plus, je ne m'y fais pas. Salim Al-Ishmaeli qui compte les livres anglaises ? Mais je suppose que c'est mieux que d'être Tareq, à Nazareth, et de compter les shekels de son maître.

— Et toi, quel genre d'argent comptes-tu ?

Rafan n'avait pas encore expliqué à Salim ce qu'il faisait. Grâce à sa mère, il avait un passeport libanais, ce qui lui laissait la possibilité de travailler ou d'étudier. Mais Rafan n'était pas habillé comme un étudiant. Et il ne se comportait pas comme un homme d'affaires.

Il passa l'un de ses ongles soignés sur le bord de son verre.

— Il n'y a qu'une monnaie qui vaut la peine d'être

comptée, grand frère. Et je ne crois pas qu'on la trouve à la banque.

Derrière lui, un skieur nautique envoya une gerbe d'eau blanche vers le ciel ; Salim entendit un petit cri de joie ou de peur venir de la mer. Il se demanda de nouveau ce qu'il attendait de Rafan. Une excuse ? Une explication ? Il le regarda, cherchant à retrouver la trace du petit garçon qui avait eu tant besoin de lui, celui qui avait été nourri de secrets et de faux espoirs. Le fils que leur mère avait choisi de garder.

— C'est pour ça que maman est partie ? demanda-t-il brusquement en repoussant son verre. Parce que notre père n'était pas assez riche pour elle ? Allez, elle a dû te le dire. C'est pour cette raison ?

Rafan s'adossa à son siège. Il étira ses bras derrière la tête et observa son frère.

— Tu sais, maman dit toujours que le passé, c'est le passé. Pourquoi tiens-tu à parler de toutes les épreuves que nous avons dû supporter ici, dans cet endroit agréable, avec ce délicieux cocktail ? Est-ce vraiment important, aujourd'hui ?

— J'ai le droit de savoir, répliqua Salim, et une bouffée de colère monta en lui. Je me suis occupé de toi tous les jours pendant huit ans, tu te souviens ? Et depuis tout ce temps, pas un mot. Alors pourquoi maintenant ? Pourquoi m'as-tu écrit ? Ne me dis pas que c'est à cause de la mort de baba, parce que je sais très bien que ce n'est pas vrai.

— Écoute, Salim, je n'ai pas les réponses à tes questions. Je n'étais qu'un enfant. Je n'ai aucun souvenir de cette période, seulement d'un lit qui puait et de mauvais rêves.

Derrière ses verres teintés, son regard était indéchiffrable, mais ses mots n'en étaient pas moins cinglants. Après tout l'amour et l'attention que Salim lui avait donnés, n'avait-il pas mérité une place dans la mémoire de Rafan ?

Ce dernier se pencha vers lui.

— Mais je peux te dire ce que j'ai appris après notre arrivée ici, grand frère. Les Arabes vivent comme des rats, en Palestine. Tareq et Nadia étaient des souris, notre père était un rat et nous étions ses petits ratons qui ramassions les miettes aux tables des Israéliens. Est-ce que c'est une façon de vivre ? Ne vaut-il pas mieux être un homme libre parmi les Arabes qu'un *fellah* dans la ferme d'un maître blanc ?

Il releva ses lunettes sur son front et fixa Salim d'un regard posé, ses yeux verts clignant sous l'éclat du soleil.

— Libre ? répondit Salim. J'ai vu les camps. On dirait plutôt qu'il y a des tas de rats qui vivent ici.

Rafan haussa les épaules.

— Tu ne peux pas tout voir depuis la route, grand frère. C'est comme dans les forêts anglaises. Peut-être que les loups se cachent, mais leurs dents sont toujours bien aiguisées et, à la fin, ce sont eux qui dominent les autres animaux.

— Les loups, les rats, fit Salim en riant. Qu'est-ce que tu essaies de me dire ? Que tu as rejoint l'OLP ?

Les médias anglais avaient récemment parlé de l'Organisation de libération de la Palestine. Au départ, Salim avait pris le mouvement à la légère. Pour lui, ce n'était qu'une poignée d'Arabes lancés dans une énième lutte vaine et timorée. Mais Nadia lui avait écrit pour lui expliquer que la jeunesse de la Cisjordanie occupée ralliait le mouvement depuis la dernière guerre, et elle s'inquiétait des conséquences sur leur avenir.

Rafan éclata de rire lui aussi avant de secouer la tête.

— *Ya* Salim. La vie est trop courte pour se soucier de la politique.

Il parlait en anglais, à présent, et Salim l'avait entendu s'adresser en français au barman. Mais sa voix redevint sérieuse.

— Je ne peux pas tout t'expliquer maintenant, grand frère. Il faudra que tu voies par toi-même. Mais tu dois savoir que je ne t'ai jamais oublié pendant toutes ces années, pas une seule minute. J'ai toujours voulu que tu nous rejoignes ici. Oui, pour pouvoir te rendre tout ce que tu m'as donné. Quoi qu'il se soit passé avant, nous sommes toujours une famille, liés par le sang. Alors buvons. Un jour, les chiens nous dévoreront tous.

Tandis que les premiers verres se vidaient, puis les deuxièmes et les troisièmes, le soleil était descendu sous l'horizon. La mer, rouge intense, semblait engloutir le rivage. Ils partirent dîner à Hamra. Deux filles souriantes répondant aux noms de Leila et Dalia se joignirent à eux. Rafan passa commande pour tout le monde : steak grillé, tomates rouges et juteuses, pain chaud et poivrons épicés. Plus tard dans la soirée, un jeune homme en costume blanc se présenta et les emmena avec sa belle voiture couleur crème dans une discothèque du centre-ville.

Ils passèrent à vive allure rue de Phénicie, vitres

baissées, l'air de la nuit sifflant dans leurs oreilles. Leila ou Dalia glissa sa main tiède sur la jambe de Salim. L'ami de Rafan voulait aller jouer, et les filles hurlaient « Crazy Horse ! Crazy Horse ! ». Dehors, les lumières de la ville défilaient.

Salim se souvint d'être entré dans une salle rouge tamisée par du velours et ornée de lustres en cristal. Le sol tournait, lui sembla-t-il, il tournait dans un vague brouillard de rires et de dentelle noire. Il se balança au rythme de la pièce et s'accrocha à l'un des piliers. Dans un coin, Rafan discutait avec une jeune femme blonde ; sa tête était penchée tout près de sa joue et sa main s'était glissée dans la sienne.

La musique vibrait sous leurs pieds. Rafan avait disparu. Leila, qui voulait danser, entraîna Salim dans la foule. Il se laissa tomber dans ses bras, ferma les yeux et, dans la brûlante obscurité, s'abandonna aux mouvements de leurs deux corps enlacés.

Il se sentait prêt à être emporté, loin de lui-même, de Jude, de la personne qu'il avait essayé de devenir. La musique changea, le rythme s'accéléra, et Leila fut poussée contre lui. Il se retrouva seul, sur une mer calme, tandis que des mains douces le tiraient, le tiraient délicatement vers le néant.

Il ne se souvint pas d'être allé se coucher. À son réveil, sa tête tambourinait, comme si elle était remplie de clous. La lumière resplendissait déjà à travers les rideaux tirés.

Il tendit la main au hasard et se cogna violemment contre quelque chose – un mur. De l'autre côté du lit, quelqu'un remua. Il se retourna. Elle avait encore sa culotte et portait la chemise de Salim. Allongée ainsi sur le ventre, elle lui rappela Margaret. Ses cheveux noirs s'étalaient dans son dos et ses ongles rouge sang reposaient sur les draps.

Des voix résonnaient faiblement de l'autre côté de la porte. Quand il se mit lentement sur ses pieds, la douleur provoquée par la gueule de bois le fit grimacer. Il trouva son jean par terre, l'enfila et se mit debout en titubant.

La porte de la chambre débouchait sur un petit salon. Le soleil de fin d'après-midi filtrait à travers un panneau de verre au plafond et jouait avec les grains de poussière en suspension.

Quatre hommes étaient assis autour d'une table au milieu de la pièce. Salim sentit l'odeur de haschisch qui brûlait quelque part, mêlée à la puanteur âcre de la cendre de cigarette. Rafan portait les mêmes habits que la veille. Ses yeux étaient profondément cernés ; à la faible lumière tombant du toit, ils paraissaient noirs.

— Salim, grand frère, s'exclama-t-il en lui faisant signe d'approcher. Viens dire bonjour aux gars.

Salim vint vers eux et les salua d'un hochement de tête. Ces hommes n'avaient rien à voir avec le charmant ami qui était venu les chercher la veille. Ils étaient plus basanés, plus épais, et ils n'eurent pas un sourire pour Salim. Le plus proche de lui leva les yeux ; quelque chose dépassait de sa ceinture, un objet noir qui ressemblait à la crosse d'un pistolet.

— *Keefak, keefak*, dit Salim poliment à chacun en leur serrant la main. *Comment va la vie ?*

Leur accent lui parut familier, une version plus populaire que celle de son père. Leurs mains étaient calleuses. Avant d'arriver ici, ils étaient sûrement des *fellahin*, songea Salim. Des fermiers et des travailleurs des rues, aujourd'hui des hommes importants et armés.

— Alors, commença-t-il en s'asseyant et en prenant le joint de la main de Rafan. Vous êtes palestiniens ?

— Absolument, *habibi*, répondit l'homme avec le renflement à la ceinture.

Salim sentit que la salutation, *mon ami bien-aimé*, était à la fois une parole de bienvenue et un avertissement.

— Mes frères et moi arrivons de Tripoli. Farouk vient de Jordanie, de Karameh.

Salim hocha la tête en silence. Cette ville à la frontière jordanienne était le quartier général de l'Organisation de libération de la Palestine.

L'homme corpulent nommé Farouk le regarda de ses yeux étroits.

— J'ai entendu dire que vous, les Al-Ishmaeli, vous étiez de Jaffa. Que Dieu vous bénisse tous. Moi aussi je viens de là-bas, de Manshiyya. J'ai travaillé dans les champs, je cueillais les fruits avec mon père, qu'Allah le bénisse.

— *Ahlan wa sahlan*, répondit Salim machinalement.

Son père l'avait peut-être fait travailler. Quand les *ayan* qui avaient nourri ces hommes avaient fui, ils les avaient laissés sans rien à manger ni personne pour les diriger. À présent, les *ayan* vivaient confortablement en Europe et les *fellahin* étaient restés pour combattre les Juifs.

— Que Dieu vous bénisse, répéta Farouk. Nous

avons une base à Tripoli, maintenant, avec nos frères du Fatah. Et vu ce qu'il se passe en Jordanie, je pense que nos frères de là-bas vont bientôt nous rejoindre. La Jordanie est une sale traîtresse. Hussein est la pute des Juifs. On le baisera comme une chienne, déclara-t-il d'une voix sinistre.

Même Salim était au courant, pour avoir écouté la chaîne arabe de la BBC, que le rusé roi Hussein comptait jeter de nouveau hors de son pays tous les Palestiniens, à commencer par les hommes comme Farouk.

— Comment es-tu arrivé ici ? demanda Salim prudemment.

Il avait l'impression d'être à nouveau un étranger, comme il l'avait été en Angleterre, et il craignait de dire des choses déplacées. Rafan, put-il voir, l'observait attentivement.

— Pendant la *Nakba*, je suis venu dans les camps de Tripoli avec ma famille. L'Irgoun a foncé sur ma maison de Manshiyya avec ses tanks. Ma femme est morte, mon père aussi. Mon plus jeune fils est mort dans les camps, les entrailles explosées. Mon fils aîné est avec moi, c'est un soldat, qu'Allah le protège. Voilà mon histoire, la même que beaucoup de gens.

Il s'interrompit pour tirer profondément sur le joint.

— Mais Rafan nous a dit que tu vivais à Londres, continua-t-il, et il toussa en exhalant la fumée âcre. C'est une bonne chose. Les balles seules ne peuvent pas chasser les sionistes. Nous avons besoin d'hommes éduqués, de grosses têtes. On en a, maintenant. Arafat. Abbas. Des hommes jeunes mais intelligents. On a aussi besoin d'eux en Europe. Que fais-tu à Londres ?

Ce fut Rafan qui répondit.

— Il veut devenir un homme riche. Pas vrai, grand frère ? Et épouser une fille blonde avec des gros seins.

Salim l'ignora et s'adressa à Farouk.

— J'ai fait des études d'économie. Maintenant, j'ai besoin de trouver un premier boulot. Je ne suis pas un grand homme comme le prétend mon frère, mais je n'ai pas oublié le combat.

Il mit la main sur son cœur et sentit le battement creux, ce vide qui signifiait *tu as oublié, tu as voulu oublier.* Salim n'avait pas envie de participer à cette lutte. Il percevait qu'elle n'aurait jamais de fin et n'irait jamais nulle part.

Les hommes cessèrent de parler lorsque Leila sortit de la chambre, embrassa Rafan et alla faire du café. Quand le soleil commença à décliner et que la pièce s'assombrit, Salim vit Rafan et Farouk disparaître dans la chambre et en revenir dix minutes plus tard. Farouk portait un sac noir et usé. Il était déformé par des protubérances qui ressemblaient à des briques. *Du haschisch, ou peut-être de l'argent ?* Une montée d'adrénaline l'envahit comme un courant glacé. Si c'était cela, la nature du combat, alors qui était Rafan ? Et que voulait de lui ce frère inconnu ?

Après le départ des hommes, ils se changèrent et sortirent dîner tous les deux. Salim n'avait pas beaucoup d'appétit. Il jouait avec la nourriture dans son assiette en essayant de rassembler ses idées. Finalement, Rafan lui donna un coup de pied sous la table.

— À quoi tu t'attendais, grand frère ? À un étudiant qui brandit des pétitions ? Aux chevaliers de la Table ronde ? Tu as vécu trop longtemps avec les *Angleezi*. Tu as oublié ce que ça veut dire, être palestinien.

— Je *suis* palestinien, protesta Salim, furieux. Comment oses-tu me juger ? Il faut plus que du haschisch et des armes pour l'être. Je suis le seul qui tenais à notre maison, le seul qui voulais vraiment y retourner. Toi, maman, Hassan, vous ne pouviez pas vous sauver assez vite.

— Tu te trompes, grand frère. Vous n'êtes plus des Palestiniens. Aucun de vous. Regarde. Toi, tu as ton passeport britannique et ton diplôme. Très bien. Mais moi, Salim, je n'ai jamais voulu de tout ça.

Il mordit dans son kébab.

— Mmm, c'est bon. Goûte.

Quand Salim secoua la tête, Rafan continua.

— Qu'y a-t-il de particulier, ici ? Je vais te le dire. Ici, la Palestine existe encore, dans les camps, avec des hommes comme Farouk. Nous avons des frères dans toutes les maisons, d'Amman à Tripoli. L'OLP est prête à passer la frontière jordanienne et à se lancer vers le sud. Les chiites vont nous rejoindre. Et ces vieilles carnes, là-bas, fit-il en tendant la main vers les quartiers des chrétiens maronites à l'est de la ville, se soumettront. Tu vas voir.

Salim demeura pétrifié. Rafan se pencha vers lui.

— Pourquoi n'utilises-tu pas ta tête bien faite pour travailler avec ton peuple ? Qu'as-tu d'autre à faire, à Londres ?

Jude. Son nom lui vint aux lèvres, mais il le refoula.

— Pourquoi moi ? Je suis un étranger, ici.

— Parce que tu es mon frère, répondit Rafan, et

son regard vert était si pressant que Salim sentit son cœur vaciller.

— Qui ai-je, à part toi ? Pendant toutes ces années où nous avons été séparés, peux-tu affirmer que tu as été heureux ? N'est-ce pas pour ça que tu es venu me chercher ? Pour rentrer chez toi, auprès de ta famille ?

Un sentiment mêlé d'espoir et de colère étreignit Salim, comme une vague soudaine qui emplit sa poitrine. *C'est mon frère, ma vraie famille.* L'idée de rentrer chez soi, de se défaire des erreurs du passé était si douce. Un vrai foyer, pas ce château de cartes qu'il avait construit avec Jude.

— Et que se passe-t-il si nous gagnons ? finit-il par demander, sachant déjà ce qu'il souhaitait entendre. Qu'est-ce que tu veux, à la fin, Rafan ? Tu veux dire que nous pourrons rentrer ?

Rafan renversa la tête en arrière et éclata de rire.

— *Ya* Salim, fit-il en reprenant peu à peu son souffle. Maman avait raison. Tu es un *fellah*, comme notre père. Tu es obsédé par ce tas de briques et de feuilles.

Il s'essuya les yeux et un sourire se dessina sur son visage.

— Non, grand frère, il n'y a pas de retour en arrière dans cette vie. Mais on va leur apporter la facture, pour le passé. Et on va les faire payer.

Cette nuit-là, Rafan les conduisit à Hamra dans l'appartement de leur mère. Ils passèrent devant le gardien à l'entrée et pénétrèrent dans un hall lumineux tout en marbre. Un ascenseur les emmena au dernier étage où ils débouchèrent sur un long couloir obscur. Des appliques représentant des visages de femmes endormies projetaient un éclairage diffus. Elles étaient si paisibles et tellement froides que le cœur de Salim se serra à leur vue.

Lorsque Rafan ouvrit la porte, Salim entendit le son feutré et apaisant d'un air de musique. Fairouz, la nouvelle coqueluche libanaise, chantait une chanson d'Oum Kalthoum. Au loin, à travers les grandes fenêtres voûtées, la vie nocturne de Beyrouth chatoyait en un feu d'artifice de couleurs rouges, bleues et vertes. Dans deux coins opposés de la pièce, on avait disposé des lampes identiques représentant des chevaux qui se cabraient, un globe lumineux posé entre les sabots. Un tapis persan de couleur sombre étouffait le bruit de leurs pas.

— Maman, appela Rafan en jetant ses clés sur la table laquée. Maman, viens, Salim est là.

Elle sortit de sa chambre. Elle portait une robe verte fluide et était en train d'accrocher une boucle d'oreille. Ses cheveux auburn, relevés très haut, étaient nattés au-dessus de son front, formant une couronne. Tandis qu'elle s'avançait vers eux, son parfum entoura Salim comme l'effluve du bronze chauffé.

— Bonjour, maman, dit-il, surpris de sentir les larmes lui monter aux yeux.

Il avait imaginé tant de fois cet instant, il s'était si souvent rejoué la scène dans différentes nuances de fureur et de pardon. Mais il eut honte de son émotion ; elle le réduisait au petit garçon qu'on avait abandonné.

Elle vint vers lui, mit sa main blanche sur l'une de ses joues et déposa un baiser sur l'autre. Elle n'était pas aussi grande que dans son souvenir, et son visage, au léger contact du sien, lui parut très poudré.

— Salim, dit-elle, et elle se recula pour le regarder de ses yeux d'un vert profond. Tu es devenu grand, *ya'eini*. Je le savais.

— Il y a si longtemps, répondit-il en tremblant. Tu m'as manqué.

Elle s'éloigna et, sur un bureau, prit une cigarette dans une boîte en argent. Rafan lui tendit la flamme d'un briquet. Salim observa son cou se tendre tandis qu'elle aspirait la fumée. Il put voir les os se mouvoir sous sa peau lâche. *Elle a vieilli*, pensa-t-il, choqué. *À moins qu'elle n'ait toujours été comme ça ?*

— Certaines choses sont trop compliquées à comprendre pour de jeunes garçons, dit-elle en marchant vers la fenêtre. Je sais que ça a été dur pour toi, mais c'était mieux ainsi. Maintenant, tu réussis ta vie en Angleterre. J'ai un homme qui prend bien soin de moi. Tout le monde est content.

Elle marqua une pause.

— Il y a de la bière dans la cuisine, Rafan. Va en chercher pour ton frère.

Elle s'assit au bord du canapé et tapota le coussin à côté d'elle. Salim la rejoignit.

— Alors, dis-moi, *ya'eini*, poursuivit-elle d'une voix rauque, comment est-ce, Londres ? Tu es diplômé, à présent, tu as un bon travail ? Je suis si fière de toi. Je savais que tu deviendrais quelqu'un.

Ils gardèrent le silence pendant qu'elle fumait, les yeux fixés sur un point situé au-dessus de la tête de son fils. Il se mit à lui parler de Londres, des restaurants et des théâtres, du nouveau travail qu'il commencerait le mois prochain. *De tout sauf de Jude*. Il imagina la jeune femme assise ici, à côté de lui, son doux éclat altéré par l'aura obscure qui émanait de sa mère.

Dix minutes plus tard, le téléphone sonna.

— J'arrive, dit-elle dans le combiné.

Rafan lui apporta une étole en fourrure qu'elle passa autour de ses épaules.

— Nous parlerons plus tard, *ya'eini.*

Salim lui trouva le regard éteint. Il avait rêvé de recevoir les excuses de sa mère, de la voir jeter ses bras autour de son cou tandis que ses larmes auraient mouillé son visage. Mais alors qu'elle l'embrassait pour lui dire au revoir et qu'elle s'avançait vers la porte, il réalisa qu'il n'avait plus envie de sentir son étreinte.

La nuit fut longue pour Salim. Allongé sur le sol de la chambre de son frère, il ne parvint pas à trouver le sommeil. Au matin, il réveilla Rafan.

— Allez, viens, on sort, lui annonça-t-il.

La porte de la chambre de sa mère était ouverte. Elle n'était pas rentrée.

Ils roulèrent vers le sud sur la vieille route menant à Damas, avant de tourner vers l'ouest en direction du camp de réfugiés de Chatila. Aux abords des lieux, il y avait deux barrages. L'armée libanaise surveillait le premier. Un homme d'âge mûr habillé en civil les observait tandis qu'un soldat leur intimait l'ordre de s'arrêter. Après qu'ils eurent montré papiers et passeports, on leur fit signe d'avancer.

— Ici, c'est le Deuxième Bureau*, indiqua Rafan. Le service de renseignements de l'armée. Ces salauds seront les premiers à partir.

Les résidents du camp tenaient le second check point. Ils s'arrêtèrent devant un homme portant un keffieh à carreaux noirs et blancs. Rafan l'appela par son nom et demanda des nouvelles de son père. Salim lui serra la main à travers la vitre baissée.

La voiture avança au milieu du bruit et de la puanteur. Salim découvrit un égout à ciel ouvert ainsi qu'un enchevêtrement de fils électriques qui reliaient entre eux taudis et cahutes.

Du linge séchait dans l'air vicié. Un vieil homme était assis par terre, une pile de souliers usés à côté de lui. Une de ses joues était creusée par ses gencives édentées et du pus coulait d'un œil infecté, contaminant l'autre.

Des enfants couraient devant la voiture et les saluaient joyeusement. Salim fut ému de les voir sautiller et crier avec toute l'exubérance de leur jeunesse. Quinze ans plus tard, après le massacre, lorsqu'on retrouva des dizaines de petits corps meurtris et sanglants sur le sol du camp, il se souviendrait de ces gamins et se demanderait si eux aussi avaient péri lors de la tuerie.

Abou Ziad, l'ami de Rafan, jouait au backgammon, assis sur une chaise en plastique devant un étal de falafels. Son ventre débordait de sa ceinture comme les perles du chapelet qui s'échappaient de son poing. Dans un local, derrière lui, on apercevait des paquets marqués du logo des Nations unies. Sur la porte, Salim vit un autocollant au nom de *Filastinuna* [1] à côté du dessin d'un drapeau palestinien.

---

1. Mensuel de l'OLP publié de 1959 à 1964.

Ils burent un café serré pendant qu'Abou Ziad se plaignait du gouvernement libanais et de ses dirigeants chrétiens. Les Palestiniens musulmans ne pouvaient obtenir de permis de travail, expliqua-t-il, alors que leurs frères chrétiens et les gens riches s'achetaient facilement un passeport.

— Nous valons moins que des chiens pour ces Beyrouthins, grogna-t-il. Mais un jour, les chiens sortiront leurs crocs.

Ils parlèrent de la corruption des responsables officiels du camp, de la lenteur de l'ONU et des perspectives du Fatah en dehors de Tripoli. Salim fut questionné sur sa vie à Londres et sur la possibilité des Anglais de se joindre au combat en Palestine.

Avant leur départ, Rafan tendit à Abou Ziad une enveloppe remplie d'argent.

— Une contribution pour les enfants, dit-il.

Il fut remercié et béni, et l'enveloppe disparut dans la poche du vieil homme.

Au moment de partir, Salim prit une profonde inspiration. Il voulait sentir pleinement la puanteur des lieux et l'emporter avec lui. Que pouvaient bien signifier sa vie à Londres, le travail de comptable qui l'attendait, comparés à ce cloaque de la misère humaine ? À cet instant, il se sentit sale, coupable d'avoir voulu se lier à ces *Angleezi* hautains et d'avoir chéri son passeport britannique. Rafan avait raison, Salim n'avait pas le droit de se considérer comme un Palestinien. Il n'avait pas encore payé le prix. Il regarda son frère. Celui-ci gardait un silence inhabituel. Sa bouche formait une ligne fine et ses jointures, sur le volant, étaient blanches.

Rafan finit par prendre la parole.

— Est-ce que tu sais que nous avons vécu ici, au départ, quand nous sommes arrivés de Nazareth ?

Salim fut stupéfait.

— Dans l'une de ces maisons ?

— En pire.

Elle nous a quittés pour ce bidonville ? C'était incompréhensible. Comment Rafan, âgé seulement de huit ans et que tout effrayait, avait-il pu survivre ?

— Pourtant, maman est libanaise.

— Oui, mais elle est arrivée sans papiers. Les passeports israéliens ne servent à rien, ici. Quelqu'un s'est chargé de la faire venir et de tout régler. En attendant, on a dû rester là.

— Qui s'est occupé de ça ? Sa famille ?

Rafan haussa les épaules.

— Une femme en fuite n'a pas de famille. Quelqu'un. Un homme.

Le télégramme qu'elle serrait dans sa main. Il se rappela cette petite tache jaune qui contrastait avec le noir du ciel de Nazareth. Il devait y avoir un nom inscrit à l'intérieur, un nom qui valait la peine qu'elle les quitte, qu'elle attende, seule, dans un camp de réfugiés pendant que Salim, les yeux perdus vers les collines, au nord, la pleurait. *J'espère que tu as trouvé le bonheur, maman.* Et pourtant, la veille, elle lui avait semblé si seule. Enfermée dans une tour de marbre et de verre, comme la reine captive d'une vieille légende.

— Pourquoi a-t-elle fait ça ? dit-il tout haut, et le son de sa propre voix le surprit. Ça n'a aucun sens.

— C'est ce que je lui ai dit, répliqua Rafan.

Derrière ses lunettes, son visage était impassible.
— Dieu seul le sait. Peut-être croyait-elle avoir une dette à régler.

Le jour suivant, après une nuit passée dans l'appartement de Leila, Salim fut réveillé par Rafan qui le secoua par l'épaule.
— Bonne nouvelle, grand frère, annonça-t-il.
Ses yeux verts avaient retrouvé leur éclat. La journée de la veille avait été effacée comme un mauvais souvenir.
— Nous allons à Tripoli.
Salim se redressa sur les coudes et chassa les derniers vestiges du sommeil.
— À Tripoli ? Pourquoi ?
Mais bien sûr, il le savait déjà.
— Farouk veut que tu viennes. Il veut que tu rencontres des gens.
— Des frères.
Rafan haussa les épaules.
— Des frères. Des amis. Des gens intéressants. Et tu vas voir Tripoli. Bon, ce n'est pas aussi vivant qu'ici.
Salim aperçut la chevelure brune et les jambes dorées de Leila passer devant la porte ouverte.
— Mais ça vaut la peine de voir la ville. En particulier pour toi.
Le temps que Salim s'habille et rejoigne la jeune femme dans la cuisine, le café turc était prêt. Elle lui servit une tasse et se frotta les yeux.
— Tu es déjà allée à Tripoli ? lui demanda-t-il.
Assis à table, il faisait tourner le liquide épais dans sa tasse ébréchée.

Elle secoua la tête.

— Je ne suis pas une *Filastiniya*, répondit-elle. Même si à Beyrouth-Ouest nous soutenons le mouvement, contrairement aux chrétiens. Mais les gens que Rafan fréquente… c'est autre chose. Tripoli est un endroit de cinglés, de cinglés religieux.

Ici aussi, c'est un endroit de cinglés, songea-t-il, mais il remua son café en silence. La cuillère tournait et tournait encore dans la tasse, à la vitesse des pensées qui défilaient dans sa tête : les camps, le visage pâle de Rafan enfant, perdu dans son sommeil, les yeux froids de sa mère, puis Jude, toujours Jude et la foi qu'elle nourrissait pour les rêves de Salim.

Lorsque Rafan les rejoignit, il embrassa Leila et lui chuchota quelques mots à l'oreille. La jeune femme regarda Salim avant de sortir de la pièce. Rafan vint s'asseoir à côté de son frère et prit une cigarette.

— Tu m'as emmené voir Abou Ziad, dit Salim à son frère. Et j'ai déjà rencontré Farouk. Alors je suppose qu'ils ont dû m'apprécier. Ou est-ce parce que je suis ton frère ?

— Tu leur as plu. Qu'est-ce qu'ils auraient pu te reprocher ? Tu es intelligent, éduqué. Tu parles anglais comme si tu étais né là-bas. Tu as un passeport *angleezi*. Tu pourrais faire de grandes choses pour eux.

— Pour nous, répondit doucement Salim.

Rafan sourit.

— Pour nous. Pour notre famille.

— Alors, ce voyage à Tripoli, c'est pour quoi ? Pour aller voir mon nouveau bureau ?

Rafan sourit de nouveau.

— C'est à peu près ça. Pour le moment, c'est juste pour discuter.

Il offrit une cigarette à Salim puis pencha son beau visage sur le côté, tel un oiseau affamé. Ses yeux s'étrécirent lorsqu'il observa Salim.

— Réfléchis bien, grand frère. Pourquoi veux-tu être comptable ? Les *Angleezi* t'ont peut-être donné un passeport, mais à la fin ils te cracheront à la figure, comme ils l'ont fait avec tous les autres Arabes, Indiens et Africains qu'ils ont baisés. Tu as la peau trop sombre pour leurs clubs.

Salim repoussa sa tasse.

— Tu ne sais rien de ma vie, petit frère.

— J'en sais assez pour savoir que tu n'es pas sincère vis-à-vis de toi-même. Israël, l'Angleterre, c'est pareil. Là-bas, vous n'êtes que des Arabes au service d'un patron blanc.

— Tu as tort, répliqua Salim calmement.

Il avait passé toute la nuit allongé, à débattre intérieurement : deux avenirs s'offraient à lui, l'un d'eux tracé par le frère assis près de lui. Mais une petite voix lui chuchotait : *Ce n'est pas le garçon que tu connaissais.* La douceur et l'espièglerie avaient disparu ; quelque part, entre Nazareth, les camps et le luxueux appartement de sa mère, Rafan était devenu quelqu'un d'autre.

— J'ai une vie en Angleterre, poursuivit-il. Je l'ai construite moi-même. L'éducation, le respect. Les projets.

L'amour, aussi. Il pensa à Jude. Elle l'avait aimé, peut-être l'aimait-elle encore. Un amour pur, qui donnait tout et n'exigeait rien en échange.

— Tu me demandes de tout abandonner pour t'aider.

— Tu dis que tu m'as aidé quand nous étions enfants, Salim, répliqua Rafan en se levant. Alors laisse-moi te rendre la pareille. Hassan est heureux, il dirige son garage et saute sa grosse épouse. Mais maman a toujours dit que toi, tu avais de l'ambition. Ce que nous pourrions accomplir tous les deux… ce serait bien au-delà de la vengeance, déclara Rafan. C'est à toi de décider, grand frère. Durant toutes ces années, ils nous ont séparés. Mais aujourd'hui, tu dois choisir ton camp : avec eux, ou avec moi ?

Il se redressa et consulta sa montre.

— Je dois m'absenter. J'ai une affaire à régler. Je serai de retour à dix-huit heures. Si tu es avec moi, grand frère, nous irons ensemble à Tripoli.

Rafan serra Salim dans ses bras avant de lui glisser à l'oreille :

— À plus tard, *Insha'Allah.*

Puis il disparut dans le couloir et la porte d'entrée claqua.

Après le départ de Rafan, Salim se passa de l'eau sur le visage, s'habilla, dit au revoir à Leila et sortit.

Le petit immeuble miteux où vivait la jeune femme était situé au milieu d'un dédale de vieilles rues enchevêtrées, loin du centre de Beyrouth, si clinquant et tape-à-l'œil. Tandis qu'il marchait, le soleil cognait comme un marteau sur son crâne. Lorsqu'il atteignit la mer, l'astre poursuivait sa course vers les cieux occidentaux.

Salim observa le nord du littoral, là où la mer et

la terre se fondaient dans la brume. Là-bas, devant lui, le monde moderne attendait. Il imagina le rivage qui se prolongeait jusqu'en Turquie et en Grèce, pour atteindre les côtes de la Riviera européenne. Derrière lui, vers le sud, la mer s'étendait au-delà de Beyrouth jusqu'à Tyr, Israël, les grands déserts d'Afrique du Nord. Il était vraiment au carrefour du monde.

Et d'ici, où vais-je ? À Tripoli, rejoindre les frères ? Cette route avait-elle mené un jour vers Jaffa ? Mais Rafan avait ri à cette idée. Son frère n'avait pas de foyer et n'en voulait pas. Semblable aux étincelles jaillissant d'un feu, il se mouvait à travers les rues de Beyrouth en brûlant tout sur son passage.

Jusqu'à présent, Salim avait cru que son foyer ne pouvait être qu'à Jaffa. Mais alors qu'il fermait les yeux, il eut une vision inattendue : des yeux bleus, des bras ouverts, un visage doux et sincère.

Il pressa les mains sur ses paupières pour tenter de démêler ses pensées. Les immenses palmiers au-dessus de lui s'inclinaient vers l'ouest. Leurs lourdes grappes de dattes vertes étaient prêtes à être cueillies. À leur vue, Salim fut pris d'un profond chagrin. *Je n'ai jamais pu faire ma récolte. J'ai laissé le fruit sur la branche, il a sûrement pourri et fini par tomber.*

Il était dix-sept heures. Il héla un taxi qui le conduisit jusqu'à Hamra. L'immeuble de sa mère était paisible et silencieux en cette fin d'après-midi ; même le concierge piquait du nez derrière son bureau.

Quand il sonna à la porte, il se sentait le cœur léger. Elle lui ouvrit en robe de chambre. Son visage dépourvu de maquillage était terne et son front se plissa sous l'effet de la surprise.

Salim déposa un baiser sur sa joue puis entra. Elle le suivit sans entrain avant de s'arrêter en haut des marches, comme si elle espérait le voir partir.

Il prit une inspiration.

— Maman, tu ne m'as jamais demandé pardon. Tu m'as abandonné, moi, ton fils, et tu ne m'as jamais envoyé un seul mot. Maintenant je débarque ici, et tu ne me dis même pas que tu es désolée. Pourquoi ? Je ne représente donc rien pour toi ?

Le visage de sa mère se durcit. Elle leva le menton, et il reconnut ce geste familier qu'elle utilisait pour exprimer son mépris. Mais il prit son attitude pour ce qu'elle était : de la culpabilité déguisée en défi.

— J'ai arrêté de demander pardon, même à toi, mon fils si intelligent, dit-elle. J'ai appris il y a bien longtemps que nous sommes seuls dans ce monde et que nous n'avons que faire les uns des autres.

Lorsqu'elle vint se placer en face de lui, il distingua la peau flétrie autour de sa bouche et de ses yeux.

— La seule chose qui comptait pour ton père, c'était son honneur. Toi, uniquement la maison. Rafan ne pense qu'à ses jeux, les Juifs à leur drapeau et les Palestiniens à leurs hectares de terre. Devrais-je être la seule à me soucier des autres et à me sacrifier ? questionna-t-elle en tendant les mains vers le ciel, poings serrés.

De la musique résonnait entre les murs de marbre de l'appartement, une voix féminine chantait, emplissant tout l'espace. Salim saisit la main fine de sa mère et resserra son étreinte quand elle tenta de se dégager.

— Nous as-tu vraiment aimés un jour ? demanda-t-il.

Cette fois, il ne pleurait pas.

— Comment aurais-je pu ne pas vous aimer ? Mais l'amour n'apporte rien à des gens comme nous. Nos routes sont toutes tracées et il n'y a pas d'échappatoire.

Ses yeux marqués par l'âge regardaient Salim avec fureur, le présent accusant le passé.

— J'ai suivi mon chemin, et je ne demande pas qu'on me pardonne. Maintenant, tu vas suivre le tien, comme tu le dois. S'il te plaît, *ya'eini*. Va, à présent, et cesse d'espérer des choses qui n'ont jamais existé.

Va, à présent. Salim quitta l'appartement de sa mère avant le crépuscule et prit un taxi pour retourner chez Leila. Il ramassa ses affaires et laissa un mot à Rafan : *Je suis désolé, mais mon chemin n'est pas ici.*

Le taxi mit deux heures pour atteindre l'aéroport et coûta à Salim le reste de ses livres libanaises. Il attendit sur place toute la nuit pour prendre le premier vol pour Londres.

Accueilli à son arrivée à Heathrow par la douce lumière de l'après-midi de fin d'été, il prit le train le plus rapide qu'il put trouver pour rejoindre la capitale. On était encore loin de la fraîcheur de l'automne. Tout autour de lui, les gens rentraient chez eux après une longue journée de travail ; ils songeaient sûrement à leur foyer et à l'agréable soirée qu'ils allaient passer avec leurs proches.

Il parvint devant chez elle au moment où le soleil commençait son déclin vers la terre, saupoudrant l'air du soir d'une dense lumière jaune. Son cœur battait à tout rompre quand il frappa à la porte. Et lorsqu'elle ouvrit, il crut que ses jambes allaient se dérober sous lui.

Pourtant, en un instant, les bras de Jude étaient accrochés à son cou, et elle pleurait dans le creux de son épaule tandis qu'il la serrait de toutes ses forces contre lui.

— Quoi que tu aies voulu, dit-elle, j'aurais dû te le donner. J'aurais dû être courageuse, j'aurais dû t'emmener chez moi.

— Non, Jude, répondit-il.

Il prit son beau visage entre ses mains et l'embrassa encore et encore.

— C'est toi, ma maison, poursuivit-il à travers ses larmes de joie. Il n'y a qu'avec toi que je suis en paix.

— Nos familles, dit-elle, ses poings pressés contre la poitrine de Salim, s'agrippant et le repoussant en même temps. Ce que tu as dit…

— J'avais tort.

Il posa son front contre le sien, s'emplit de son parfum – sa peau salée, ses cheveux, la chaleur de son haleine.

— S'il te plaît. Rien de cela n'a plus d'importance. Plus rien ne compte, tu m'entends ? Ce que nous avons trouvé, c'est un miracle.

Tandis que la bouche de Jude se pressait maladroitement contre la sienne, il lui fit sa promesse :

— Jude, ma Jude. Je te rendrai heureuse, je te le jure, mon amour. Quoi qu'il arrive, je te le jure. Je suis rentré à la maison, maintenant, je veux être avec toi.

III

AFFRONTEMENT

Qui laisse sa maison en désordre hérite le vent,
et le fou devient esclave du sage.

Les Proverbes 11, 29

La paix est plus importante que la terre.

Anouar el-Sadate à la Knesset israélienne
après la guerre du Kippour

1976

Koweït

— Je peux avoir une glace ? Tu as dit que je pouvais, tu te souviens ? Pas un esquimau, un gros *dahab*, avec des noisettes.

Sur la plage, les oiseaux volaient en cercles dans la chaleur suffocante. Le soleil koweïtien approchait du zénith en un flamboiement étincelant, et pas un souffle d'air ne faisait frémir la mer d'huile.

Jude fouilla dans sa poche à la recherche de monnaie. *Même les pièces sont brûlantes.* Un jour, elle avait raconté à Marc qu'à midi la tôle de leur voiture était si brûlante qu'on pouvait y faire frire un œuf. L'heure d'après, elle était sortie et l'avait trouvé devant le capot, une coquille d'œuf à la main. Le petit garçon observait le blanc durcir et goutter lentement sur le goudron fondant.

— Attends une minute, mon cœur, répondit-elle. Papa va arriver.

— Il n'aime pas les glaces, dit Sophie avec gravité en s'abritant dans l'ombre ténue de sa mère.

Marc, face à elle, se tenait campé sur ses jambes

écartées. La lumière crue rendait ses cheveux presque blancs et sa peau diaphane. Il fixait sa mère d'un regard bleu furieux et serrait les lèvres en signe de désapprobation.

— Mais j'en veux une maintenant, dit-il fermement. Avant que papa revienne. Il dit toujours non.

Jude espéra en silence que Salim se dépêcherait. Il avait quitté la maison le matin même vêtu de son plus beau costume, le regard anxieux. Jude se sentait de tout cœur avec lui, même si, au fond, elle espérait éperdument que sa mission serait un échec. Ainsi, ils pourraient rentrer chez eux.

Elle se pencha et pinça le menton de Marc. Il était à la fois mûr et jeune pour ses six ans. Sophie, l'aînée des jumeaux, était la copie de sa mère dans les tons olivâtres. La peau mate, les yeux en amande, elle était une enfant sage, attentive, douce et affectueuse.

Mais Marc… Dieu seul savait d'où sortait Marc, disait souvent Salim. Ce dernier avait pris très à cœur la pâleur tenace de leur fils, presque comme s'il s'agissait d'un affront délibéré. Jude comprenait qu'il soit contrarié et surpris. *Tes amis arabes se méfiaient déjà de ta femme blonde. Et maintenant ils regardent ton fils blanc et se demandent : à qui est-il ?*

Jude adorait la peau de Marc, mais son tempérament bouillonnant l'inquiétait. Son petit garçon avait l'esprit d'un oiseau, fiévreux et volatil. Il n'écoutait pas, il ne tenait pas en place, il vivait ses sentiments avec des hauts et des bas, à l'image du vol erratique des mouettes qu'elle apercevait au-dessus du golfe Persique.

— Sois patient, mon cœur, dit-elle. On doit attendre papa ici pour qu'il nous raconte comment s'est passé son rendez-vous pour son travail, tu t'en souviens ?

Marc baissa les yeux et donna des coups de pied par terre. Jude entendit alors Sophie crier : « Papa ! » Elle se redressa et son cœur bondit dans sa poitrine.

Salim, rayonnant, posa un genou sur le sol poussiéreux et ouvrit les bras à sa fille qui s'y jeta en courant. Il la hissa sur son épaule, et Sophie se mit à rire en agitant les jambes.

Jude prit la main de Marc et se précipita vers eux. Salim embrassa avec passion sa paume de main, geste le plus démonstratif qu'il pouvait se permettre dans un espace public du Koweït puritain.

— Tout va bien, mon amour, dit-il d'une voix emplie d'une nouvelle assurance.

Durant tout le dernier mois, elle avait craint qu'il ne perde courage.

— Ils ont accepté de me prendre à l'essai. Nous sommes à l'abri pendant au moins six mois. Et si ça marche, tu as en face de toi le nouveau directeur de projet pour le développement de la région du Golfe.

Il se rengorgea, puis donna une légère tape sur le derrière de Sophie, qui poussa un petit cri avant d'éclater de rire.

— Qu'est-ce que vous en dites, mes deux petits coquins ? fit-il à ses enfants en ébouriffant les cheveux de Marc.

Et moi, qu'est-ce que j'en dis ? Jude pressa la main de son mari et lui sourit.

— Je suis fière de toi, mon amour. Tu le mérites. J'espère qu'ils sont sincèrement désolés pour ce qu'ils t'ont fait.

Salim se rembrunit légèrement avant de hausser les épaules.

— J'imagine qu'ils ont agi comme ils le devaient. La société doit penser à son chiffre d'affaires, et cette branche ne rapportait pas assez d'argent.

C'était presque mot pour mot ce que son supérieur américain lui avait dit quand il avait été congédié le mois précédent.

Trois ans auparavant, Jude n'aurait jamais imaginé qu'ils vivraient dans ce vaste désert. Leur existence en Angleterre commençait tout juste à devenir plus facile, et la naissance de leurs jumeaux était parvenue à rallier les plus sceptiques des deux clans. Sophie et Marc avaient été la glorieuse démonstration de leur courage. Dès les premiers instants, à l'hôpital, Jude et Salim avaient été subjugués par leurs enfants, ces deux êtres improbables accrochés l'un à l'autre, ces petits bouts d'eux-mêmes nés de leur amour.

Mais avant leur naissance, tout avait été tellement difficile. Le cœur de Dora avait failli lâcher quand Jude lui avait parlé de ses fiançailles. Ce fut finalement la crise cardiaque de Jack qui ouvrit la porte à une fragile acceptation. Pendant leur modeste mariage au service de l'état civil de Chelsea, tandis que Tony donnait le bras à Jude et que Hassan, raide et crispé, se tenait au côté de Salim dont il était le témoin, Dora avait gardé un visage fermé.

Deux ans plus tard, Salim était rentré à la maison avec une curieuse expression sur le visage. Il s'était assis sur leur moquette aux motifs blanc et marron, et s'était amusé à chatouiller le ventre des jumeaux en les regardant se tortiller de joie.

Une fois les bébés au lit, Salim avait annoncé à Jude la nouvelle qui allait tous les plonger dans l'inconnu. Un cabinet de recrutement l'avait appelé pour savoir s'il serait intéressé par un poste au Koweït.

— Où ça ? avait répondu Jude.

Le Koweït, lui avait-il expliqué, était un petit pays désertique, coincé entre l'Irak et l'Arabie saoudite sur les côtes du golfe Persique.

— Petit, mais très riche, et plus riche chaque jour.

Une compagnie américaine vendait de nouvelles technologies aux cheikhs dont les quartiers d'affaires étaient en pleine expansion. Et elle cherchait quelqu'un qui connaissait la région.

— Tout ça montre le peu de connaissance que les Américains ont des Arabes, avait-il dit en riant. Un Palestinien ne parle même pas le dialecte des Koweïtiens !

— Alors, pourquoi partir là-bas ?

Jude avait senti une boule se former dans sa gorge. Elle avait prévu de se remettre à son mastère une fois que les enfants auraient eu trois ans. Elle avait attendu avec impatience le moment où elle serait allée chercher tous ses vieux livres au grenier pour les ranger sur ses étagères.

— Comment *moi*, je pourrais partir là-bas ?

Il l'avait regardée pensivement, mais elle avait vu dans ses yeux les feux de l'excitation consumer toute sa raison.

— Avant tout, tu ressembles à une Anglaise. Il y a deux fois plus d'étrangers au Koweït que d'Arabes, ils ne feront pas attention à toi. Nous n'aurons rien besoin d'expliquer, mon amour.

— Et toi ? avait-elle riposté plus tard, après le succès de son premier entretien.

Ce soir-là, pelotonnée dans les bras de Salim sur le canapé, elle avait joué sa dernière carte.

— Tu avais dit que tu ne voulais plus jamais y retourner. Tu voulais te sentir libre, rester le maître de ta propre vie.

À présent, Jude se remémorait ce moment : il lui avait pris la main pour y déposer un baiser. Les larmes aux yeux mais la voix frémissant de joie, il s'était exclamé :

— Tu ne comprends donc pas ? C'est ça le plus important : j'ai un passeport britannique. Je ne suis plus un pauvre Palestinien qu'on a chassé. Je suis un Anglais, un Occidental. Ils devront me respecter.

Il avait levé les yeux vers le plafond, il souriait à l'avenir heureux qu'il imaginait pour eux.

— Juste quelques années, mon amour, et nous serons riches. Nous n'aurons plus à nous battre.

Quelques jours plus tard, Douglas Friend, le P-DG d'Odell Enterprises Gulf Division, les avait invités à dîner au Gavroche.

En cette soirée de 1973, les Juifs avaient fêté Yom Kippour tandis que les bombes s'étaient de nouveau abattues autour d'Israël. Les forces arabes avaient déferlé des déserts et des montagnes en direction de Jérusalem, appelant à la reconquête de leurs terres volées. Jude, écartelée, avait tenté de savoir si leur cause était juste ou pas.

Salim l'avait persuadée de rater la rupture du jeûne chez son oncle Alex pour l'accompagner. Comment aurait-elle pu refuser, alors que leurs deux peuples s'entretuaient dans une autre partie du monde ? Elle avait donc confié à une baby-sitter les jumeaux qui lui avaient atrocement manqué pendant toute la soirée. Au cours du dîner, tandis que Salim parlait, elle avait observé les petites flammes orangées des bougies se refléter sur leurs coupes de champagnes vides et peindre des images fantomatiques sur les miroirs derrière leurs têtes. Plus tard dans la nuit, elle avait pris le visage de Salim entre ses mains.

— J'ai une condition, Sal. Si nous partons, nous restons qui nous sommes. Nous protégeons notre famille. Même dans un pays arabe… Je veux que mes enfants grandissent sans rien avoir à cacher.

Ils étaient arrivés à l'époque de l'embargo sur le pétrole, qui semblait avoir été mis en place pour rendre le Koweït encore plus riche. À présent, trois ans après – trois ans de dîners diplomatiques, de week-ends au club équestre, trois années de domestiques bon marché et d'une douloureuse solitude pour Jude –, les rêves de fortune s'étaient éloignés.

Ce même Doug Friend, celui qui leur avait tant promis, avait convoqué Salim dans son bureau pour lui annoncer qu'il n'avait plus d'emploi. Le département pour lequel il travaillait allait fermer, et le contrat de Salim ne serait pas renouvelé. Ce dernier était rentré chez lui effondré.

Une petite lueur d'espoir était demeurée, la promesse de proposer la candidature de Salim pour un poste à l'essai dans une autre branche de la société. L'angoisse, écrasante, l'avait saisi ; il *fallait* qu'il réussisse, ou tout serait terminé.

Maintenant, tenant la main de Sophie d'un côté

et celle de Jude de l'autre, il les emmenait d'un pas léger dans un restaurant du bord de mer. Derrière eux se dressaient les trois nouvelles tours de Koweït City. Leurs sphères bleu océan, dressées à plus de cent mètres vers le ciel, étaient percées de longues aiguilles blanches telles des fusées à destination du paradis.

Marc commandait sa glace et se disputait avec Sophie pour savoir lequel, des cônes au chocolat ou à la fraise, était le meilleur.

Salim passa son bras autour de la taille de Jude.

— Je suis tellement soulagé, dit-il à voix basse. Mais je sais que tu es un peu triste, mon amour. C'est juste pour quelque temps, et ensuite nous serons à l'abri pour le reste de notre vie.

Elle lui fit un large sourire, touchée par sa tentative maladroite pour la rassurer.

Marc se posta à côté d'elle et la tira par le bras.

— Maman, on peut aller acheter les plantes, maintenant ? J'ai attendu toute la semaine.

Il fallut quelques secondes à Jude pour se souvenir de ce dont il parlait : le jardin, et l'obsession de Marc. Tout cela avait commencé par l'idée de leur directrice d'école, une femme à la peau d'une blancheur d'albâtre ; sous l'implacable soleil arabe, elle s'était prise à rêver de roses et d'été frais, et avait décidé de lancer un défi aux enfants : créer un jardin anglais chez eux. Chacun avait travaillé pendant un mois pour trouver des plantes et des fleurs capables de pousser dans l'air étouffant.

Le jardin de Marc était magnifique et très élaboré : des fleurs, des tours de pierre et des spirales de fils de fer qu'il avait trouvés près de la maison, au milieu des déchets.

Mais la veille du jour où la classe devait venir le voir, Salim l'avait accidentellement détruit. Il était rentré tard du bureau et, aveuglé par la quasi-obscurité de la pièce, l'avait piétiné. Jude avait perçu les faibles pleurs de Marc le lendemain et, à la lumière éblouissante de l'aube, avait découvert ses petites mains tentant de redresser sa composition.

Ce fut une fillette qui gagna le concours, grâce à quelques géraniums plantés par sa mère. Pour lutter contre sa déception, Marc se persuada que s'il reprenait son projet, il pourrait faire changer d'avis le jury.

— Amenons les enfants au marché du vendredi, proposa-t-elle à Salim. On avait promis à Marc, la semaine dernière.

Salim se renfrogna et regarda son fils.

— Encore ces histoires de jardin ?

Jude perçut l'irritation dans la voix de son mari.

— Il faut qu'il soit plus joyeux, dit Marc, ses yeux bleus plongeant avec témérité dans le regard brun. Celui de Dina avait plein de couleurs, c'est pour ça qu'elle a gagné.

Salim haussa les épaules.

— D'accord. Allons-y. Mais c'est la dernière fois, Marc. J'en ai assez de tout ce cirque. Un homme ne pleure pas pour des fleurs, affirma-t-il en secouant son fils par le menton.

Ce dernier rejeta la tête en arrière. *On peut dire qu'il a la rancune tenace.* Jude se remémora soudain les paroles de Hassan, à propos de Salim. *Il ne pardonne rien. Vous verrez.*

Le marché du vendredi était le plus important du Koweït. Jude en percevait toujours le bruit avant de le voir : une immense rivière de sons jaillissant d'un millier de gorges, animales et humaines. Puis les chameaux et les récipients en bronze apparaissaient, tandis que les cris des marchands et les lamentations des mendiants résonnaient de toutes parts. Le marché s'étendait sous le brûlant soleil de midi comme une femme aux entrailles béantes. Les mouches bourdonnaient autour d'eux pendant qu'ils déambulaient parmi les rangées d'individus allongés dans la saleté, une légion de créatures sans bras, sans yeux et sans jambes. Des centaines de paumes se tendaient à leur passage. Elles torturaient la conscience de Jude jusqu'à ce que son sentiment de culpabilité devienne intolérable ; chaque fois qu'elle venait ici, son malaise s'accroissait. Son mari, lui, ne prêtait jamais la moindre attention aux mendiants. Sophie et Marc, constata-t-elle avec peine, ne les remarquaient pas davantage.

Sous la grande tente bâchée, une puanteur suffocante montait des minuscules cages du marché aux animaux. Sophie attrapa la main de sa mère et la tira lorsqu'ils passèrent devant un carton rempli de poussins qui sautaient les uns sur les autres en pépiant doucement. Jude découvrit avec surprise que chacun d'eux avait été teint en rose, vert ou bleu. Elle entendit le petit grattement des griffes qui tapaient contre les cages et les cris perçants des oiseaux qui voulaient rejoindre le ciel.

Sophie toucha les barreaux sur son passage.

— Maman, on peut en prendre un autre ?

Jude secoua la tête.

— Désolée, ma chérie, tu te rappelles ce qu'on a dit la dernière fois.

Il y avait des limites au nombre de fois où un enfant pouvait rapporter à la maison un animal et se réveiller le lendemain matin en le retrouvant mort.

Marc s'était précipité vers un étal qui proposait des arbres et des plantes. Il commença à mettre de côté des pots d'arbrisseaux couverts de fleurs aux couleurs vives. Puis il en désigna un, dont le tronc était fluet et les fleurs blanches délicatement parfumées.

— Celui-ci sera très bien au milieu, dit-il, débordant d'enthousiasme. Les autres pourront aller tout autour.

— Les autres, d'accord, dit Salim.

Il fit signe au vendeur de mettre les pots à l'arrière d'une charrette à bras qui faisait des allers-retours entre le stand et les voitures.

— Mais pas l'arbre, poursuivit-il. C'est un citronnier. Il ne peut pas pousser ici, pas dans cette chaleur. Dans une semaine, il sera mort. Ce type essaie de te voler.

Il adressa au marchand un sourire sarcastique, auquel l'homme basané répondit en lui montrant ses dents jaunes.

Marc secoua la tête.

— Il ne mourra pas. Je ne le laisserai pas. Je l'arroserai tous les jours.

Jude observa Salim s'essuyer le front puis se pencher vers l'enfant.

— Marc, tu sais, j'ai été fermier, autrefois. Je

connais bien ces arbres-là. Je peux te dire que ça ne va pas marcher. Il faut que tu m'écoutes. Allons, ne pleure pas, dit-il précipitamment alors que les larmes commençaient à rouler sur les joues du petit garçon. Oh, assez, maintenant, dit-il, raide d'embarras. Qu'est-ce que c'est que ça ? Est-ce qu'il faut que j'aille te chercher un seau ?

Jude s'avança vers eux. Elle dut lutter contre l'envie irrépressible de serrer Marc dans ses bras, sachant que ce geste exaspérerait Salim. Il lui dirait : *Pourquoi ne peux-tu pas le laisser apprendre à devenir un homme ?* Et elle répondrait : *Il n'a que six ans, il vient à peine d'apprendre à être un enfant.*

— Quel mal y a-t-il à rapporter ce citronnier à la maison ? intervint-elle. Marc apprendra toujours quelque chose, même si l'arbre meurt. Tu pourrais l'aider à s'en occuper. Ça serait bien pour vous deux.

Elle chuchota la dernière phrase à Salim en lui pinçant légèrement le bras.

Ce dernier les regarda tous les deux puis jeta les bras en l'air en signe de capitulation.

— Tu es trop faible avec lui, dit-il.

Elle observa avec tristesse et agacement les mains de son mari se poser sur la tête de Sophie et caresser ses cheveux bruns soyeux tandis que Marc se tenait à l'écart, ses bras blancs croisés sur la poitrine.

— Rentrons à la maison, nous et toutes nos plantes, dit-elle en s'efforçant de sourire. Allons faire le plus beau jardin du Koweït.

Elle prit la main de Marc dans l'une des siennes et saisit celle de Salim de l'autre.

L'espace d'une seconde, le visage de son mari parut

aussi chagriné que celui du petit garçon. Puis il leva les yeux au ciel, paya le marchand et suivit sa famille jusqu'à leur voiture surchauffée.

De retour à leur villa, ils plantèrent l'arbre au milieu du jardin de Marc. Longtemps après que Jude et Sophie furent rentrées pour préparer le dîner, Salim vit son fils assis sur les marches devant la porte vitrée de l'entrée. Le ciel blanc s'était zébré de teintes rose et violet, et le petit citronnier oscillait dans la brise de la nuit qui s'installait.

Marc observa son père lorsque ce dernier vint prendre place à côté de lui. L'enfant avait les yeux rougis d'avoir travaillé la terre. Autour d'eux, le chant rauque du muezzin résonnait dans le crépuscule.

— Alors, tu es content d'avoir ton arbre ? demanda Salim à son fils.

Marc hocha la tête. Salim sentit la lassitude de son fils l'envahir comme un nuage de poussière.

— Est-ce que tu savais que, quand j'étais petit, j'avais un arbre, moi aussi ?

L'enfant secoua légèrement sa tête blonde.

— Mes parents l'avaient planté à ma naissance, je m'en occupais et je cueillais les fruits chaque année. Toi et moi, on pourra le faire ensemble, si tu veux.

Les yeux de Marc s'écarquillèrent soudain.

— D'accord.

Puis, brusquement, il glissa sur les marches du perron et posa la main sur la jambe de son père. Salim l'entoura de son bras. Ils restèrent assis en silence, tandis qu'au-dessus du terrain vague, devant leur maison, le soleil couchant teintait le ciel de rouge sang. Les cheveux blancs de Marc, fins comme du duvet, étaient soulevés par la brise. L'enfant serrait la jambe de son père à travers le tissu. Il était si fragile, songea Salim, effrayé. Quelle chance aurait-il contre les Mazen de ce monde ?

Marc remua avant de chuchoter de sa toute petite voix :

— Il fait trop chaud pour faire pousser des choses ici, tu as dit.

— C'est vrai.

Salim contempla le jardin, la terre humide et le citronnier planté légèrement de travers.

— C'est le désert, ici. Les arbres et les fruits comme celui-là ont besoin d'eau et de fraîcheur. C'est pour ça que je t'ai dit de le laisser, *habibi*. Alors je ne veux pas que tu sois déçu quand il mourra. Tu dois apprendre à affronter la réalité.

Salim regarda Marc absorber ses paroles. Puis le garçon pressa ses deux mains l'une contre l'autre.

— Les choses poussent en Angleterre, dit-il. J'aimerais qu'on y vive. Mon jardin serait fantastique.

— Mais on vit ici, Marc. C'est notre maison.

Au-delà de la surprise qu'il éprouva, Salim sentit quelque chose d'autre, plus froid, s'insinuer en lui.

— Tu es arabe aussi. Ta place est ici, et non là-bas.

— Je voudrais être là-bas, répliqua Marc.

Il se leva, fit volte-face et rentra dans la maison, laissant Salim seul dans l'obscurité.

Au cours de la soirée, ils se rendirent à une fête en plein désert, en compagnie d'amis et d'hommes qui se disaient de la famille. Ces *ayan* palestiniens étaient nombreux à avoir été attirés au Koweït, véritable pot de miel au moment où l'or noir avait jailli du sol, prêt à être recueilli. Lors de ces festins, autour des tables dressées pour le dîner, ils parlaient des frères qui mouraient dans les camps et de Beyrouth. Puis ils soupiraient, essuyaient leurs mains avant de remonter dans leur voiture pour rentrer dans leur villa en compagnie de leurs femmes couvertes de bijoux et de leurs enfants bien en chair.

Le véhicule familial roula dans une vallée flanquée de deux hautes dunes – un endroit appelé *Al-Saraj*, la Selle. Il était connu pour ses rallyes mensuels grandement appréciés des Occidentaux et des Koweïtiens. Le cœur de Salim se gonflait de joie lorsqu'il filmait Sophie et Marc en haut des dunes avec sa caméra Super 8, leurs visages rougis de bonheur, excités par le grondement des moteurs et le crissement des pneus déchirant le sol en rubans de poussière rouge.

Cette nuit-là, la Selle était calme. De grandes tentes de Bédouins s'agitaient doucement au gré d'un vent léger. Une chèvre et un mouton aux pattes attachées bêlaient tristement à l'arrière d'un pick-up.

— Oh, non ! gémit Sophie, quand Salim coupa le moteur. Ils vont les tuer ?

— Ouais, parfaitement ! répliqua son frère, et Salim sentit les pieds du petit garçon marteler l'arrière du siège du conducteur. Ils vont leur couper la tête et ensuite on va les manger.

— Non, c'est pas vrai, tu es horrible ! hurla Sophie.

La fillette se mit à pleurer. Salim secoua la tête et laissa Jude gérer la situation. Il claqua la portière et, durant quelques secondes, cessa d'entendre leurs voix.

Avant d'être rejoint par sa famille, il vit un Bédouin drapé d'un keffieh à carreaux rouges et blancs hisser le mouton sur ses épaules et le porter lentement vers le piquet et le couteau.

À l'intérieur de la tente bordée de franges rouges, l'odeur aromatique du café turc se répandait au milieu des hommes affalés sur des coussins. Adnan Al-Khadra se tenait dans un coin ; il aperçut Salim et lui fit signe. Le son des percussions et le gémissement d'un violon se répercutaient dans la tente. La voix grêle d'un Bédouin s'élevait vers le ciel crépusculaire.

Le nom d'Adnan avait été le premier d'une liste fournie par Nadia lors de leur arrivée au Koweït – davantage des noms de cousins de cousins, aux lointains liens de sang avec Abou Hassan et sa première épouse depuis longtemps défunte. Lors de leur première rencontre, il avait donné une bourrade dans le dos de Salim, l'avait embrassé sur les deux joues en l'appelant *mon neveu.* Adnan honorait la tradition en faisant référence à Abou Hassan comme à son *frère*, mais ses autres habitudes étaient criantes de modernité : il aimait qu'on s'adresse à lui par son prénom, et son plus jeune fils, un jeune loup ambitieux de vingt-cinq ans, était un employé modèle dans le nouveau département de Salim, chez Odell.

Ce soir-là, vêtu d'une chemise élégamment coupée au col ouvert et d'un pantalon en lin, Adnan craquait des noix avec ses dents. En contemplant ses cheveux argentés bien peignés et ses profonds yeux noirs, Salim pensa à une grosse voiture américaine racée.

— Alors, dis-moi, fit Adnan en crachant une

coquille. Tout va bien pour toi ? Tu commences ton travail demain, c'est ça ?

— *Insha'Allah*, répondit Salim.

Adnan sourit.

— C'est vrai, c'est vrai ! Ne fais jamais confiance aux *Americani* tant que tu n'as pas reçu ta première paie. Ils ont cherché des ennuis à mon Omar pour son salaire comme s'il était un chien qui mendiait son repas. Mais maintenant, vous deux, vous allez travailler ensemble. Excellent. Il est jeune, encore fougueux, tu comprends ? Il a besoin de quelqu'un d'expérimenté pour lui apprendre à monter à cheval.

Salim avait déjà entendu cette expression. *Monter à cheval*, à Koweït City, voulait dire se cramponner à la crinière du monstre américain pendant que celui-ci galopait à travers le monde arabe. Adnan lui disait : *Occupe-toi de mon garçon, il appartient à ton clan.* Il n'était pas moderne au point d'attendre de son fils qu'il s'en sorte uniquement grâce à ses propres compétences.

Salim s'imagina répondre à Adnan qu'il serait ravi de transmettre le CV de son fils aux ressources humaines. Mais les tenailles de la culpabilité et du devoir étaient trop puissantes.

Il hocha la tête.

— Je serai heureux de garder un œil sur Omar, répondit-il de manière aussi courtoise qu'il le pouvait. Il semble assez talentueux.

Adnan éclata d'un rire sonore.

— Talentueux ! Ça, c'est sûr, il en est persuadé. Et que peut dire son vieux père ? Pour votre génération, nous sommes aussi inutiles que des voitures anciennes, pas vrai ? Laisse-moi te dire une chose. Du temps de ton père et moi, on estimait différemment la valeur des gens. Un homme qui avait réussi n'était pas seulement riche. Il était… comment dirais-je ?

Il aspira le sel déposé sur ses doigts et frappa sa poitrine du poing.

— Il était généreux. Il partageait sa fortune, sa sagesse s'il en avait. Ou même s'il n'en avait pas ! Ton père n'était pas un génie, tu le sais. Mais il était généreux à sa façon. Il avait le cœur sur la main. De nos jours, tout ce qui compte, ce sont les résultats scolaires, les vêtements chics et combien tu as réussi à te mettre dans les poches. Mon fils se prend pour un génie parce que je l'ai envoyé faire des études aux États-Unis et que les *Americani* lui ont donné du travail. Il pense qu'il n'y a que ça qui est important, dans la vie. Et toi, hein, Salim ? Tu es de l'ancienne école ou de la nouvelle ?

Il lui décocha un sourire étincelant.

Jude pénétra dans la tente, faisant entrer une bouffée d'air frais à sa suite. Sous l'éclat des lampes, ses cheveux blonds étaient splendides. Elle sourit en s'avançant vers Salim et le cœur de ce dernier se mit à fondre, comme chaque fois. Adnan se leva pour l'embrasser sur la joue.

— La ravissante Jude. Tu es magnifique. Comment vas-tu, ma princesse ?

— Il fait aussi chaud qu'en enfer, sous cette tente, répliqua Jude en lançant une œillade réjouie à Salim. Pourquoi ne venez-vous pas dehors ? Les enfants s'amusent autour du feu et les femmes refusent de danser sans public.

— Eh bien, qu'est-ce qu'on attend, alors ?

Salim prit la main de sa femme et la suivit à l'extérieur. La nuit était brusquement tombée, laissant le froid du désert s'insinuer. Le feu flambait sous les corps du mouton et de la chèvre, dont la graisse dégoulinait avec de nombreux légers grésillements sur le bois crépitant. À l'intérieur de la tente, des Bédouins avaient disposé de grands plats ovales remplis de riz aux vermicelles, de boulettes au blé concassé et au mouton épicé, de feuilles de chou cuites dans le yaourt et de salades parfumées au concombre et au persil.

Salim s'assit à côté d'Adnan sur un tapis posé sur le sable. Un jeune homme au visage rougi se précipita vers eux, toute l'insolence de la jeunesse incarnée dans son tee-shirt moulant et sa pomme d'Adam proéminente. *Le fameux Omar.* Il se pencha pour serrer la main de Salim.

— Wouah, Salim Al-Ishmaeli ! Ravi de te revoir. Je n'arrive pas à croire qu'on va travailler ensemble ! s'exclama-t-il avec un enthousiasme manifeste.

Travailler sous mes ordres, pas avec moi. Salim ravala ses paroles tandis qu'il lui tendait la main.

Les femmes avaient commencé à danser autour du feu. Il aperçut Jude parmi elles ; les sequins sur sa jupe volaient comme des étincelles, ses pieds étaient nus et ses cheveux cascadant autour de ses épaules avaient pris une intense teinte cuivrée. Le secret de ses origines – leur secret – renforçait parfois l'amour que Salim lui portait. C'était la face cachée de Jude, celle que lui seul pouvait voir, comme ces épouses koweïtiennes qui, sous leur long voile noir, usaient du pouvoir de séduction de l'invisible.

Elle avait tenté de son mieux de se fondre parmi les autres en prenant des leçons d'arabe et en participant aux danses orientales. Mais ses pas trahissaient ses racines. Elle était une fille du Nord, sautillant sous un ciel nuageux, aux rythmes légers des chansons de marins. Il n'y avait nulle trace dans ses gestes des balancements souples de l'Orient. Peut-être était-ce pour cela qu'il l'avait tant désirée.

Sophie et Marc se joignirent à elle et, près du feu, leur peau et leurs cheveux prirent la couleur du bronze. Sophie suivait sa mère, tandis que Marc tournait et tournoyait à la manière des derviches de Nabi Rubin. C'était là que Salim avait vu sa mère danser pour la dernière fois, par une nuit semblable à celle-ci, dans un autre monde.

— Tu as de bien beaux enfants, déclara Adnan. Et quelle bénédiction d'en avoir eu deux en une fois.

— Oui, je sais, répondit Salim paisiblement.

Il les regarda danser et virevolter à travers la brume dorée. Des cendres s'échappaient des flammes et, pareilles à des larmes, caressaient leurs joues. Qu'il était envoûtant de contempler de loin sa famille. Salim avait l'impression d'assister à un spectacle sur un écran ; leur joie éclatante jaillissait, comme des étincelles projetées du feu vers le ciel nocturne.

— Ton épouse est courageuse de venir ici, poursuivit Adnan.

Salim se tourna vivement vers lui.

— Pourquoi donc ?

L'homme plus âgé remua, ses yeux se fixèrent sur les enfants qui dansaient.

— C'est difficile pour une Occidentale d'élever

des enfants arabes. À la manière arabe, je veux dire. Regarde les tiens. Ils ne peuvent pas parler leur langue avec mes petits-enfants. Ils ne connaissent pas le Coran.

— Attends, Adnan, répondit Salim en tentant de rire. Tu ne vas pas me dire que toi, tu connais le Coran ? Je ne le connais pas non plus, j'ai été à l'école catholique, tu te souviens ?

— Mais on te l'a enseigné, Salim. Comme nous tous, par le passé, et aujourd'hui encore. On s'en fiche, que tu sois croyant ou pas. C'est ce qu'on partage qui est important. C'est ce qui nous lie tous ensemble dans ce monde divisé.

— Mes enfants connaissent leurs origines, dit Salim en essayant de masquer l'émotion dans sa voix. Ils savent d'où ils viennent.

Adnan sourit et posa sa main sur son épaule.

— Mon fils. Tu pourrais être mon fils, tu sais. Tu oublies quelque chose. Les hommes n'élèvent pas les enfants. Ce sont les femmes qui le font. Ce que tes enfants apprennent, ce qui nourrit leur cœur, vient de leur mère. C'est pour ça que je dis qu'elle s'est donné un sacré défi. J'espère que tu peux la guider, sinon tes enfants seront aussi arabes qu'elle.

Salim chercha une réplique, mais tout à coup, des assiettes de riz et de viande dégoulinante furent posées devant eux. Adnan prit avidement sa première bouchée pendant que les enfants poursuivaient inlassablement leurs danses.

Pendant le chemin du retour, les jumeaux s'endormirent à l'arrière de la voiture. Salim contempla leurs visages noirs de suie et leurs yeux clos, passant de l'ombre à la lumière sous le vif éclat des lampadaires. L'amour qu'il sentit alors en lui était si fort qu'il lui parut insoutenable, comme si des doigts étreignaient son cœur, le serraient avec force. Jude somnolait, la joue contre la vitre, les paupières à moitié fermées.

— Je veux que les enfants prennent des leçons d'arabe, dit-il abruptement.

Les mots avaient devancé ses pensées et il en fut le premier surpris. Jude sortit de son engourdissement.

— D'accord, dit-elle lentement en levant la tête. Ils peuvent se joindre à mon cours, si tu veux. À moins que tu ne le leur enseignes toi-même ?

L'idée de parler arabe à ses enfants le perturba d'une façon qu'il ne put s'expliquer.

— Je le ferai aussi, mais tu dois t'assurer qu'ils apprennent correctement. J'ai toujours écouté davantage ma mère que mon père. Il n'y a pas de raison que nos enfants soient différents.

— D'accord, répéta Jude, mais il remarqua qu'elle était perplexe. Pourquoi maintenant, cela dit ? Tu n'as jamais eu l'air de t'en soucier, avant ce soir.

Il se débattit pour formuler sa réponse. La route défilait devant lui en une succession de néons.

— Ils grandissent. On ne sait pas combien de temps on va rester ici. Je veux qu'ils comprennent qu'ils sont palestiniens avant qu'il ne soit trop tard.

Jude s'était redressée à présent et le regardait d'un air interloqué.

— Ils ne sont pas uniquement palestiniens, Sal, répondit-elle avec fermeté. Ils ont deux cultures. La tienne et la mienne.

Il y a des gens qui ne se sentent nulle part chez eux. Tel avait été l'avertissement de sa mère, sur le balcon de l'appartement de Nazareth, avant qu'elle ne s'enfuie. Son visage flottait à l'orée de sa mémoire, pâle comme une céramique vernissée. *Pas mes enfants.* Abadan. *Jamais.*

— Tu ne peux pas vivre avec deux cultures, pas plus que tu ne peux avoir deux cœurs, poursuivit-il. Ils doivent savoir qui ils sont.

Les joues de Jude étaient cramoisies.

— Ce n'est pas ce que nous avions convenu. Tu avais dit qu'ils n'auraient jamais à être déchirés entre leurs deux origines.

— Eh bien pour ça, il faut en choisir une, répliqua Salim dont la colère montait. Ma famille a tout perdu. Que se passe-t-il si même nos enfants oublient d'où ils viennent ?

Jude posa la main sur son bras.

— On s'était promis de ne pas faire ça, tu t'en souviens ? dit-elle d'une voix pressante. On s'était promis que ce serait notre combat.

Il perçut son angoisse, mais quelque chose de plus fort que la compassion avait commencé en lui sa course folle.

— S'il te plaît, pour moi, organise-leur des leçons d'arabe, dit-il sur le ton de la supplique. On pourra parler du reste plus tard.

Jude l'observa un moment, interdite, comme si elle voyait un inconnu. Puis elle se détourna. Il n'insista pas. *Elle le fera.* Salim connaissait sa femme, la fille aimante et pacifique. Il jeta un regard aux enfants dans le rétroviseur. Ils lui parurent si étranges, dans leur posture immobile ; on aurait dit les corps de deux noyés tout juste repêchés en mer. À sa grande surprise, il vit Marc ouvrir deux yeux incertains, deux petits miroirs où se réfléchissaient les lumières vacillantes de la route.

Les bureaux du vice-président d'Odell Enterprises, de la branche Développement et stratégie, avaient une vue imprenable sur Koweït City : les marchés étouffants et noirs de monde, les eaux agitées du golfe et, plus loin, les plateformes pétrolières. L'air dans la pièce était si sec que Salim eut l'impression d'avoir du sable dans la gorge. Enfin, il avait réussi. On l'avait promu au-dessus de la masse des autres Arabes. Et pourtant, ce matin-là, face à la secrétaire de Meyer, il avait senti que ce privilège pouvait lui être retiré à tout instant. La jeune femme, qui avait coiffé laborieusement ses cheveux noirs en boucles cascadant sur ses épaules, avait posé sur lui un regard soupçonneux. Elle devait venir de Jordanie ou de Palestine. Salim, avec son nouveau costume et sa démarche assurée, aurait pu mériter un sourire fraternel. Mais les lèvres rouges de la secrétaire s'étaient pincées comme la chair abîmée d'une pomme trop mûre. *Hé, habibi*, s'était-il dit, *je ne suis pas assez blanc pour que tu me montres tes dents ?*

— Puis-je vous aider ? avait-elle demandé froidement.

Elle avait tendu le cou comme pour lui signifier que, bien qu'elle n'ait aucune intention de se lever, elle pouvait toujours le regarder de haut.

Quelques instants plus tard, il était assis dans la

suite du vice-président, et Meyer, posté au coin de son bureau, le regardait lui aussi de haut.

— Voilà, Sal, on en est là, disait-il. Le développement, c'est toujours un pari, mais c'est pour ça qu'on est là. Pas de risque, pas de gain.

Meyer avait un long visage patricien qui contrastait avec sa carrure de boxeur. Ce matin-là, ses premiers mots pour Salim avaient été :

— Hé, Sal. Je n'ai entendu que des compliments sur vous. Non, s'il vous plaît, oubliez les « monsieur », appelez-moi John.

Salim s'était alors souvenu de ce que Doug Friend lui avait dit, lorsqu'il l'avait congédié le mois précédent :

— Johnny est un type bien. Il vous donnera votre chance et, en moins de temps que vous ne le croyez, il vous remettra en selle.

Meyer poursuivit :

— Je sais que Doug vous a tracé les grandes lignes de la mission à Bagdad, mais sachez-le, c'est le plus gros projet de construction du moment. Il faut qu'on chope ce contrat avant que les autres ne se pointent.

Il accompagna ses paroles en mimant avec les doigts le mouvement de la marche, et Salim imagina des hordes d'hommes blancs avec leur mallette qui avançaient dans le désert irakien.

— Je vous envie, sérieusement. Bagdad est une ville géniale. À visiter absolument. Vous allez vivre des mois de folie.

— Je suis prêt, répondit Salim en essuyant ses paumes sur son pantalon de costume. Je sais comment négocier avec les Irakiens. Je faisais partie de l'équipe de Doug qui a organisé leur visite ici, l'an dernier.

— Il a dit que vous aviez fait du bon travail.

Meyer prit deux cigarettes dans une boîte en argent posée sur la table et en lança une à Salim. Tandis que ce dernier aspirait la fumée, il aperçut la mer par la vitre, un mouvement d'écume grise et blanche sous la brume de midi.

— Vous pourrez constituer votre propre équipe, continua Meyer. Vous aurez besoin de quelqu'un qui connaisse l'aspect technique, qui saura comment faire coopérer nos équipes et les leurs. Vous aurez aussi besoin d'une personne du marketing et d'un assistant de projet. Je peux vous indiquer quelques noms, à moins que vous n'ayez déjà des idées ?

Salim pensa à Omar et à sa promesse à Adnan.

— C'est possible, mais je serai ravi d'avoir une liste également.

Meyer hocha la tête.

— Travailler au développement n'est pas un poste facile, Sal. Il y a quelques années, ce marché ressemblait à une jeune épouse vierge. Aujourd'hui, c'est une prostituée qui coûte une fortune, et tous les hommes qui ont une queue attendent devant chez elle. Nous ne sommes pas les seuls à parlementer avec les Al-Sabah, les Al-Saud, les Hussein… Vous voyez ce que je veux dire ? Nous devons être plus rapides et plus efficaces pour conserver notre part de marché. Hussein est un grand rêveur. Il veut faire de Bagdad le nouveau Caire. Très bien, on va l'aider à le construire. Et si on fait du bon boulot, si on occupe bien le terrain, alors cette position temporaire pourrait se transformer en quelque chose de plus stable.

Salim se leva et prit la main que lui tendait Meyer. Dehors, au-dessus de l'eau bleue, les mouettes tournoyaient en poussant des cris. Et tandis qu'il serrait vigoureusement la large paume de son nouveau patron, Salim eut l'impression que quelque chose en lui s'élevait avec les oiseaux. Le souk de l'or se trouvait juste à côté. S'il finissait tôt, il pourrait aller acheter à Jude des boucles d'oreilles assorties au collier arabe qu'elle s'était mise à porter à la place de la chaîne de sa grand-mère.

Au moment où les deux hommes sortaient du bureau, Meyer lui dit :

— Je me demandais : Sal, ça ressemble à un prénom italien. Mais vous êtes du coin, non ?

— Pas tout à fait, répondit prudemment Salim. Je suis palestinien. On pourrait dire que je viens d'Israël.

— Bien, bien, fit Meyer en le scrutant avec curiosité. Et votre vrai nom, c'est…

— Salim.

On ne l'avait jamais appelé ainsi une seule fois de toute sa vie professionnelle, et il espérait que ça n'allait pas commencer maintenant.

— Salim.

Meyer prononçait *Slim*, de son accent traînant que Salim avait du mal à ne pas imiter inconsciemment.

— Slim, répéta Meyer en riant. C'est comme ça qu'on devrait vous appeler. Bon sang, vous êtes tellement maigre[1]. J'aimerais bien avoir votre métabolisme.

---

1. *Slim* signifie « mince » en anglais.

— Squash trois fois par semaine, répliqua Salim en souriant. Et ma femme ne sait pas cuisiner.

Meyer éclata d'un rire tonitruant, avec cette aisance propre à ceux qui ont l'habitude d'avoir la voix la plus puissante.

— D'accord, Slim, dit-il. C'est mieux que *Sal*, de toute façon. Ce nom-là sonne comme celui d'un gangster, du moins là d'où je viens.

Salim songea un instant à lui demander s'il était juif. Meyer était un patronyme qui pouvait l'être. Alors il aurait pu partager le secret des origines de sa femme, et leurs deux familles se seraient peut-être liées d'amitié... Et qui sait ? Mais avant qu'il ne se décide, Meyer interpella un autre directeur de projet, et Salim suivit l'assistante vers son nouveau bureau.

Meyer tint parole et laissa les noms de plusieurs assistants de projet, manageurs et techniciens pour que Salim puisse examiner leurs candidatures. La sélection de son équipe était une mission délicate. Les Irakiens étaient à la recherche de quelqu'un pour couvrir d'acier le ciel de leur pays ; pour Odell, remporter le contrat signifierait empocher des millions. Pour Salim, cela signifierait bien davantage.

Alors qu'il passait des nuits à écrire des listes puis à faire passer des entretiens aux candidats, il lui arrivait parfois de se demander jusqu'à quel point ces Américains étaient des gens sérieux et réellement professionnels. *On devrait tout simplement débarquer avec des caisses de whisky, de belles femmes, et leur offrir le remboursement d'une partie de leur paiement sur leurs comptes suisses.* Quand il avait rapporté ces paroles à Meyer, ce dernier l'avait fixé de ses yeux gris et répondu : « Il faut ce qu'il faut. »

Mais la véritable ombre au tableau, ce fut Omar. Au cours du ramadan, au moment où tout le monde, au bureau, s'affamait en jeûnant pieusement, il illustra parfaitement les propos de son père. Salim n'avait aucun intérêt à passer ses journées sans boire ni manger, en particulier lorsque la température extérieure grimpait jusqu'à cinquante degrés.

— Est-ce que Dieu se préoccupe vraiment de ce qu'on a pris au petit déjeuner ? disait-il à Jude.

Malgré cela, il éprouvait de la sympathie pour ses collègues souvent proches du malaise et faisait de son mieux pour leur dissimuler les snacks qu'il prenait pendant l'après-midi.

Mais pas Omar. Il voulait montrer qu'il était un jeune cheval de course, et non un vieil âne tirant une charrette encombrée d'obligations religieuses. Ce jour-là, il entra dans le bureau de Salim avec deux grands Pepsi et un sandwich au poulet.

— Qu'est-ce que tu fais ? lui demanda Salim en fermant rapidement la porte.

— Désolé, répondit Omar, sincèrement étonné. Je pensais que tu aurais faim. Je ne t'ai pas vu, au déjeuner. Il n'y a pas de problème, dit-il en penchant la tête vers les bureaux voisins d'un air de conspirateur. Ils savent que tu ne jeûnes pas. Et puis tu t'en fiches, de toute façon… Tu es le patron ! Pas vrai ?

Il s'assit sur la table de travail et commença à mastiquer le sandwich, laissant les miettes tomber sur le col rose bien net de sa chemise.

Omar, comprit Salim, souhaitait parler du projet de Bagdad.

— Ce sera une expérience extraordinaire, dit-il. Notre plus gros projet de développement. J'espère qu'un jour je ferai le même travail que toi. C'est tellement génial. Tu penses qu'on devrait faire combien de voyages, pendant la mission ? Deux ou trois ? Ils sont durs, les Irakiens. J'ai déjà bossé avec eux.

Salim observait Omar avec une envie mêlée de lassitude. Il lui faisait penser à Meyer, dans une version plus jeune façonnée en Jordanie et en Amérique, vivant dans des appartements recouverts de marbre et étudiant dans des écoles privées. Quand il parla à Salim du combat et de ses aïeux, cela lui rappela Sophie et Marc, lorsqu'ils dessinaient des bonshommes bâtons en couleurs primaires : des images dénuées de sens, du feu sans chaleur.

— Omar, tu sais que je n'ai pas encore choisi mon équipe, dit-il. Je dois faire valider chaque nom. Je veux te prendre, mais je ne peux rien t'assurer.

Omar leva les yeux vers lui, choqué.

— Mais pourquoi ? Je suis très qualifié. Je suis le meilleur assistant de projet de tout l'étage. Je suis même ingénieur, je peux aider l'équipe technique. Alors pourquoi tu ne me choisirais pas ?

Salim eut envie de le secouer, de faire ouvrir les yeux à ce charmant visage encore épargné par les ans.

— Ça n'a rien à voir avec tes compétences. Tu es excellent, je le sais, mais tu n'es pas le seul dans ce cas. Je dois pouvoir justifier tous mes choix, Omar. Je ne peux pas sortir comme ça de mon chapeau les noms de mes amis. De quoi j'aurais l'air ?

Omar posa son Pepsi, ses yeux ourlés de longs cils soudain pleins de ressentiment.

— Bien sûr, tu dois faire les bons choix pour ton équipe, je comprends. Mais je suis très qualifié, répéta-t-il. Personne ne pourrait te critiquer de sélectionner un Arabe hyper compétent pour le poste. C'est comme pour toi, après la fin de ton contrat.

Salim rougit. Il se souvenait de toutes ses années difficiles, à Londres, quand il se levait avant l'aube pour aller laver le sol du garage de Hassan et qu'il étudiait tard dans la nuit après des heures de service dans un bar. Lorsqu'il se glissait hors du lit bien chaud de Jude pour sortir dans le matin glacial, marcher jusqu'au bureau et se faire traiter de haut par de riches gamins anglais encore plus jeunes qu'Omar.

— C'est à moi de décider qui est qualifié, répliqua-t-il froidement. Tant que je n'aurai pas examiné tous les dossiers, je n'aurai rien à ajouter.

Le sourire plein d'espoir d'Omar s'évanouit et son visage se ferma. Pour la première fois, Salim put voir l'ampleur de sa déception derrière l'irritabilité qu'il affichait. *Si on ne s'aide pas entre nous, nous ne sommes rien.*

— Écoute, je sais que tu es un frère.

Salim avait prononcé ce mot comme Rafan, autrefois, pour parler de Farouk.

— Je ferai ce que je pourrai. Fais-moi confiance.

— Je te fais confiance, répondit Omar, et la discussion fut close.

— Pourquoi, pourquoi, pourquoi ne peuvent-ils pas me laisser tranquille ? dit-il plus tard à Jude, effondré dans le canapé après que les enfants furent couchés. Où que j'aille, toutes ces attentes et ces exigences. Ma vie ne m'appartient pas. Je dois en donner un morceau à Nadia, un à Hassan, un autre à un parent éloigné, et ainsi de suite. C'est comme si, chaque jour, on me suçait jusqu'à l'os.

Jude caressa la nuque de Salim puis posa sa paume sur ses yeux. Il respira son odeur, un doux parfum salé qui lui rappela le pain frais et l'air marin.

— Ce n'est peut-être pas ce que tu penses, Salim, lui dit-elle. Certains, parmi eux, t'aiment sincèrement. Peut-être essaient-ils de rester proches de toi.

Salim se mit à rire.

— Omar ne m'aime pas. Il n'est pas de ma famille, malgré toutes les conneries que raconte Adnan sur nos liens de sang.

Il secoua la tête.

— Un moustique partage mon sang, mais je n'ai pas à l'appeler mon *cousin*. Et il m'aimera moins si je ne lui fournis pas ce qu'il est venu me prendre. On verra.

Après un automne et un hiver d'intense préparation, Salim présenta sa proposition pour le projet de Bagdad, ainsi que la liste de son équipe à Meyer.

La grande visite dans la capitale irakienne était prévue pour le début du printemps. L'équipe y ferait une première présentation ; si ça se passait bien, les Irakiens leur donneraient la préférence pour signer avec eux, et Odell deviendrait ainsi leur fournisseur en matériaux et en assistance technique pour leurs grands projets de construction. En quelques semaines, une belle fortune changerait de mains et, au cours de la décennie à venir, on verrait les ascenseurs Odell dans tous les nouveaux bâtiments financés par le gouvernement irakien. Ou alors, ce prix, et le nouvel emploi de Salim, pourraient être remportés par quelqu'un d'autre.

La nuit précédente, Salim était resté éveillé dans son lit, à regarder le plafond et à s'imaginer subir un échec cuisant. Avant les premières heures du matin, le visage de Mazen avait surgi. Ses cheveux noirs bouclés encadraient son visage rond, et il regardait Salim d'un air réjoui et malveillant. *Salim, espèce d'âne*, disait sa voix, puis il disparut avec l'arrivée de l'aube.

Dans le bureau climatisé de Meyer, la fraîcheur l'aida à se concentrer. Il exposa ses choix un à un. Il savait qu'ils étaient tous judicieux. Il avait composé une bonne équipe et inclus presque toutes les recommandations personnelles de Meyer. *Presque* toutes. Là encore, cette liste lui avait donné des sueurs froides. S'il avait sélectionné tous les candidats de son président, il serait passé pour quelqu'un qui n'avait aucune opinion ; pas suffisamment, il aurait été considéré comme un rebelle, un cow-boy. S'il avait laissé de côté ceux qu'il ne fallait pas, on lui aurait reproché de ne pas comprendre les allusions.

Meyer l'écouta avec courtoisie. À la fin de l'exposé, il s'empara des dossiers et commença à les feuilleter. Les paumes de mains de Salim devinrent moites.

— Je pense que vous tenez votre équipe, Slim, finit par dire Meyer. Vous avez trouvé un bon équilibre. Les gars du service technique sont impressionnants. Je n'arrive pas à croire que je ne les avais pas remarqués.

— Ils étaient dans l'équipe de Doug et ils ont été

sensationnels sur le projet du Qatar, s'empressa d'expliquer Salim. Ils ont perdu leur travail avec la fermeture, mais je peux vous garantir qu'ils sont capables de nous apporter bien plus que n'importe qui d'autre. Ce n'est pas que le reste de l'équipe ne soit pas super, mais je me suis dit : pourquoi laisser toutes ces compétences à un concurrent ?

Meyer sourit.

— Un homme intelligent doublé d'un humanitaire ! J'adore quand on peut couvrir les deux aspects.

Salim respira, soulagé. Meyer tourna une autre page.

— Je vois que vous n'avez pas pris Eric pour le poste d'assistant de projet.

— Le choix a été très serré. Eric est un excellent organisateur et je sais qu'il est ici depuis un moment.

— C'est exact.

La main de Meyer restait posée sur la page. Salim priait pour qu'elle passe à la suivante, mais elle demeurait immobile. Une alliance en platine étincelait à l'annulaire aux jointures épaisses, recouvert de fins duvets de poils argentés.

Salim se résolut à sortir du silence.

— J'ai pensé qu'Omar Al-Khadra était un choix plus complet, admit-il. Il a une formation d'ingénieur. Ce serait un excellent moyen d'améliorer la liaison avec l'équipe technique. Il connaît bien Bagdad. Vos évaluations sur son travail sont excellentes.

Salim marqua une pause tandis que Meyer tournait la page.

— C'est votre décision, bien sûr, dit-il. Mais quelques détails valent peut-être la peine d'être pris en considération, si je peux me permettre. C'est un projet particulièrement sensible. Il y a d'autres équipes arabes parmi nos concurrents, c'est certain. Tout le monde veut avoir l'air local – connaissances locales, relations locales, etc.

Il se renfonça dans son siège et observa Salim.

— Voyez-vous, le souci, c'est que le local, ça ne marche pas. Si ces gars nous veulent, c'est parce qu'on est une firme internationale, *américaine*, on a notre expertise. Et on en jette, je suis désolé de le dire. C'est ce qu'ils aiment, même s'ils ne le savent pas eux-mêmes. Vous comprenez ce que je veux dire ?

Salim acquiesça.

— C'est plutôt inhabituel pour nous d'avoir un gars du coin qui dirige l'équipe, je suppose que vous êtes au courant.

— Je suis britannique.

— Bien sûr, je sais. Mais la question qu'on peut se poser est la suivante : le fait d'avoir un autre gars du coin pour faire la liaison ne va-t-il pas jouer contre nous à la longue ? Est-ce que ça ne va pas brouiller le message subliminal ? Je n'ai rien contre Omar. Rien du tout. Mais vous voyez où je veux en venir ?

Oui, et c'est dégueulasse et totalement injuste.

— Bien sûr, je comprends, répondit Salim prudemment. Je vais y réfléchir. Reconsidérer mon choix, si nécessaire.

— Je n'en demande pas plus.

Meyer se pencha pour lui serrer la main.

— Bon boulot, en tout cas. Je suis impatient d'avoir votre prochain point sur le voyage.

Lorsque Salim passa la porte de la maison ce soir-là, il entendit les enfants crier dans leur chambre. Contrairement aux habitudes, la télévision était allumée dans le salon. Jude était assise devant les images dont la lueur tremblotante éclairait son visage blême. À son arrivée, elle se leva à la hâte et éteignit le poste.

— Qu'est-ce qu'il se passe ? demanda-t-il.

— Rien, répondit-elle en venant l'embrasser, mais son regard semblait coupable. Les jumeaux sont complètement excités, j'avais besoin d'une pause. Je fais du poulet, au dîner.

Elle passa devant lui pour aller dans la cuisine. Marc déboula en trombe dans le couloir en hurlant « Maman ! », mais il se figea immédiatement quand il vit son père.

— Tu rentres tôt, dit-il. Tu es en colère ?

Salim secoua la tête. Ce soir, il n'avait pas assez d'énergie pour supporter son fils.

— C'est quoi, cette question, Marc ? Qui t'a dit que j'étais en colère ? C'est faux.

— Maman dit que tu l'es, des fois, quand tu rentres du bureau.

Sophie les avait rejoints et, en entendant les paroles de son frère, elle lui donna un coup de coude.

— Marc, chut, murmura-t-elle.

Un sentiment d'amertume étreignit Salim. *Même ici, dans ma propre maison, je suis incompris.*

Il laissa les enfants et entra dans le salon pour regarder les informations. Dans la cuisine, Jude entrechoquait les casseroles avec une énergie excessive, comme sa mère, la première fois qu'ils s'étaient rencontrés lors d'un dîner, avant leur mariage londonien si pénible.

La télévision s'alluma sur des hurlements et les tirs crépitants d'armes à feu. Il lui fallut un moment pour reconnaître les lieux : une ville de Galilée proche de chez Nadia. La caméra fit un panoramique sur une foule en ébullition qui déferlait en masse. Elle était composée en majorité de jeunes gens aux visages ardents. Ils tenaient des bâtons et criaient *Ardna ! Damna !* – des mots qui firent violemment écho en Salim. Notre terre ! Notre sang ! Des tanks avançaient en cahotant sur les routes rocailleuses qui menaient aux villages de basse Galilée, pendant que des hommes en jean et keffieh chargeaient les rangs de jeunes soldats israéliens.

Si le commentateur s'exprimait en anglais, il n'en était pas moins arabe, et Salim, bouleversé, perçut toute l'émotion qui vibrait dans sa voix. Les Israéliens envahissaient de nouveaux territoires arabes autour de Nazareth. L'image fut interrompue et l'on vit le Premier ministre israélien, Yitzhak Rabin, expliquer que le pays avait besoin d'assurer sa sécurité ainsi que d'implanter de nouvelles colonies. Puis il y eut une vidéo floue d'un homme, un poète du nom de Ziad, appelant les Palestiniens à résister et à se révolter. *Ziad, comme l'homme de Chatila.* Ils avaient déclaré une grève nationale qu'ils avaient appelée la Journée de la terre. *Yom Al-Ard.*

Puis les informations passèrent aux tensions qui régnaient en Iran, et Salim éteignit. Il allait devoir affronter Omar le lendemain matin, l'informer de la mauvaise nouvelle. À présent, il se sentait méprisable, comme un traître, et écœuré de tout.

Dans la cuisine, Jude, Sophie et Marc étaient déjà à table. La fillette s'attaquait à une cuisse de poulet à pleines mains tandis que son frère retirait la chair de l'os pour la disposer soigneusement sur son assiette en un cercle bien net. Dans un coin, la cage à oiseaux de Sophie faisait un bruit de ferraille. Ses habitants blessés, sauvés des griffes de chats et des chocs de pare-brise, grimpaient craintivement le long des barreaux.

Jude leva les yeux à son entrée. Il reconnut son expression où le défi se mêlait à la tristesse, et un flot de souvenirs amers ressurgit ; sa femme ressemblait plus que jamais à Lili Yashuv, le jour où elle s'était tenue derrière son mari, face au portail de leur maison. Jude et Lili, dont les deux images se superposèrent comme deux négatifs, donnant à l'ensemble une cohérence saisissante : le profil de leur long nez et de leur front haut, leurs yeux bleus.

Il tira une chaise et prit l'assiette de riz que lui tendait sa femme. Malgré son estomac noué, il avala une bouchée. *Je suis britannique*, avait-il invoqué pitoyablement auprès de Meyer, l'après-midi même. Invoqué, comme un gamin, alors que son pays natal était attaqué par des hommes comme Meyer et des femmes comme Jude.

— Ça s'est bien passé, au travail, aujourd'hui ? demanda cette dernière. Meyer était content ?

— Pour l'essentiel.

Il regarda son fils, qui le fixait par-dessus sa grosse cuisse de poulet entièrement dépiautée.

— Et toi, Marc, tu as eu ton cours d'arabe, aujourd'hui ?

— C'était hier, répondit Sophie avec enthousiasme. M. Shakir est venu à la maison.

Salim continuait d'observer son fils. Comment pouvait-il avoir des yeux si bleus ? L'enfant qui perpétuerait son nom n'avait rien hérité de lui. C'était si injuste. Comme si les gènes de Jude et ceux de sa propre mère s'étaient associés pour lui rappeler qu'il n'avait aucun pouvoir, ni rien qui vaille la peine d'être transmis.

— Qu'est-ce qu'il t'a appris, alors ? demanda-t-il à Marc.

Celui-ci baissa la tête.

— On a appris le nom de tous les animaux.

— Ah bon ? Donc tu peux me dire ce que tu es en train de manger.

Marc plissa le front en scrutant son poulet en morceaux. Puis son regard bleu altéré par l'inquiétude se posa sur son père.

— J'ai oublié, avoua-t-il.

— Moi je sais ! s'exclama Sophie, mais Salim leva la main pour lui intimer de se taire.

— J'ai demandé à Marc. Allez, Marc, essaie de te souvenir.

— J'ai oublié, je t'ai dit.

— Ce n'est pas la bonne réponse. Tu l'as appris hier. Tu ne peux pas avoir oublié, n'est-ce pas ? Tu n'as pas écouté ton maître ?

Marc jeta un œil à sa mère pour chercher du soutien, mais ce regard en coin rendit Salim fou furieux. Quand il tapa du poing sur la table, Marc sursauta de frayeur.

— Sal, je t'en prie, arrête, intervint Jude.

— Reste en dehors de ça, répliqua-t-il. Ils sont censés apprendre et *tu* es censée les aider à le faire. Alors, Marc, dis-moi quelque chose en arabe. Dis-moi n'importe quoi, pour que je voie que tu prends ça au sérieux, comme un petit homme. Allez.

Il lui retira son assiette des mains, afin qu'il n'y ait plus rien entre son fils et lui.

Le petit garçon se mit à pleurer, de cette façon si expressive qui était la sienne : sa lèvre se mit à trembler comme celle d'une fille, et les larmes dégoulinèrent sous son nez. Jude était devenue livide.

— Sal, bon sang, ça suffit, dit-elle à voix basse.

Salim, tenaillé par la colère et l'apitoiement sur lui-même, ressentit pourtant l'envie de la réconforter, de s'excuser. Mais les images des tanks israéliens surgirent dans son esprit, brisant net son élan.

— Si tu avais fait ton boulot, il ne serait pas aussi fragile, lança-t-il. Mais j'imagine que tu ne veux pas qu'il soit comme l'un de ces cinglés d'Arabes, pas vrai ?

À présent, Sophie pleurait aussi, ses yeux noirs en amande ruisselaient de larmes. *D'où sortent ces mots ignobles ? Quel genre d'homme es-tu ?* Furieux contre tout le monde, dégoûté de lui-même, il quitta la table et partit dans sa chambre. Lorsqu'il ferma la porte, le silence, recouvrant son maelström intérieur, l'apaisa.

L'épouse de Meyer les invita à la plage ce week-end-là. Jude arriva avec un sourire chaleureux et toutes les informations essentielles pour créer une nouvelle amitié : le prénom de Mme Meyer était Anne ; elle était secrétaire du Club international des femmes et avait trois grands enfants qui menaient tous une carrière à New York.

Sur le sable brûlant de la crique, Anne Meyer, dissimulée sous un chapeau de soleil à large bord, lui serra négligemment la main. Elle complimenta Jude sur ses « enfants adorables » et se plaignit de la « chaleur épouvantable ». Puis elle se tourna vers ses autres invités.

Sophie courut rejoindre la mêlée de petits corps couverts de sable qui jouaient au bord de l'eau.

— Fais attention, ma chérie, cria Jude.

Mais sa fille, dont le petit visage bronzé était illuminé de plaisir, se contenta d'agiter le bras.

Marc s'installa sous le parasol et se mit à dessiner des bonshommes sur le sable. Plus loin dans la brume, un petit banc de sable émergeait, sa blancheur contrastant au milieu du bleu de la mer. *Il n'est pas à plus de cent mètres d'ici*, songea-t-elle. *Avant, je serais partie nager jusque là-bas sans réfléchir.*

Le bruit des vagues et la présence des enfants firent remonter de lointaines réminiscences : les cris, à la piscine de Wearside, l'équipe junior de la sélection, la franche gaieté des amitiés. Une autre vie, une autre route qu'elle n'avait pas prise. Elle monta ses genoux contre sa poitrine pour calmer la douleur qui lui pinça soudain le cœur puis regarda Salim. Debout à côté d'elle, sa caméra Super 8 braquée sur la silhouette bondissante de Sophie, son mari lui parut grand. Son corps hâlé avait pris la couleur du sable brun. Lorsque leurs regards se croisèrent, il s'agenouilla et posa la main sur son épaule. Depuis leur incompréhensible dispute, il s'était montré tour à tour repentant et provocateur. Pour Jude, l'irascibilité de Salim était uniquement due à la pression qu'il subissait pour l'obtention du contrat ; la tension qu'il accumulait pour démontrer à tout le monde qu'ils avaient tort, qu'il était capable de réussir cette aventure insensée.

— Tout va bien, mon amour ? questionna-t-il d'un air soucieux.

Sa sollicitude toucha Jude. Salim venait de lui rappeler à quel point tous deux étaient encore, et de manière si particulière, à l'unisson ; que l'âme de l'un percevait toujours les besoins de l'autre.

— Oui, tout est parfait.

Elle lui sourit et lui montra le rivage.

— Surveille notre Sophie.

Leur fille bondissait dans l'eau avec une autre fillette qu'ils ne connaissaient pas, elles s'éclaboussaient avec jubilation sur la plage brûlante.

— Elle n'a peur de rien, pas vrai ?

— Elle tient de sa mère, répondit Salim en pressant son épaule.

Sans qu'elle sache pourquoi, les larmes lui montèrent aux yeux. À côté d'elle, le fredonnement de Marc se mélangeait au bruit des vagues, faisant jaillir à nouveau de vieux souvenirs : la pluie qui mouillait son front quand Salim l'avait embrassée pour la première fois, la rupture des eaux et le vide profond ressenti lorsque Marc s'était enfin glissé hors de son corps, des heures après Sophie. Salim, si comblé de voir son fils et sa fille, qui les avait pris dans leur berceau pour les élever à la lumière, son visage rayonnant d'une joie pure.

Les prénoms des jumeaux étaient aussi précieux à

leurs yeux, tel un drapeau planté dans la terre, une affirmation de leurs propres choix. Le nom de Sophie venait de Safiya, l'ardente femme juive du Prophète qui avait converti une nation entière de sceptiques. Le nom de Marc avait été plus difficile à trouver. Selon la tradition, ils auraient dû l'appeler Saeed, du nom du père de Salim. Mais ils avaient préféré Marc, en mémoire du grand-père inconnu qui avait sauvé la vie de Rebecca. Elles étaient si vénérées, ces vérités secrètes, cachées au sein de leurs enfants, car elles reliaient leurs anciennes vies à la nouvelle qu'ils construisaient ensemble.

— Tu as discuté avec Anne ? demanda Salim.

Il observait les amis de Meyer qui distribuaient des bouteilles de Pepsi à l'abri d'un grand parasol.

Jude se força à revenir sur terre.

— Un peu.

— J'aimerais vraiment que vous deveniez amies. Tiens, je vais te chercher à boire, dit-il, et il se leva pour se diriger vers la glacière.

Elle le regarda se glisser hors du groupe d'hommes hilares, tenant ses deux bouteilles à la main. Son visage était figé en une expression de joie attentive qui trahissait ses efforts pour sourire à ces gens qui l'ignoraient.

De l'autre côté de la plage, une grande famille arabe était allongée sur des nattes, et le parfum du thé à la cardamome leur parvenait, porté par la brise qui se levait. De temps en temps, le regard de Salim était attiré vers eux. Jude savait ce qu'il ressentait, elle entendait la question qu'il ne formulait pas, percevait son désir d'être accepté avec sincérité.

Elle laissa Marc, rejoignit son mari et lui prit le Pepsi des mains. Les yeux noirs de Salim trouvèrent les siens ; elle y lut son embarras. En guise de réponse, elle interpella Anne qui, étendue sur une chaise longue, lisait un magazine.

— Anne, je peux vous apporter quelque chose ?

— Non, merci.

De sa main fine, elle s'éventait fébrilement pour chasser l'air étouffant. Salim fit une nouvelle tentative.

— Anne, vous savez que vous et Jude êtes toutes les deux dans l'enseignement ? Jude va travailler à l'école internationale. Elle faisait son mastère de littérature avant qu'on vienne ici. J'ai entendu dire que vous êtes professeur aussi ?

Mme Meyer émit un bruit de gorge, entre l'acquiescement et le congédiement. Elle relâcha la tête, comme si elle allait s'assoupir. L'air plein d'espoir, Salim resta planté devant elle à attendre une réponse. *Espèce de sale garce rachitique*, songea Jude, submergée par une haine brutale. Elle se demanda où était Peggy, en cet instant, sur quelle plage elle se délassait, à quelle épaule ses ongles vernis rose pâle étaient en train de s'agripper.

Jude fit volte-face et marcha vers le rivage, le regard fixé sur le banc de sable. Une mouette solitaire s'était posée sur l'étendue blanche miroitante, formant une image de lointaine perfection. Sa rage se reporta sur Salim : ces humiliations répétées étaient sa faute, le prix de sa soif inextinguible pour se faire accepter. Elle avait quitté son pays pour lui, remisé la ménorah de Rebecca et ses traditions familiales au fond d'une boîte. Et pour autant, l'amour qu'elle lui portait ne lui suffisait pas. Une partie d'elle-même aurait voulu qu'il se mette à courir, qu'il renvoie à la figure réjouie de ces gens leur mépris. Mais serait-ce mieux ? Cela l'avait-il rendue plus heureuse, autrefois, de fuir sa propre humiliation, d'abandonner tous ses rêves devant la porte d'entrée de Peggy ? *J'étais la meilleure, la meilleure de mon année. J'aurais dû être sélectionnée dans l'équipe.*

Elle entra dans l'eau et en sentit la caresse. Elle était chaude, salée, si différente de celle fraîche et verte de Wearside. Pourtant, elle pouvait imaginer M. Hicks hurler :

« Allez, Judith ! Vas-y, fonce ! » Elle avait envie d'aller se mettre sur le banc de sable et de les regarder tous de loin ; elle voulait être à nouveau une jeune fille avec toute la vie devant elle.

Après le brusque dénivelé, la mer était calme et les vagues légères. Ses bras glissèrent dans l'eau et elle battit des pieds. Lorsqu'elle s'étira, ses muscles depuis si longtemps au repos se tendirent, et elle retrouva la sensation familière de son corps altier, l'allégresse de la puissance et de la vitesse.

À mi-chemin, elle fut entraînée par un courant.

Tout d'abord, ce fut un petit coup sur ses jambes. Puis elle vit le banc de sable s'éloigner soudain sur la droite.

Alors, l'eau l'emprisonna ; ses bras luttèrent pour avancer. Elle se débattit, incrédule, son instinct lui dictant de *faire plus d'efforts*. Ses membres frappaient l'eau ; très vite, ses mouvements affaiblis par les courants devinrent désordonnés.

Je peux y arriver. Mais elle ne savait plus où était le banc de sable et le soleil cognait sur sa tête. Elle dérivait plus vite à présent, la force du courant l'obligeait à se rendre.

Nage en diagonale, se dit-elle. La houle l'entraînait et de hautes vagues l'encerclaient. L'eau entra dans sa bouche et dans ses poumons. Elle n'avait plus assez d'oxygène, il fallait qu'elle rejoigne la terre ferme. Elle fut précipitée en avant puis submergée ; elle perdait tous ses repères. Épuisée, elle moulina frénétiquement des bras.

L'espace d'un instant, elle fut portée en haut d'une crête et aperçut avec un vif soulagement les enfants sur la plage. Une fillette tendait le bras, elle riait ou appelait.

Puis soudain, des bras l'entourèrent. Ils relevèrent sa tête et la déposèrent sur le sol, tout près du rivage. Elle pressa la main sur le torse de l'homme pour se stabiliser, et sentit alors le cœur de Salim battre contre le sien lorsqu'il la soutint pour sortir de l'eau.

Ils étaient sur la plage et elle tomba à genoux sur le sable. Il s'affala à ses côtés, ruisselant, ses bras serrés l'encerclèrent. Il criait des phrases, à la limite de l'incohérence.

— Qu'est-ce que tu faisais ? Qu'est-ce qui t'a pris ?

Marc était là aussi, il s'accrocha à leurs jambes et Sophie se jeta contre eux – un enchevêtrement de membres, de visages striés de sable et de larmes brûlantes.

Jude essaya de les étreindre, mais ses bras ne lui appartenaient plus. Et les leurs étaient autour d'elle, plus rassurants et plus forts que les siens.

— Je suis désolée, fut tout ce qu'elle put chuchoter dans le creux de l'épaule de Salim.

— Tout va bien, dit-il d'une voix étranglée par l'émotion tandis qu'ils restaient agrippés les uns aux autres, fusionnés en un seul être. On est tous ensemble, maintenant. On est en sécurité.

Les paroles de Salim résonnèrent en elle avec le fracas des vagues et noyèrent tout le reste. *On est tous ensemble, maintenant. On est en sécurité, en sécurité, en sécurité.*

Tout fut bouleversé une semaine avant le voyage prévu à Bagdad.

D'abord, l'arbre de Marc mourut. Il avait résisté à l'hiver koweïtien, légèrement plus frais que les autres saisons, mais il finit par céder. Ses fines feuilles vertes se tordirent en jaunissant avant de tomber irrémédiablement sur le sol. Lorsque Salim voulut l'arracher, Marc se mit à pleurer. Pour finir, Sophie déposa des pierres autour du tronc, ce qui lui donna un aspect sinistre. Chaque matin, en quittant la maison, Salim contemplait avec horreur ce petit monument, entre le sanctuaire et la tombe.

Le jour où ils devaient réserver leurs billets pour Bagdad, Eric entra dans le bureau de Salim. L'assistant de projet recommandé par Meyer était plus pâle qu'à l'accoutumée, et son front était creusé par un pli soucieux.

— Qu'est-ce qu'il y a ? le questionna Salim.

Eric avait des cheveux roux flamboyants, des yeux humides d'allergique et un nez extrêmement long. La secrétaire de Meyer disait de lui qu'il rassemblait en un seul corps le feu et le tuyau d'arrosage.

— Vous avez un correspondant au téléphone, dit-il en désignant l'appareil de Salim sur son bureau. Je crois que vous devriez décrocher.

Salim prit le combiné et appuya sur le bouton rouge clignotant qui indiquait l'appel en attente. La ligne se mit aussitôt à grésiller.

— Allô ? cria-t-il.

— Monsieur Al-Ishmaeli, *schlonak* ! le salua à l'irakienne Abdel-Rahman, leur homme de terrain à Bagdad. Il faut que je vous raconte ce que je viens d'apprendre, c'est très important.

Un bruit strident retentit dans l'appareil, que Salim écarta de son oreille. C'était la sirène d'un véhicule. Abdel-Rahman avait jugé plus prudent d'appeler d'une cabine dans la rue.

— Que se passe-t-il ?

Salim s'adressait à lui en anglais pour qu'Eric puisse suivre.

— Je suis allé à l'hôtel Al-Rashid, pour vérifier nos réservations, hurla Abdel.

Cet hôtel, situé près du palais présidentiel, était l'un des plus prestigieux de Bagdad.

— Je voulais prendre une chambre quelques jours à l'avance, pour tout préparer, vous voyez. Mais la fille à la réception m'a dit que c'était impossible. Ils ont un autre groupe qui arrive, des Américains du Bahreïn. J'ai obtenu de la fille qu'elle me fasse voir leur nom. C'est Curran, *habibi*. Les gars de Curran arrivent en Irak dans trois jours. J'ai appelé le bureau du ministre, et c'est vrai. Ce salaud, ce *kahlet*, il nous a doublés. Curran va négocier avec le ministre, lui payer des pots-de-vin et obtenir le marché. Et vous, vous arriverez juste à temps pour lui serrer la main et lui dire au revoir.

Salim sentit la tête lui tourner.

— Tu es sûr ?

— Sûr et certain, *habibi*. Ils nous ont bien eus. Que voulez-vous faire ?

Je n'en ai aucune idée.

— Je te rappelle dans dix minutes, Aboudy. Donne-moi ton numéro et reste à côté de la cabine.

Lorsqu'il raccrocha, il regarda Eric et se demanda ce que le jeune homme voyait en lui. Un autre directeur arabe qui avait échoué, sans aucun doute. Le monde était plein de gens comme lui.

— Faut-il avertir Meyer ? demanda l'assistant.

Mon Dieu, non.

— Pas tout de suite, répondit Salim. Donnez-moi cinq minutes.

Eric hocha la tête et sortit lentement du bureau. Salim était seul.

La panique qui le submergea charriait en lui d'amères pensées. Ils n'avaient pas été assez prudents. Ils avaient mal anticipé les délais, et quelqu'un d'autre allait débarquer là-bas avant eux. Il serait celui qui aurait présidé à ce désastre, à l'humiliation de la compagnie.

Il se leva et se posta devant la fenêtre. Il regarda la ville et, au-delà, le désert. En bas, les carrosseries des limousines qui passaient dans les rues miroitaient. Elles ressemblaient à des poissons volants, tournant au-dessus d'un gouffre béant, prêt à les engloutir.

Sur une étagère se trouvait une photo de Jude et des enfants. Son œil fut attiré par l'éclat des cheveux de sa femme, et il se remémora cette phrase en yiddish qu'elle aimait utiliser : *Sois un* mensch. Sois courageux. C'était facile à dire pour elle et pour Meyer. Ils étaient nés dans le camp des maîtres. Les règles étaient établies pour eux, et jamais ils n'avaient eu besoin de chercher des chemins détournés. Et c'est alors qu'il la vit, claire comme le soleil de midi, la route de traverse. Meyer ne l'aurait jamais vue, lui, mais un Arabe aurait tout de suite compris. C'était l'unique solution.

Il se rendit dans le bureau d'Eric, le cœur battant à chaque pas.

— Écoutez, dit-il en lui lançant le bout de papier avec le numéro d'Abdel-Rahman. Je veux que vous le rappeliez et que vous réserviez toutes les chambres de l'hôtel Al-Rashid pour demain soir. Nous allons rencontrer le ministre à Bagdad. Prenez les billets d'avion et prévenez l'équipe.

Le teint d'Eric vira au gris sous ses taches de rousseur et une goutte de sueur perla au bout de son nez.

— Mais c'est impossible... Je veux dire, on est loin d'être prêts. Et on n'a même pas de rendez-vous avec Ramadan. Visiblement, ils n'ont pas envie de nous voir.

— Et alors ? répondit Salim.

Pour la première fois depuis le début du projet, il se sentit fier et supérieur : il détenait le savoir.

— Est-ce que votre petite amie avait envie de vous voir, la première fois que vous l'avez rencontrée ? Ma femme, certainement pas. Entre aujourd'hui et demain, je ferai en sorte qu'ils le veuillent.

Il laissa Eric et traversa tout l'étage. À son grand soulagement, Omar était dans son bureau.

Le jeune homme n'avait pratiquement pas adressé la parole à Salim depuis qu'il avait pris connaissance de sa décision. Une semaine après, Adnan l'avait croisé au cours d'un dîner, et sa froideur n'aurait pu être plus parlante. Cependant, le vieil homme s'était montré suffisamment poli. Il avait secoué la tête et dit :

— C'est dommage qu'Omar et toi n'ayez pas pu travailler ensemble.

Plus tard, il avait tapoté le bras de Salim alors qu'ils parlaient politique et voyages.

— Il faut surveiller nos arrières, avec ces *Americani*, pas vrai, Salim ? avait-il déclaré. On croit qu'ils sont nos amis, on essaie de se placer, mais à la fin, ils se souviennent toujours de qui on est.

Omar écarquilla les yeux en voyant Salim arriver.

— Salim, quelle surprise ! Tu vas bien ?

— Pas vraiment, pour te dire la vérité, répondit Salim en s'asseyant sur un coin de la table de travail. Quand tu es allé à Bagdad, la dernière fois, tu as fréquenté une chanteuse… Quel était son nom ?

— Hanan.

— Exact. Tu as dit qu'elle était une amie proche de Ramadan.

Taha Ramadan était le ministre irakien de l'Industrie, l'homme qui avait tant promis et qui, à présent, était sur le point de tout remettre dans d'autres mains.

— C'est vrai, répondit Omar, perplexe. Et alors ?

— Alors, j'ai besoin que tu l'appelles tout de suite. Je me moque des moyens que tu utiliseras. Il faut qu'elle me donne le numéro privé de Taha. Je dois lui parler aujourd'hui, sinon le projet est fichu.

Le visage d'Omar se durcit.

— Je vois, dit-il d'un ton sarcastique. Maintenant, je peux te servir à quelque chose, Salim, t'aider pour ton avenir.

Salim secoua la tête. Il devait surmonter son désespoir.

— Je ne peux pas changer ce qu'il s'est passé, dit-il, mais si ça marche, Omar, je te conduirai personnellement dans le bureau de Meyer et je lui dirai que tu nous as sauvés.

Il vit le jeune homme lutter, écartelé entre des émotions contradictoires : l'ambition, la honte et la rancœur, un combat qu'il connaissait si bien. Quand la main d'Omar se tendit vers le téléphone, il sut que l'ambition avait triomphé. Il soupira de soulagement et retourna dans son bureau, où il apaisa un Eric affolé et mobilisa une équipe technique déstabilisée.

Il passa son appel durant la nuit, seulement dix heures avant le décollage prévu de leur avion. Le contact d'Omar avait fonctionné, et Salim tenait le numéro de téléphone secret dans sa main. La gorge sèche, il souleva le combiné.

La conversation commença mal.

— Comment avez-vous eu ce numéro ? demanda Ramadan d'une voix grave et furieuse.

— Par votre petite amie, Votre Excellence, répondit Salim dans son meilleur dialecte irakien. Elle souhaite que je m'assure que vous ne voyez pas quelqu'un d'autre.

Quitte ou double.

Il y eut un instant de silence au bout de la ligne, puis soudain un rire tonitruant retentit.

— Ces Américains... Vous êtes si sérieux, répondit la voix profonde. Je n'arrive pas à croire que j'ai affaire à vous deux fois dans la même semaine.

— Ça risque d'être encore plus tôt que vous ne le croyez, Votre Excellence, répliqua Salim. Nous venons vous voir demain. J'ai hâte de déguster un *masgouf* avec vous sur les bords du Tigre.

Il avait lu quelque part que le plat national irakien était le préféré de Ramadan : une carpe d'eau douce coupée en deux dans le sens de la longueur, étalée pour former un large cercle plat, marinée dans l'huile d'olive et le tamarin avant d'être grillée lentement au feu de bois.

Ramadan toussota.

— *Yani.* J'aimerais pouvoir. Mais mon emploi du temps est très chargé demain. Pourquoi tant de précipitation ?

Salim prit son courage à deux mains pour continuer la conversation.

— C'est pour vous que j'ai avancé mon arrivée. On peut payer plus que Curran. On peut vous offrir un meilleur marché. Mais s'ils viennent les premiers, ce sera comme un homme qui se rend à son mariage en sachant qu'un autre est déjà passé avant lui. Mes patrons ne le permettront jamais. Et vous vous retrouverez avec l'offre la plus basse.

Au bout de la ligne, il entendit le souffle lourd et bruyant de Ramadan.

— Quelle importance pour moi de négocier avec un Américain ou un autre ? finit-il par dire. Vous êtes tous les mêmes, non ?

— Je ne suis pas américain, Votre Excellence, répliqua Salim. Et si vous ne m'accordez pas d'entretien, vous ne saurez jamais à quel point je suis différent.

Ramadan émit un grognement mais garda le silence, ce qui était bon signe.

— On pourrait considérer cette visite comme amicale, poursuivit Salim. On n'a pas besoin de se voir dans vos bureaux. On peut organiser quelque chose de mieux, de plus festif.

Un autre accès de toux se fit entendre.

— Vous dites que vous venez, très bien. Je ne peux vous en empêcher.

Ramadan semblait choisir ses mots avec soin, aussi Salim en fit autant.

— Nous arrivons demain à onze heures du matin. J'espère vous voir à l'aéroport, Votre Excellence.

— *Yallah*, il se fait tard, dit Ramadan. Bonne nuit, monsieur Al-Ishmaeli.

Il raccrocha, et la tonalité résonna longtemps dans l'oreille de Salim.

Cette nuit-là, il rêva de la maison aux Orangers.

Elle était derrière lui, au bout d'une longue rue lumineuse. Le soleil était aussi blanc que les cheveux de Marc, ses rayons tombaient sur le sol en un jeu d'ombre et de lumière.

Devant lui, un garçon tapait dans un ballon de football. Salim, ébloui, cligna des yeux ; il reconnut Mazen. Curieusement, celui-ci se dédoubla pour devenir Hassan et Rafan ; ils étaient aussi grands que des adultes. Le ballon arriva droit sur Salim, tellement vite qu'il ne put l'attraper. Tandis que ses frères riaient, le ballon passa devant lui, mais il ne put se retourner pour le voir. La maison aux Orangers murmurait dans son dos, et sa mère l'appelait.

Il regarda au-dessus des têtes des deux hommes-enfants, semblables à des ombres ; il chercha à voir la mer, mais tout était aussi obscur et immobile que du verre.

Saisi de terreur, il tenta de se débattre en tournant sur lui-même, jusqu'à ce que sa main heurte le sol. C'est alors qu'il se réveilla, entortillé dans les draps, à moitié par terre.

Le lendemain matin, l'avion, accueilli par les palmiers indolents de Mésopotamie, atterrit dans la fournaise de Bagdad. Au moment où les roues crissaient, Salim aurait prié s'il avait existé des dieux auxquels il eût pu croire.

L'équipe n'avait ni dormi ni mangé et ils osaient à peine se regarder. *Si je les ai conduits jusqu'ici pour une quête vaine, ils ne me le pardonneront jamais.*

Salim avait eu confiance, il avait cru en l'équité, et il tenta de s'accrocher de nouveau à ses certitudes. Il avait tout donné et pris tant de risques. Était-ce un signe, ces palmiers dont les feuilles vertes s'agitaient comme pour les saluer joyeusement ? Les arbres étaient couverts de dattes presque mûres. Elles étaient plus petites que des oranges mais pas moins douces. Avait-il perdu sa première récolte pour être récompensé ici par une meilleure ?

Ils franchirent la douane et débouchèrent dans le hall des arrivées. Les femmes et les enfants affluaient autour d'eux, des hommes jeunes et vieux se donnaient l'accolade. Mais aucun dignitaire en vue. Tous les espoirs de Salim se brisèrent. C'était fini.

Soudain, Eric poussa un cri de surprise en lui agrippant le bras. Les portes coulissèrent et, s'avançant dans une vague de chaleur estivale apparurent Ramadan, son second et sa délégation. Les Irakiens étaient venus. À cet instant, Salim sut qu'il était enfin devenu l'homme qu'il avait toujours rêvé d'être, le gagnant de la course, maître de son destin.

L'atterrissage au Koweït trois jours plus tard fut un moment de pur triomphe. Assis dans la voiture de la compagnie, tandis qu'il contemplait le bleu infini du golfe Persique, il sentit monter en lui l'élan de la victoire. Il avait accompli un miracle, il le savait. Les jeunes cadres ambitieux de son équipe lui vouaient une totale admiration. Abdel-Rahman, Bagdadi hargneux, endurci par des années de politique irakienne, lui avait serré la main avec un sourire malicieux en lui disant *mabrouk*, le mot arabe le plus sincère pour féliciter quelqu'un. Dans la mallette de Salim se trouvait le contrat signé qui, seulement quelques jours plus tôt, était destiné à une autre entreprise. Meyer allait se délecter de ce succès, s'en attribuerait quasiment tout le mérite et confirmerait les fonctions de Salim comme directeur de projet.

L'ascenseur qui le mena jusqu'à l'étage de Meyer était du même modèle que les nombreux appareils qu'ils allaient installer à Bagdad, dans le quartier des affaires en plein développement du gouvernement. Il s'éleva en ronronnant doucement, et Salim posa les mains sur ses murs de métal. *Quel étrange objet que cette espèce de boîte pour transporter la vie d'un homme.* Il ferma les yeux et, tandis que la cabine montait, il sentit la légère poussée gravitationnelle le libérer.

Meyer était aussi ravi que Salim l'avait imaginé, lorsque, pendant le vol qui le ramenait de Bagdad, il s'était rejoué de nombreuses fois la scène.

— C'était sacrément courageux, Slim. Il n'y a pas un homme sur mille qui aurait pu réussir un coup pareil.

— L'équipe a été formidable, répondit Salim, et il se détendit sur la chaise en cuir. Ils ont tous fait leur part de boulot. Ils ont monté la présentation du projet en un temps record et ils ont sacrifié leurs heures de sommeil pour tout boucler.

— Ils méritent une prime, vous ne croyez pas ?

Meyer s'assit sur son bureau et rédigea une note. Il semblait préférer parler à Salim en se perchant sur un coin de sa table de travail.

— Certainement.

Salim se souvint de sa promesse à Omar ; le moment était venu de se soulager du poids de sa culpabilité.

— Il faut que vous sachiez que je n'y serais jamais arrivé sans Omar Al-Khadra. C'est lui qui m'a permis d'accéder à Ramadan. Heureusement qu'il a une vie sociale active…

— Alors il faudrait peut-être qu'on soit plus attentif à ce garçon. Quand tout sera mis en route à Bagdad, on pourrait lui trouver un poste d'intermédiaire ou de supervision, non ?

Salim se souvint alors du mépris de Mazen, des rejets permanents de son père et de la supériorité affichée de ses premiers collègues anglais.

— Les Irakiens voudront aussi que nous embauchions l'un des leurs, répondit-il en dissimulant sa joie. Cela faisait partie de notre marché non officiel avec Ramadan.

— C'est vous le chef, dit Meyer.

Il se leva de nouveau pour venir s'asseoir sur sa table de travail, un dossier à la main.

— Slim, il est temps que nous vous confirmions dans vos fonctions. Vous avez dépassé nos attentes, vous savez. Je suis très heureux que Doug vous ait envoyé vers nous. J'ai fait rédiger le contrat. Vous pouvez y jeter un œil, si vous voulez, mais je veux bien que vous le signiez là, tout de suite.

Les mains tremblantes, Salim lui prit le dossier qu'il lui tendait. Lorsqu'il lut la première page, les battements de son cœur s'accélérèrent et ses oreilles bourdonnèrent, étouffant les paroles de Meyer et sa voix traînante.

— Il y aura bien sûr une prime à la signature, elle est bien méritée.

Salim avait les mains glacées. Il leva les yeux vers Meyer et essaya de paraître enjoué.

— Il y a une erreur, John. Il est écrit *Directeur adjoint*, et non *Directeur de projet*.

L'Américain s'agita un peu, mais son regard demeura impassible.

— Je suis étonné que vous ayez cru ça, Slim. Nous avons parlé des postes qui étaient disponibles, y compris ceux de directeur de projet et de directeur adjoint. Vous avez assuré l'intérim de ces fonctions en faisant un travail remarquable, et j'ai bien l'intention de vous prouver ma reconnaissance. Cette offre en fait partie.

Salim se leva.

— Je me souviens très clairement de notre conversation. Vous avez dit que je dépendrais directement de vous, que je serais votre second à la direction.

— Comme vous l'avez été. Maintenant, Houston nous envoie quelqu'un, un homme très talentueux et expérimenté qui travaille chez nous depuis plus de dix ans. C'est un type super, et je suis sûr que vous adorerez collaborer avec lui.

— Mais c'est mon travail.

Une douleur se diffusa dans tout le corps de Salim, comme s'il venait de recevoir le coup de sabot d'un cheval dans le ventre.

— J'ai tout fait pour le mériter. Vous me l'avez promis.

Meyer avait plongé ses yeux dans ceux de Salim. Avec sa silhouette imposante, l'homme aurait pu être une sculpture gravée dans du granit, semblable à celle du rocher d'Andromède.

— Je suis vraiment désolé que vous réagissiez de cette façon, Slim, dit-il. S'il y a eu un malentendu, si vos attentes ont été déçues, j'en suis navré.

Derrière Meyer, à travers la baie vitrée, Salim pouvait voir les crêtes blanches des vagues se briser dans la mer profonde.

— Si cela peut vous aider, sachez que nous n'avons jamais eu de directeurs de projet qui ne soient pas américains. C'est peut-être une erreur, mais c'est comme ça. Alors, ça reste une très belle opportunité. Vous et votre famille allez avoir une vie fantastique, et vous allez très vite vous enrichir. Si ce n'est pas assez bien pour vous, eh bien, je vous souhaite bonne chance pour la suite.

Meyer tendit sa main à Salim, qui la prit instinctivement, le cœur martelant dans sa poitrine.

— Vous êtes un gars génial, Slim. Quel que soit l'endroit où vous travaillerez, vous irez loin, j'en suis sûr.

Meyer lui lâcha la main et avança vers la porte.

— Maintenant, pourquoi vous ne rentreriez pas chez vous, pour vous reposer et réfléchir ? Les dernières journées ont été longues.

Salim dut faire un effort pour bouger, pour ne pas laisser échapper de nouveaux arguments humiliants. *Si seulement j'avais un chapeau que je pouvais tendre, je pourrais lui demander quelques pièces.* Il sortit du bureau voûté comme un vieillard, passa devant la secrétaire morose et franchit les portes métalliques de l'ascenseur qui s'ouvrirent devant lui comme s'il était attendu. Une fois à l'intérieur, il commença sa descente.

Jude entendit la voiture de Salim entrer dans leur allée plus tôt que prévu. *Les Frères Karamazov* glissèrent sur le sol lorsqu'elle se leva. Son entretien à l'école internationale était fixé au lendemain matin. Elle venait de passer des heures à revoir ses lectures de l'université, à sortir ses vieux livres et à faire de la place sur ses étagères pour se préparer avec bonheur à en accueillir de nouveaux.

À travers la porte vitrée de l'entrée, elle vit son mari franchir le portail de la villa. Le soleil déclinait, passant derrière les pneus et autres décombres du terrain vague par-delà le chemin de terre. Salim avait retiré sa veste et sa cravate, et il portait un carton sous le bras.

Il s'arrêta devant le citronnier mort si cher à Marc et se pencha lentement pour le toucher. Les petites branches nues se tendaient dans l'air sec comme des mains atrophiées.

Tout d'abord, elle ne comprit pas pourquoi Salim restait là. Mais soudain, elle le vit prendre la pelle posée près de la porte et la planter dans la terre.

Sans vraiment s'en rendre compte, elle se mit à courir jusqu'à la porte d'entrée et l'ouvrit.

— Sal, non ! hurla-t-elle du haut des marches alors que ses pieds nus glissaient sur les dalles en pierre.

La poussière qui s'élevait du sol aride tourbillonnait autour de lui en formant un nuage jaune. Les racines du petit citronnier étaient déjà visibles ; Salim lâcha l'outil, saisit le tronc et tira violemment dessus pour l'arracher. Des fibres accrochées à l'arbre jaillirent du sol et se déchirèrent, charriant de la terre dans le trou béant. Jude sentit quelque chose se ficher dans son pied quand elle se précipita au bas des marches. Tandis que la poussière brûlante et étouffante emplissait ses poumons, elle tenta de repousser le bras de Salim de toutes ses forces.

C'est alors qu'elle entendit un gémissement derrière elle, un son aigu et sauvage, et qu'une silhouette passa vivement devant elle pour se jeter sur Salim, les déséquilibrant tous les deux.

Le petit garçon hurlait et frappait, son visage était

couvert de terre et ses mains luttaient pour arracher l'arbre de celles de son père.

— Non, non, non, il est à moi ! criait-il.

Salim l'attrapa par les épaules et lui répondit en hurlant :

— Il est mort, tu comprends ? Mort !

Jude se sentit désemparée lorsqu'elle vit ruisseler les larmes de Salim ; il essaya de prendre le petit garçon dans ses bras mais des poings furieux le repoussèrent.

Marc s'accroupit par terre et essaya de soulever l'arbre, de le remettre à sa place, mais celui-ci retomba. Il réessaya, encore et encore, pleura sur les branches frêles qui se rompaient en le griffant, laissant des zébrures rouges et brunes sur ses bras.

Salim se redressa et fixa Jude. Son regard exprimait à la fois le chagrin et un sentiment qui sembla bien plus froid – une sorte de dégoût. Il fit volte-face, passa devant Sophie dont les grands yeux bruns écarquillés le suivaient, puis entra dans la maison.

Sa première pensée fut pour son entretien du lendemain matin qu'elle avait si soigneusement préparé. C'était un désastre. Leur petit patio si bien entretenu avait l'air sinistre, il était sens dessus dessous et plein de terre ; Marc était couvert de branches, de larmes et de poussière. Quand elle se pencha pour lui dire « Laisse-le, mon chéri », ses yeux gonflés se braquèrent rageusement sur les siens.

Ce fut Sophie qui le persuada d'abandonner l'arbre sur le sol et de le couvrir d'une couverture. Sophie, qui berça dans ses bras son frère, docile et éteint, pendant que Jude désinfectait ses coupures. Cette dernière finit par les mettre au lit. Le frère et la sœur se blottirent l'un contre l'autre. Marc était pâle et épuisé, Sophie, très calme.

— Pourquoi est-ce que papa est si triste ? demanda-t-elle à sa mère.

Marc tourna la tête vers le mur.

— J'imagine qu'il a eu de mauvaises nouvelles à son travail, ma puce, répondit Jude en essayant de masquer son inquiétude.

Alors qu'elle contemplait ses enfants enlacés, elle eut la curieuse impression de voir deux créatures étrangères, dépendant uniquement l'une de l'autre, et pas du tout d'elle. Elle resta assise auprès d'eux jusqu'à ce que leurs respirations deviennent régulières et que leurs visages se détendent. Les deux fronts pâle et mat étaient tout proches, d'une douceur déchirante.

À la nuit tombante, elle se leva et marcha avec hésitation jusqu'à la porte de la chambre. Elle l'ouvrit d'une petite poussée et entra prudemment à l'intérieur.

Habillé d'un tee-shirt propre et d'un short, Salim était assis sur le lit. Dans sa main, il tenait la photo qui trônait habituellement dans le salon, l'image fanée de la vieille maison et du bébé. Ses omoplates saillaient tandis qu'il se tenait recroquevillé au-dessus du cadre ; l'adolescent se voyait encore à travers l'homme. Elle qui était si en colère sentit soudain son cœur se briser.

— Tu n'as pas eu le travail ?

Elle s'assit tout près de lui.

Sans lever la tête, il lui tendit la photo. Elle la prit sans réfléchir et passa les doigts sur l'adorable visage à l'envers, qui jaunissait dans son cadre.

— Ils avaient raison, quand j'étais petit, déclara-t-il d'une voix enrouée. Mazen, je veux dire, au sujet de mon père et de moi. Il disait qu'on était des imbéciles, rien que des *fellahin* avec un peu d'argent et de grandes idées. Je croyais qu'il avait tort. Mais ensuite, mon père s'est fait escroquer par Abou Mazen, et maintenant ces Américains m'ont prouvé que je suis aussi stupide que lui.

— Sal, qu'est-il arrivé ? Je croyais que ça s'était très bien passé.

— Ce qui est arrivé ? J'ai échoué, répondit-il, la tête toujours baissée. Je vous ai laissés tomber, toi et les enfants. Tout le monde.

— Ce n'est pas vrai, dit-elle en cherchant les mots justes. Pour nous, ce n'est pas important.

— Si, ça l'est, répondit-il, puis il leva les yeux et se mit à rire. J'ai fait tout ça pour rien.

Le cadre sembla lourd entre les mains de Jude, comme le poids d'une mémoire qui attirait Salim vers un passé qu'ils ne pouvaient pas partager.

— Je ne suis pas n'importe qui, moi, pas vrai ? dit-elle en passant ses doigts sur le verre du cadre. Tes enfants ne sont pas n'importe qui. Dans le monde entier, on doit être uniques, dans notre genre. Eh bien, on ne devrait pas en être fiers ?

— Fiers, fit-il en secouant la tête. Les jumeaux peuvent regarder tes tanks écraser mon peuple aux infos et se demander qui ils doivent soutenir.

Jude se figea.

— Ce ne sont pas *mes* tanks, Sal. Et maintenant, ton peuple, c'est nous. Nous sommes ta famille.

Ils restèrent assis en silence, et elle se demanda s'il l'avait même entendue.

— Tu as vu comment ça s'est passé, l'autre jour, à la plage, reprit Salim. Je n'étais qu'un Arabe qui osait avoir des prétentions. Peut-être que c'est ce que je serai toujours.

Elle se souvint de Peggy souriant par-dessus l'épaule de Kathleen, de la porte en chêne qui se refermait. Son ventre se noua.

— Rentrons en Angleterre, supplia-t-elle. Tu trouveras un bon travail, là-bas. Bon sang, Salim, tu n'as rien à prouver à personne.

Il lui arracha la photo des mains.

— Est-ce que tu sais ce que c'est, toi, d'avoir à prouver quelque chose ? Tu veux que j'aille ramper en Angleterre devant un autre homme blanc qui va me baiser de la même façon ? Ou que j'aille travailler dans le garage de Hassan ? Je vais te dire : s'il n'y avait pas eu les tiens, les Juifs, je serais déjà quelqu'un, s'emporta-t-il d'une voix tremblante. Je serais un propriétaire terrien et je ne devrais rien à personne. Mais pas ça.

Il frappa sa poitrine du plat de la main.

Jude se leva, des larmes de colère lui brouillaient la vue.

— Regarde-moi, Sal. S'il te plaît, regarde-moi. Je suis Jude. Ta femme. Est-ce que je suis ton ennemie ?

Il tourna la tête vers elle, et elle vit dans son expression tout le désir éperdu d'un petit garçon. Un visage aussi triste et désespéré que celui de Marc, accroché à son arbre mort.

— Peut-être que j'en ai assez d'être le *fellah* que tout le monde maltraite.

Il se détourna d'elle et s'allongea sur le côté.

— Maintenant, laisse-moi dormir, s'il te plaît.

Jude sentit le souffle de l'air, quand la porte de la chambre se referma, et la chaleur du tapis sous ses pieds. La maison était très calme, chaque pas était étouffé et les climatiseurs atténuaient tous les bruits. Mais quand Salim s'enfermait dans la chambre à coucher, le silence paraissait pesant, comme une présence oppressive à laquelle il était impossible de se soustraire.

Elle entra dans leur dressing, ferma délicatement la porte et alluma la lampe près du miroir. Elle fouilla derrière une peinture que Sophie avait faite à l'école représentant les tours de Koweït City et sortit une petite clé. Elle déverrouilla le tiroir du bas. Elle y avait rangé ses bijoux ainsi qu'une boîte qu'elle avait placée tout au fond. Celle-ci fit un bruit de ferraille lorsque Jude la tira pour la sortir à la lumière.

L'argent étincela quand elle souleva le couvercle. La forme lui parut si familière. C'était la ménorah de Hanoukkah que lui avait offerte Rebecca, celle qu'elle avait gardée tout au long de son voyage depuis les ruines fumantes de Kichinev. Jude eut presque envie de rire en pensant à son mari arabe, allongé de l'autre côté de la porte. *Qui aurait pu imaginer que cette route mènerait ici ?*

Elle ferma les yeux mais, malgré ses tentatives, ne parvint pas à se représenter les mains de sa grand-mère. Les larmes jaillirent. *Bubby. Je suis si seule.* Jusqu'à présent, elle avait été incapable de donner un nom au sentiment de vide qui l'étreignait. Pourtant, il était semblable à celui qu'elle avait éprouvé le jour où, en entrant dans la chambre de Rebecca, elle avait vu la vie la quitter.

Des souvenirs affluèrent, ceux des innombrables sabbats, lorsque la famille Gold allumait les deux petits chandeliers et chantait les prières du vendredi soir. Dora en avait offert une paire à sa fille en cadeau d'au revoir, mais Jude les avait poliment refusés.

Elle se rappela comment elle se laissait éblouir par la lueur des bougies dans les pièces obscures ; elle eut l'impression de sentir l'odeur forte de la cire et d'entendre la voix aiguë et gémissante de sa mère. Le son semblait venir d'au-delà des continents et des océans, telle une marée montante de millions d'autres voix envahissant la terre. Combien de fois n'avait-elle pas pensé à l'école, à Kath ou à Peggy en espérant être ailleurs, être quelqu'un d'autre ?

Elle prit deux bougies à moitié fondues au fond de la boîte, les enfonça dans les deux trous à l'extrémité de la ménorah. *Ils me diraient que ça ne se fait pas, que c'est interdit. Mais ils sont loin, et je suis ici, seule dans le noir.* Elle craqua une allumette, embrasa les deux mèches puis regarda son reflet dans le miroir.

Elle découvrit les traits d'une inconnue ; la jeune femme avait disparu, et une autre, plus âgée, commençait à se dessiner. Les ombres creusaient ses joues, mais la lumière vacillante faisait brûler ses yeux d'une flamme intérieure qu'elle ne connaissait pas. Elle se pencha au-dessus des bougies, posa les mains sur son visage et, doucement, commença à chanter.

1982

Au cours du douzième automne des jumeaux, Jude rentrait en voiture de l'école internationale lorsqu'elle entendit parler des bombes.

— Chut, dit-elle à ses enfants qui discutaient à l'arrière.

Elle monta le son de la radio. *Étaient-ce des bombes que j'ai entendues aujourd'hui ?* On aurait dit un orage, comme un coup de tonnerre, puis les vitres avaient tremblé. Plus tard, un vent s'était levé et Jude avait aperçu des nuages noirs dans le ciel. *Une tempête de sable.* C'est ce qu'elle avait cru instinctivement. Elle avait appris à les craindre. Lorsqu'elles éclataient, le désert mugissant, dont les doigts s'insinuaient partout, mettait leurs défenses à rude épreuve. Chaque fenêtre de la maison était hermétiquement bouchée, chaque fissure et fente recouverte. Malgré cela, il trouvait toujours un moyen de s'introduire.

Pourtant, aujourd'hui, il s'agissait de bombes et non de sable. Six bombes, annonçait le présentateur radio, avaient frappé les ambassades française et américaine, une raffinerie de pétrole et d'autres lieux. Il aurait dû y avoir plus de morts, mais les attaquants n'avaient pas bien préparé leur coup. La guerre entre l'Iran et l'Irak avait fini par atteindre le Koweït, ce petit pays si dangereusement situé entre eux. Adnan, l'ami de Salim, avait décrit la situation comme le combat de deux géants au-dessus d'un nain riche en pétrole.

— Qu'est-ce qu'il y a, maman ? demanda Sophie. Qu'est-ce qu'il s'est passé ?

— Rien, ma puce, répondit Jude. Ils parlent de la guerre, rien de plus.

Face à la franchise de sa mère, les yeux de Sophie s'étrécirent.

Les mains de Jude agrippèrent le volant. Depuis l'invasion du Liban par Israël durant l'été, le conflit avait jeté une ombre sur leur quotidien. Tout semblait hasardeux, de la conversation à la table du dîner jusqu'aux franchissements des postes de contrôles de l'armée koweïtienne lors des trajets en voiture, quand des yeux suspicieux les scrutaient.

Depuis des années, elle ramenait les jumeaux à la maison après ses cours à l'école internationale. La classe de primaire finissait tôt, et ils avaient pris l'habitude de l'attendre en s'amusant sur le trampoline de la cour de récréation. Ce fut à cette occasion, en observant Marc se propulser dans les airs, qu'elle avait découvert à quel point son fils était un danseur spectaculaire et courageux. Il y avait en lui quelque chose de stupéfiant, comme si ses jambes défiaient la pesanteur. Quand il bondissait, bras tendus au-dessus de la tête, ses cheveux formant un halo blanc, il semblait capable de traverser le ciel par sa simple volonté. Il était devenu la vedette de la représentation théâtrale annuelle de l'école que dirigeait un groupe d'anciens directeurs.

— C'est pas juste, s'était plainte Sophie un peu plus tôt dans la voiture pour la centième fois. Je suis obligée d'attendre tout le temps sur le bord du trampoline. C'est casse-pieds de rester là si je n'ai pas le droit d'en faire.

À travers le rétroviseur, Jude vit Marc faire une grimace à sa jumelle, et Sophie se précipiter sur lui.

— Arrête ça, imbécile ! s'écria-t-elle.

— On ne se bagarre pas dans la voiture, dit Jude sans élever le ton.

Ils se provoquaient pour s'amuser, mais elle savait que leur amour était aussi solide que du temps où ils s'endormaient enlacés dans les bras l'un de l'autre.

— D'accord, maman, on attend d'être à la maison pour se battre ! répliqua Marc.

Il parlait encore comme un petit garçon, d'une voix aiguë et saccadée, en parfaite harmonie avec son corps blanc et élancé semblable à une chrysalide. Mais bientôt, l'homme se réveillerait en lui, et Jude se demandait parfois ce qui sortirait du cocon.

Ils pénétrèrent dans leur allée et Sophie s'exclama :

— Oh, papa est rentré de bonne heure.

Sa Chevrolet blanche était garée devant chez eux, portière avant ouverte.

Le cœur de Jude se serra. Depuis que Salim avait refusé le poste chez Odell, il avait enchaîné quatre autres emplois, chacun offrant des perspectives moins intéressantes que le précédent. Elle ne lui demandait jamais pourquoi car, au fond d'elle-même, elle le savait : Salim se sentait éternellement sous-estimé, il entrait chaque fois en conflit avec la direction et son esprit à vif était prompt à croire qu'on lui manquait de respect.

Hasard de la vie, plus le monde de Salim se rétrécissait, plus la carrière de Jude s'épanouissait. À la fin de sa période d'essai de trois mois à l'école, le principal lui avait dit qu'elle avait un don pour raconter les histoires. Peu à peu, au cours des six années suivantes, les étagères de la maison s'étaient remplies de livres envoyés d'Angleterre par Tony, ou récupérés sur le marché et chez leurs connaissances. L'enseignement était devenu pour Jude un second foyer. Elle adorait l'odeur de la classe de cours et les yeux ronds de ses élèves, tandis qu'elle les guidait dans des univers qu'ils n'auraient jamais pu connaître, dans des vies à mille lieues des leurs.

Salim disait toujours qu'il était fier d'elle. Mais ces derniers temps, elle croyait percevoir une pointe d'envie dans ces mots. Et aujourd'hui, si Salim était de retour avant la fin de la journée de travail, cela ne pouvait signifier qu'une chose : une autre démission, de nouvelles semaines de frustration passées à la maison, jusqu'à ce qu'un énième emploi le mène dans un cercle encore plus restreint de possibilités. Jude sortit de la voiture familiale. Sous le soleil implacable du Moyen-Orient, ses bras autrefois blancs étaient couverts de taches de rousseur. Lorsqu'elle aperçut Salim sur le seuil de la porte, elle esquissa un sourire. *Je suis tellement sur mes gardes. Avant, j'aurais couru me jeter à son cou.* À présent, c'était Sophie qui le faisait à sa place.

C'est alors qu'elle remarqua une autre présence derrière lui : une silhouette plus petite mais aussi mince, le même visage aux pommettes saillantes et aux yeux en amande. L'étranger sourit et frotta son menton piqueté d'une barbe de trois jours.

— Ma sœur, s'exclama-t-il en descendant nonchalamment les escaliers jusqu'au jardin. Désolé de débarquer chez vous sans invitation.

Son accent avait l'air américain, mais l'intonation était plus prononcée, peut-être française. Il rejoignit Jude, et elle découvrit ses yeux d'un vert profond, étirés comme ceux de Salim mais ingénus comme ceux d'un enfant. Lorsqu'il sourit, Jude fut pourtant parcourue d'un frisson qui la glaça jusqu'aux os.

Salim se tenait d'un air penaud derrière lui, telle une ombre plus grande.

— Mon amour, je te présente Rafan, dit-il. Mon petit frère.

Au ton de la voix de son mari, Jude devina que Salim n'était pour rien dans cette soudaine venue, et qu'il était probablement aussi surpris qu'elle.

— Bonjour, dit-elle. Je suis très heureuse de te rencontrer enfin.

Elle lui tendit la main, et il l'enserra entre les deux siennes comme s'ils avaient l'habitude de se voir chaque année.

— Eh oui, c'est tellement dommage que nous n'en ayons pas eu l'occasion plus tôt. Mais on va se rattraper.

Il salua d'un geste les jumeaux, qui écoutaient la conversation en retrait, hésitants et perplexes.

Quand ils entrèrent dans la maison, Jude sentit son cœur bondir dans sa poitrine comme un animal affolé. Salim lui avait rarement parlé de son frère. Elle savait qu'il vivait au Liban mais n'avait rien voulu savoir de plus. Il faisait partie de cet autre monde, celui que Salim avait abandonné pour l'épouser.

Ils s'assirent pour dîner. Les jumeaux attendaient poliment que l'inconnu prenne la parole. Rafan mangeait, tout sourire et compliments. Salim repoussait sa nourriture sur le bord de son assiette. *Il sait pourquoi Rafan est ici mais il ne veut pas le dire.* Une conversation secrète échangée en chemin depuis l'aéroport était probablement la raison du regard à la fois coupable et furieux de Salim ainsi que de ses traits tirés.

Ce fut Marc qui finit par briser le silence.

— Papa, tu savais qu'oncle Rafan allait venir nous voir ?

Rafan agita sa fourchette en direction de Marc.

— J'ai fait la surprise à ton père, mon petit gars. C'est très malpoli. Mais c'est un frère tellement gentil que ça lui est égal. Bien sûr, en Angleterre, ça ne se fait pas de venir sans prévenir comme ça. Dans les familles arabes, en fait, c'est différent. Nos maisons sont toujours ouvertes aux autres, tu le savais ?

Marc leva les sourcils.

— En particulier si un frère ou une sœur a vraiment besoin d'aide.

— Tu as besoin d'aide ? demanda Sophie.

— Un peu, ma belle. Vous êtes au courant que je vis à Beyrouth, hein ? Vous savez où ça se trouve ?

Les jumeaux hochèrent la tête.

— Eh bien, il y a beaucoup d'autres Palestiniens, là-bas. Ils n'ont pas une maison comme celle-là. Ils vivent dans des camps, les uns sur les autres, ils sont très pauvres, sans aucune hygiène. Je suis sûr que votre père vous en a parlé.

— M. Shakir nous l'a dit, intervint Sophie. C'est notre professeur d'arabe.

Rafan se mit à rire et envoya un petit coup de coude dans les côtes de Salim.

— Tu leur paies un prof pour qu'ils apprennent leur propre langue, grand frère, dit-il à Salim en arabe.

Le niveau d'apprentissage de Jude était largement supérieur à celui de ses enfants. Elle était capable de comprendre bien plus que ce dont Salim pouvait se douter.

— Et toi, intervint Marc, est-ce que tu vis dans un camp ?

Rafan secoua la tête.

— Non, parce que j'ai eu la chance d'avoir un passeport libanais. Mais j'ai pas mal d'amis qui y ont vécu. Dans le camp de Chatila, beaucoup d'entre eux essayaient d'offrir une vie meilleure au peuple palestinien.

Ses yeux verts cherchèrent ceux de Jude et les fixèrent.

— Ils essayaient de récupérer les terres qui étaient à nous avant qu'on nous les vole.

— Les Juifs étaient en Israël il y a des milliers d'années. Ils ont toujours été là, dit Marc nonchalamment. Cela ne fait-il pas d'Israël la terre des Juifs autant que la vôtre ?

Rafan se tourna lentement vers Marc et lui adressa un sourire félin.

— Eh bien, c'est ce qu'ils disent, Marc. C'est ce que les Juifs diraient. Mais ils ont quitté le pays il y a très longtemps. Et si tu abandonnes quelque chose de précieux et que quelqu'un d'autre vient s'en occuper, disons, pendant deux mille ans, est-ce que tu as le droit de revenir et de le reprendre, comme ça ?

Marc ouvrit la bouche pour répondre, mais quand il vit le visage effrayé de sa mère, il la referma.

Salim, incrédule, se pencha vers son fils.

— D'où sors-tu ça, Marc ?

Rafan fit taire son frère d'une petite tape sur le bras et continua.

— Donc mes amis, dans le camp, protégeaient leurs frères libanais de la guerre civile. Les Israéliens, eux, savaient que les Palestiniens les plus courageux vivaient là-bas. Et ils ont décidé de se débarrasser d'eux une bonne fois pour toutes. Alors ils sont allés au Liban avec leurs armées. Et ils ont fait un marché avec les chrétiens.

Il s'interrompit pour avaler un morceau de viande. Les enfants, captivés, avaient reposé leurs couverts.

— Un matin, il y a quelques jours, les Israéliens et les chrétiens ont conduit leurs tanks en bordure du camp, où les enfants et les femmes étaient encore endormis. Les Israéliens ont monté la garde à l'extérieur, pendant que les phalangistes sont entrés avec des armes à feu et des couteaux.

Rafan saisit son couteau et fit lentement glisser la lame en travers de sa gorge, à un millimètre de la peau. Jude avait la bouche trop sèche pour pouvoir déglutir.

Rafan continua :

— Quand ils ont fini, des milliers de gens étaient morts, y compris les petits bébés et les vieillards. On pouvait entendre les hurlements jusqu'à l'autre bout de la ville.

Il prit une copieuse bouchée d'agneau et mâcha.

Les joues de Marc étaient écarlates.

— Ça ne peut pas être vrai ! dit-il, et sa voix juvénile était brisée par le chagrin.

C'est ma faute, songea Jude. *Je lui ai toujours donné les deux versions de l'histoire, je lui ai dit de ne pas juger. Il ne veut pas croire que l'un de nous soit un monstre.*

— Si, mon petit gars. Tu n'y peux rien, mais c'est la vérité. J'y suis allé, plus tard, j'ai vu ce qu'il s'était passé. Et j'ai pensé que si ça pouvait arriver à mes amis, ça pouvait aussi m'arriver à moi. Alors j'ai décidé de venir passer un peu de temps ici, pour voir mon cher frère et faire la connaissance de ma famille anglaise.

Cette fois, il fit un sourire à Jude, qui fut incapable de le lui rendre. Elle avait entendu parler du massacre des Palestiniens au Liban mais l'avait refoulé de son esprit. Et aujourd'hui, c'était là, dans sa cuisine, pointant un doigt ensanglanté vers elle, Dora, Max et Rebecca – vers tous ceux qu'elle aimait. Si cette histoire était vraie, ils avaient tous les mains couvertes de sang, tous sans exception.

La tablée demeura silencieuse, jusqu'à ce que Salim prenne la parole.

— Rafan restera chez nous aussi longtemps qu'il le souhaite. Il pourra s'installer dans la chambre d'amis. Ma femme va te la préparer, dit-il à son frère.

Ce dernier se tourna vers Jude et hocha la tête pour lui signifier sa gratitude.

— Bien sûr, avec plaisir, répondit-elle en esquissant un sourire contraint.

Au fond d'elle-même, elle entendait résonner le fracas des tambours et le grondement lointain d'un ennemi en marche.

Elle n'alla pas travailler le lendemain matin et conduisit Rafan au marché local pour qu'il s'achète des vêtements. N'étant arrivé qu'avec un unique sac, il avait besoin de se refaire un stock. Il avait un contact, expliqua-t-il à Jude, et il lui demanda sur un ton de galanterie excessive si elle accepterait de l'accompagner.

Dans la voiture, elle ne savait pas comment aborder la conversation. Toute la nuit, elle avait rêvé d'enfants qui hurlaient et la poursuivaient dans un dédale de rues étroites et écarlates. Ce matin-là, la chaleur automnale était oppressante et son visage était baigné de sueur. Son cœur saignait pour les victimes et, tant que la roue de la vengeance continuerait de tourner, pour ceux qui allaient mourir à leur tour.

— Je suis vraiment désolée pour ce qu'il s'est passé, finit-elle par dire. Je n'arrive pas à croire qu'on puisse être si cruel.

Il se tourna vers elle, visiblement étonné.

— Mais pourquoi serais-tu désolée, ma sœur ? Tu n'as tué personne.

— Tu comprends ce que je veux dire.

Le sourire de Rafan éclaira son visage. Ses yeux verts étaient dissimulés derrière des lunettes de soleil et son tee-shirt moulait son corps sec et nerveux.

— Oui, je comprends, chère Jude.

Rafan observa les rues de la banlieue de Koweït City défiler par la vitre et, sur les bas-côtés, les fleurs paysagères qui se fanaient sous le chaud soleil du matin.

— Je dois dire que tu es une femme très courageuse.

— Courageuse ? répondit Jude, surprise. Pourquoi ?

Il retira ses lunettes et se tourna vers elle. Son regard lui fit l'effet d'aiguillons brûlants qui lui picotaient la peau.

— J'admire ta volonté de continuer à lutter pour un combat perdu d'avance. Tout le monde peut s'en rendre compte. Même tes enfants. Regarde, Marc, il essaie de se battre pour toi. Et tu le laisses faire.

— Que veux-tu dire ? demanda-t-elle, et, choquée, elle faillit lâcher le volant. Je ne veux voir personne se battre. C'est pour ça que…

Elle s'interrompit pour réfléchir.

— Sal et moi avons toujours su que ce serait difficile. Mais tout ce qu'on veut, c'est que nos enfants soient heureux, qu'ils ne sentent pas de pression, qu'ils ne soient pas forcés de choisir.

Elle se souvint de la réaction de Marc pendant le dîner, sa manière innocente d'avoir pris sa défense. Elle n'avait pas cherché à l'influencer, mais depuis que Salim insistait pour qu'ils regardent les informations tous les soirs, elle était effrayée de voir tout ce qu'il y apprenait. Alors que Sophie filait dans sa chambre pour lire, Marc, lui, restait devant l'écran où son jeune esprit s'imprégnait d'images incessantes de violence et de fureur.

— Tu rêves, ma sœur, dit Rafan. Tu ne peux pas vivre dans deux mondes. Je le sais, j'ai essayé. Je suis à la fois palestinien et libanais. Tu es à la fois la femme de Salim et une Juive. Sincèrement, je n'ai rien contre les Juifs. Je te dis ça uniquement pour ton bien… Là, c'est là, sur la gauche.

Il descendit la vitre et indiqua un endroit sur le côté de la route. Jude se gara devant un magasin qui semblait vendre davantage de l'or que des vêtements.

— Cinq minutes, promis, dit Rafan en sortant de la voiture.

Pendant qu'elle patientait, Jude posa la tête sur son bras. À l'extérieur, dans la rue animée, un homme rassemblait ses chèvres au milieu des voitures qui vrombissaient.

Elle avait épousé Salim, persuadée qu'ils arriveraient à construire leur propre foyer. Et chaque pierre à l'édifice avait été un acte de courage : Jude avait affronté la furie de Dora, Salim avait défié la réprobation de la communauté arabe. Mais Rafan avait raison : quelque chose avait changé. Au cours des années, la « trahison » que Salim avait cru vivre à son travail l'avait peu à peu détruit – elle avait fait ressurgir toutes celles de son passé, et la peur d'être lui-même un traître envers son propre héritage n'avait cessé de le ronger. Puis il y avait eu toutes les terribles nuits passées devant la télévision à regarder leurs deux peuples se massacrer entre eux. Les portes de leur maison s'étaient lentement ouvertes au monde extérieur, laissant pénétrer de dangereux fantômes : ceux de la perte et de la déception.

Lorsque Rafan revint dans la voiture les mains vides, elle lui demanda, étonnée :

— Où sont tes vêtements ?

— Ne t'inquiète pas. On va me les livrer dans quelques jours. J'ai des exigences très spécifiques.

Il lui fit un clin d'œil et elle sourit malgré elle.

— Pourquoi es-tu si certain que ce que Salim et moi partageons est voué à l'échec ? demanda-t-elle tandis qu'ils rentraient chez eux. Ce n'est pas ce que tout le monde veut ? La paix, le bonheur, la fin de la violence ?

Rafan secoua la tête.

— Vous êtes si naïfs, vous, les Anglais. Qui veut la paix ? Écoute-moi bien. Le but de la guerre, c'est de continuer le combat. Une fois qu'on a gagné, on a moins d'argent et plus de responsabilités. C'est ce que les Juifs sont en train de découvrir, conclut-il en riant.

— Je ne te crois pas, répliqua Jude. La nuit dernière, tu nous as raconté que tu avais échappé à un massacre. Qui peut vouloir d'autres effusions de sang comme celle-là ?

Rafan remit ses lunettes.

— La paix peut sembler bien douce, ma chère Jude. Mais d'autres choses le seront toujours davantage. C'est pour ça que je t'admire. Quand tu choisis la paix, tu choisis le camp des vaincus.

Les habits de Rafan, rangés dans plusieurs sacs noirs, furent livrés deux semaines plus tard par un homme au visage étroit, au volant d'un pick-up.

Salim l'aida à transporter les sacs dans les quartiers inhabités des domestiques, à l'arrière de la villa. Tandis que Jude les observait du seuil de la porte, elle sentit des picotements envahir tout son corps.

Peu après, Rafan débarqua dans la cuisine d'un pas nonchalant, un sourire satisfait sur le visage. Il pinça la joue de Sophie, se servit un verre d'eau filtrée, bâilla et déclara qu'il avait besoin de faire une sieste.

— La journée a été longue, ma belle.

Enfin, il disparut dans l'obscurité de sa chambre.

Salim les informa qu'il partait acheter des bidons et de la levure. Rafan l'avait motivé à bloc pour fabriquer son propre vin dans leur remise.

— Je n'arrive pas à croire que tu laisses ces fornicateurs de Bédouins décider de ce que tu bois, avait-il dit d'un ton moqueur.

Lorsque Jude fit signe à son mari qui s'éloignait au volant de sa voiture, le chant du muezzin s'éleva au loin. Autrefois, elle avait détesté ce son qui la renvoyait douloureusement à sa solitude. Mais avec le temps, sa perception avait évolué. À présent, la tristesse du chant faisait écho à des choses familières et à ses propres pertes. Le passage entre la haine et l'amour avait été si subtil qu'elle aurait été incapable de dire à quel moment elle l'avait franchi.

Sophie vint se mettre à ses côtés.

— Il a l'air fâché, aujourd'hui, tu ne trouves pas ?

À douze ans, sa fille était presque aussi grande qu'elle. Jude contempla sa silhouette élancée dont l'ombre se découpait dans le crépuscule.

— Qui ? Ton père ?

Salim s'était montré à cran depuis le matin ; le trajet au supermarché était sûrement une ruse de plus pour les éviter.

— Non. Le muezzin.

Elle passa les doigts dans sa longue chevelure, une habitude qu'elle avait depuis l'enfance.

— Qu'est-ce qui te tracasse, ma puce ? demanda Jude.

Sophie frotta le sol du bout de son pied.

— Rien. C'est juste que… Oncle Rafan… Tu l'aimes bien ?

La poitrine de Jude se serra.

— Pourquoi ? Il t'a dit quelque chose ?

— Non. Il est sympa. Il est drôle. Je veux dire…

Le regard songeur de Sophie se perdit dans le désert.

— Il ressemble à papa, mais il n'est pas du tout comme lui.

Jude attira sa fille contre elle et sentit la douceur de sa peau.

— Je pourrais dire la même chose de toi et de papa, répondit-elle.

Le teint brun de Sophie était le même que celui de son père. Elle lui ressemblait physiquement mais seul Marc avait hérité de sa nature fiévreuse et tourmentée. Pour Jude, Sophie évoquait les couleurs de la terre fraîche et des lacs sombres, ainsi que les pins robustes de Rebecca.

Sophie s'appuya contre l'épaule de sa mère.

— Papa est malheureux depuis l'arrivée d'oncle Rafan, dit-elle.

Tellement intuitive, ma fille. Le trouble de Salim avait été évident ce matin-là, lorsqu'il avait chargé les sacs de Rafan sur son dos avec un geste de défi.

Soudain, Sophie serra le bras de sa mère.

— Hé, c'est vendredi soir, tu sais.

— Tu veux qu'on allume les bougies ?

— Si tu veux. Papa est parti pour un bout de temps.

— Appelle Marc, alors, dit Jude, éprouvant un familier mélange de culpabilité et de plaisir. Je vous retrouve à l'intérieur.

Jude alla chercher la ménorah dans le tiroir du dressing. Lorsqu'elle avait montré à ses enfants comment prier, allumer les bougies de sabbat et celles de Hanoukkah, elle avait prévu de ne le faire qu'une seule fois. *Je dois transmettre ce savoir*, avait-elle songé. Mais le rituel leur avait plu. Et ces prières chuchotées à la secrète lueur des bougies, au moment où le chant du muezzin s'élevait au-dehors, l'avaient bien plus émue que les grandes fêtes pleines d'éclat de son enfance.

Mais ce soir-là, elle eut du mal à prier. À la lumière de l'allumette qu'elle gratta, elle put voir que ses enfants étaient distraits. Les yeux de Marc semblaient captivés par un point sur le plafond. Jude eut envie de le ramener à la réalité. *Parfois, il réagit comme son père.* Mais même Sophie semblait pensive, l'esprit ailleurs.

Quand Jude eut fini de chanter, elle retira les mains de son visage.

— L'histoire sur cet endroit, au Liban…, commença aussitôt sa fille. Là où oncle Rafan a dit que les Juifs ont aidé au meurtre de tous ces gens… C'est vrai, tu sais. J'en ai entendu parler, à l'école. Ils l'ont vraiment fait.

Marc regarda Jude et elle sentit la morsure douloureuse de la honte.

— Je sais.

La gorge serrée, elle devina que Sophie l'observait, ainsi que Marc, qu'ils attendaient une explication. Mais il n'y en avait aucune à donner.

— Pas étonnant qu'il les déteste, murmura Sophie à son frère.

Qu'il nous déteste, eut envie de dire Jude.

Soudain, dans la demi-pénombre, sa nuque se hérissa : elle eut l'impression que des yeux hostiles les fixaient, qu'un témoin invisible jugeait chacune de leurs paroles.

— Qu'est-ce que ton frère fait vraiment ici ? demanda-t-elle à Salim plus tard, lorsqu'ils furent étendus dans leur lit.

— Il se cache des assassins israéliens, répondit-il, puis il roula sur le côté et fit semblant de s'endormir.

Plongée dans l'obscurité moite de la chambre, Jude resta allongée à écouter le rythme irrégulier de la respiration de Salim et à tenter de calmer le bourdonnement de ses pensées.

Le lendemain matin, Jude emmena Marc à sa répétition. Il l'attendait dans la voiture, vêtu de son long justaucorps bleu qu'il allait porter sur scène un mois plus tard. Deux ailes en métal étaient étendues sur le siège à côté de lui. Lorsqu'elle ouvrit la portière, il lui adressa son sourire le plus joyeux.

— Allez, maman, une star ne doit pas être en retard.

— Qui a dit que tu étais une star, petit filou ? dit-elle tandis qu'une bouffée d'amour lui réchauffait le cœur.

Elle tendit la main pour lui caresser la joue.

— M. Trevellian, répondit-il avec sérieux. Je suis le meilleur, même parmi ceux de la classe au-dessus. Il dit que je suis fort et souple. C'est pour ça qu'ils m'ont donné le rôle de Puck, alors que les garçons plus âgés le voulaient.

— Je sais, mon chéri. Je suis très fière de toi.

Après le désastre du petit citronnier, des années auparavant, le goût de Marc pour la vie s'était réduit à un intérêt maussade. Pendant un temps, Jude avait craint que son enfant si étrange et fragile ne s'en remette pas.

Ce fut la représentation du *Songe d'une nuit d'été*, mis en scène par la Société théâtrale de l'école, qui le sauva. Il put y découvrir de jeunes danseurs, un Puck bondissant et un âne qui parlait. Marc était resté assis dans un silence subjugué pendant deux heures et il avait fallu l'arracher de son siège après que la lumière fut revenue. Le jour suivant, à l'école primaire, il était allé voir le professeur pour lui demander de l'engager dans le spectacle suivant. Jude avait reçu un appel chaleureux pour lui expliquer qu'aucun enfant de moins de douze ans n'était autorisé à jouer. Mais après que Marc eut manifesté sa profonde déception et intégré le concept de l'attente, il avait eu de nouveau un but dans la vie. Pendant six ans, après les cours, alors que Sophie passait son temps au café Brownies, Marc, bien décidé à saisir sa chance, avait fait subir à son corps d'incessants entraînements de gymnastique et de danse.

Et enfin, le jour était arrivé. La Société avait pris la décision inespérée de remettre en scène *Le Songe d'une nuit d'été* pour le spectacle d'octobre 1982, après le douzième anniversaire de Marc. Il allait pouvoir jouer Puck sur scène cette année-là. *Mon fils est sur le point de découvrir ce que c'est de réaliser son rêve.*

Ils se garèrent devant l'école de danse, un long bâtiment blanchi à la chaux entouré de vieux palmiers abreuvés par un puits profond. Curieusement, Jude se sentait toujours apaisée à l'ombre de ces arbres, qui coloraient le monde d'un déferlement verdoyant. Et l'odeur des goûters d'enfants qui flottait dans les couloirs parquetés lui rappelait son collège de Bede et ses premiers pas doux-amers hors de l'enfance. Parents et enfants se pressaient à l'intérieur. Marc disparut rapidement dans la foule et Jude entendit quelqu'un crier son nom. Une femme de haute taille, en sueur, coiffée d'un chignon brun strié de mèches grises s'approcha. Tandis que les enfants couraient en tous sens autour d'elle, elle avançait en tenant deux verres au-dessus de sa tête.

— Hé, miss Jude. Tu veux de la limonade ? Elle est bien fraîche.

Jude prit son verre et sourit. Helen faisait partie des rares épouses d'ambassadeurs américains qui ne jugeaient pas indigne de leur rang de se mêler à ceux qui ne détenaient pas de passeport diplomatique. Sa fille était dans la classe de Jude.

— Je n'ai jamais pu lui faire lire un seul fichu bouquin, et maintenant, elle me récite du Dickens au petit déjeuner, avait-elle dit à Jude lors d'une réunion parents-professeurs. Franchement, je vous embrasserais, mais imaginez un peu le scandale !

Ce jour-là, les yeux d'Helen se plissèrent lorsqu'elle observa Jude, et celle-ci eut un geste de recul devant son regard scrutateur.

— Oh, non, pas de ça, ma chérie. Qu'est-ce qu'il se passe ? Le mari ou l'argent ?

Jude haussa les épaules.

— Ça va. Sal… aussi. Mais son frère a débarqué sans prévenir de Beyrouth pour rester chez nous. Et j'ai comme l'impression qu'il a de gros ennuis.

— De quel genre ?

— Je ne sais pas vraiment.

Jude sentit soudain le besoin de parler, d'exprimer tous les doutes qui la taraudaient. Face à elle, Helen la scrutait avec attention.

— Il vient de Beyrouth, je pense qu'il est impliqué dans la guerre d'une façon ou d'une autre. Il est…

Elle s'interrompit brusquement et ravala ses paroles. Le mari d'Helen était le chargé d'affaires de l'ambassade.

— Regarde-le, avait chuchoté Salim la première fois qu'ils l'avaient rencontré à leur club. Il est bien trop vieux pour ce poste. Il est de la CIA, c'est certain.

Helen sirotait sa boisson.

— Divin, fit-elle.

Jude prit une gorgée. La fausse douceur du citron laissa un goût étrange dans sa bouche.

— C'est le problème avec les Arabes, ma chérie, poursuivit Helen en s'essuyant le front. La famille par-ci, la famille par-là. On ne peut jamais y échapper. Si je devais vivre avec la mienne, je t'assure, je deviendrais dingue. Enfin, encore plus dingue. Sans vouloir manquer de respect à ton mari, pourquoi tu ne lui dis pas que tu trouves cette situation intolérable ?

Si c'était aussi simple.

— Je vais lui parler, répondit Jude en posant son verre sur la table. Je vais le faire. Mais je veux juste trouver les bons mots. Sal se conduit comme s'il devait quelque chose à son frère. Mais je sais bien que pour lui, nous passons en premier.

— Demande, si tu as besoin d'un coup de main. On est plutôt bons pour se débarrasser des indésirables, tu sais.

Soudain, Marc surgit, essoufflé et écarlate.

— Maman !

— Qu'est-ce qu'il y a ?

— J'ai oublié un de mes chaussons sur mon lit.

— Tu ne peux pas danser pieds nus, aujourd'hui ?

— Hors de question, dit Marc d'une voix affligée. Le sol est très inégal, il y a des endroits qui collent, d'autres qui glissent. Il faut qu'on retourne à la maison.

— Oh ! bon sang, s'exclama Jude, fâchée et amusée à la fois, j'organiserai une fête le jour où tu seras capable de te débrouiller tout seul. Va répéter, je vais chercher ton chausson. Allez, va !

Elle prit la main de son amie.

— On se parle plus tard, Helen. Merci pour cette conversation.

— Quand tu veux, ma chérie. Souviens-toi de ce que je t'ai dit.

Jude emprunta la route en terre, moins facile en voiture mais plus rapide. Elle laissa le moteur tourner devant le portail et se précipita dans la maison par la porte de la cuisine puis entra dans la chambre de Marc. Le chausson de danse était là, posé sur l'oreiller comme une souris morte. Elle le glissa dans la poche arrière de son pantalon et se dirigea vers la porte d'entrée. C'est à cet instant qu'elle entendit Rafan dans le salon. Il prononça le nom de *Jude.*

Elle s'arrêta net et retint sa respiration. *Est-ce qu'il me parlait ?* Mais elle entendit Salim lui répondre. Elle s'approcha tout doucement pour écouter.

— Jude déteste autant que moi ce qu'il s'est passé à Chatila. Autant que toi. Elle ne dirait rien d'autre aux enfants, expliqua son mari.

Rafan prit la parole.

— Tu es aveugle, et elle aussi. Qu'est-ce que vous savez de Chatila, de toute façon, vous deux ? Ils ont maintenu la garde devant le camp jusqu'à ce que même les enfants aient tous été assassinés. Est-ce que tu connais l'odeur que dégagent trois mille cadavres, Salim ?

Il y eut un bref instant de silence, et Jude imagina ce qui traversa l'esprit de Salim : la vision des corps de Sophie et de Marc, étendus sanglants sur le sol, tandis qu'un homme au cœur de pierre, avec une étoile de David et un fusil, leur tournait le dos et empêchait le reste du monde d'entrer.

— Je ne comprends pas ce que tu veux de moi, dit Salim, passant de nouveau à l'anglais. J'ai une famille, maintenant. J'ai des enfants. Je ne peux pas aller au Liban, même si je le voulais.

— Il est inutile d'aller là-bas. On peut faire des tas de choses où qu'on soit. Même ici.

Rafan avait utilisé le mot *mumkin*, qui signifiait « tout est possible ».

— Où crois-tu que nos frères trouvent l'argent ?

Elle entendit un autre bruit, un cliquetis métallique, et Salim s'exclama violemment :

— Où as-tu trouvé ça ?

— Dans ta chambre, grand frère. C'est à elle. Elle

l'allume quand tu n'es pas là, pour prier en hébreu avec les enfants. Sophie me l'a dit par inadvertance.

Un frisson glacial la saisit tout entière et son cœur se figea. *Ma ménorah ?* Tandis qu'elle cherchait à comprendre comment et quand il l'avait trouvée, elle se souvint : lors de la dernière nuit du sabbat, avec Sophie et Marc, elle avait eu l'impression d'être espionnée.

Le bruit d'une chaise la poussa à fuir. Elle fit demi-tour sur le tapis épais et marcha sur la pointe des pieds aussi vite qu'elle le put jusqu'à la cuisine. Là, elle courut rejoindre sa voiture toujours en marche. Elle claqua la portière et lança le véhicule, faisant voler la poussière jusqu'à ce qu'elle ait tourné au coin de la rue. *Je suis en train de fuir comme un rat.* Elle se remémora la lettre de Rebecca : sa grand-mère et les siens, effrayés par les haches, cachés dans la cave comme des rats, avaient perdu ce jour-là leur dignité. Elle appuya à toute force sur le frein et s'arrêta. *Qu'ai-je fait de mon courage ?* Jude posa la tête sur le volant et pleura.

Ce soir-là, au dîner, l'orage éclata. *Je n'ai rien fait de mal*, se répétait Jude. *Je ne me cacherai pas.*

Rafan vint s'asseoir à table, aussi cruellement amical qu'à l'accoutumée. Elle le haïssait, pour son insolence, son cynisme, sa nuisible hypocrisie. Et le pire, c'est que Jude ne pouvait échapper au sentiment écœurant qu'elle était en partie responsable de ce qu'il était. Les Juifs avaient participé à la création de cette âme noire qui planait dans sa cuisine, portée par les ailes d'un massacre sanglant.

Salim les rejoignit tardivement. Ses yeux étaient

tristes et cernés. Ils mangèrent en silence jusqu'à ce que Marc s'adresse à Jude.

— M. Trevellian m'a dit qu'il y avait de très bonnes écoles de danse, en Angleterre. Je pourrai y aller, l'année prochaine ? Il a dit qu'il allait vous en parler.

Jude se tourna vers Salim.

— Alors comme ça, tu veux aller vivre en Angleterre, Marc ? dit-il calmement.

Ce dernier hocha la tête, trop excité pour être méfiant.

— Je veux être danseur professionnel.

— Formidable, mon petit gars ! s'exclama Rafan en riant. Toi, tu n'as pas peur de dire ce que tu veux.

— C'est ta mère qui t'a mis cette idée dans la tête ? demanda Salim. Je sais qu'elle adore danser.

Ses yeux étaient humides, mais son visage crispé en un rictus qu'ils avaient tous appris à craindre : la tension du volcan avant l'éruption.

Marc, alerté par le ton de sa voix, se tut un instant. Puis, avec audace, il lança :

— Eh bien, pourquoi pas ? On ne va pas vivre ici indéfiniment.

Salim écarquilla les yeux.

— Ah bon ? C'est ce dont vous parlez, quand vous récitez vos prières juives ? Comment partir d'ici, quitter votre peuple, et aussi votre père ?

Jude chercha son regard, et le bleu provocateur fit face au noir profond.

— Tu sais que c'est faux. Comment peux-tu seulement penser une chose pareille ?

— Comment ? fit-il, tandis que son visage devenait cramoisi. Je t'ai demandé de donner des leçons d'arabe aux enfants. Aujourd'hui, ils ont douze ans, ils sont presque adultes, et ils peuvent à peine prononcer un mot. Tu leur bourres le crâne avec des histoires sur l'Angleterre, alors que leur foyer est ici. Et tu leur apprends des prières juives ? À mes enfants, qui portent mon nom ?

Sa voix s'étrangla. Malgré le trouble causé par ses propres émotions, Jude vit son mari lutter contre le poids du chagrin.

Marc était bouche bée. Jude essaya de parler mais Sophie se dépêcha d'intervenir.

— C'est moi qui ai demandé qu'on allume les bougies, papa. C'était juste pour s'amuser.

Jude fut émerveillée par le courage de sa fille. Elle n'avait pas peur d'affronter la colère, elle était comme un océan qui aurait apaisé une tempête.

— Toi ? s'exclama Salim, incrédule. Je ne te crois pas, Sophie. Qu'est-ce qu'il y a d'amusant ? Qu'est-ce qui t'est passé par la tête ?

— Laisse-la tranquille ! hurla Marc en sautant sur ses pieds. Ça ne s'est pas passé comme ça. Ce n'est pas uniquement *ta* vision à toi.

— Non, Marc, intervint Jude en le retenant. J'aurais dû t'en parler, Sal. Mais ils ont aussi le droit d'apprendre des choses sur ma culture.

— Pas si ça les monte contre moi, répliqua-t-il. Pas s'ils deviennent plus des Juifs que des Arabes. Tu en as fait des étrangers, des sionistes, comme toi.

— Pourquoi tu es tout le temps aussi horrible ? cria Marc. C'est toi qui nous montes contre toi. Tu t'en fiches, de nous, tu te fiches de tout, sauf de tes stupides cours d'arabe !

Jude hoqueta lorsque Salim se leva et frappa Marc au visage. Une zébrure rouge apparut sur la peau blanche.

L'enfant, choqué, posa la main sur sa joue. Jude vit Sophie imiter son geste, tel un écho à la souffrance de son frère.

— Je te hais, lança Marc.

Puis il sortit en courant de la cuisine et claqua la porte de sa chambre.

— Plus de cours de danse, déclara Salim en pointant Jude du doigt. Il lui faut une bonne leçon.

Les deux frères quittèrent la pièce à leur tour. Elle les observa par la fenêtre tandis qu'ils transportaient les volumineux sacs noirs de Rafan pour les charger dans le coffre de la voiture familiale. Enfin, sans un mot d'explication, ils firent démarrer la voiture qui quitta l'allée en crissant.

Elle laissa Sophie s'occuper de la vaisselle et retrouva Marc dans sa chambre en train de faire le poirier. Le mur était encore couvert de posters représentant Mowgli, le petit orphelin qui avait appris à sauter comme un singe et à chasser comme un tigre.

Son visage était violacé. Elle distingua quelques larmes presque sèches sur son front.

— Pour lui, je ne suis qu'un bon à rien, dit-il d'une voix rauque. Il me hait et je le hais.

— C'est ce que tu crois, répondit-elle. L'amour et la haine sont des sentiments qui se ressemblent.

Marc lui lança un regard dubitatif. Il fit tomber ses jambes au sol et s'assit.

— Il ne me pose plus jamais de questions, il ne

m'adresse la parole que pour me dire que je ne fais pas assez bien quelque chose.

— Ton père a eu une vie très difficile. Beaucoup de gens l'ont laissé tomber. Il a tort de se conduire comme il le fait, mais ça ne veut pas dire que tu dois le haïr pour autant.

Marc n'avait pas l'air convaincu, aussi le saisit-elle par le menton.

— Vous êtes pareils, tous les deux. Vous ne voyez que votre côté des choses. Quand il reviendra, je vais lui parler.

Les yeux bleu pâle de Marc s'emplirent de larmes. Jude eut mal pour lui, pour toute cette frustration qu'il éprouvait. Il acquiesça lentement.

Après avoir quitté sa chambre, elle alla décrocher le téléphone et composa le numéro de Tony. Ils se parlaient rarement, car c'était coûteux et les lignes étaient mauvaises. La dernière fois qu'elle l'avait vu, l'été précédent, lors de vacances en Angleterre, sa femme était enceinte de leur troisième enfant, et Tony avait hérité d'un bon ventre et d'un titre d'associé dans le cabinet d'avocats de son père.

— C'est de la folie, dit-il après qu'elle lui eut fait part de ses inquiétudes. Il faut que tu rentres à la maison, maintenant. Ce Rafan fait sûrement partie de l'OLP ou d'une organisation du même genre. Rappelle-toi Munich, les athlètes israéliens. Ces fous furieux ne savent pas distinguer les innocents des coupables.

Pour leur voyage de noces, Tony et sa femme étaient partis à Munich afin d'assister aux jeux Olympiques. Alors que les images des onze sportifs assassinés défilaient sur les écrans de télévision du monde entier, ils étaient rentrés chez eux ventre à terre avec leurs billets non utilisés.

— Sal n'acceptera jamais de quitter le Koweït maintenant, dit-elle. C'est son frère, et il a vécu des choses qu'on ne peut même pas imaginer, Tony. Mais j'ai besoin de commencer à préparer l'avenir.

— Que veux-tu dire ?

En bruit de fond, Jude entendait les enfants de Tony qui bavardaient.

— Je voudrais que tu te renseignes sur les écoles, de bonnes écoles pour les jumeaux. Il faudrait trouver un établissement qui soit prêt à les prendre après le début de l'année scolaire. Si je peux convaincre Sal que ce serait mieux pour eux, il pourrait peut-être l'envisager.

— Je ferais n'importe quoi pour toi, *bubbellah*, tu le sais, dit Tony d'un air sincère. Mais honnêtement, ça m'inquiète de te voir obligée de tout faire en secret. La Jude que j'ai connue se serait défendue haut et fort. Rappelle-toi l'incident des *knedlach* !

Jude rit, mais une partie d'elle-même avait envie de pleurer.

— S'il te plaît, dis-moi très vite, Tony, l'implora-t-elle.

Quand il raccrocha, Jude écouta la tonalité pendant quelques secondes avant d'avoir le courage de poser l'appareil à son tour.

Lorsqu'elle alluma dans la chambre de Rafan, la pièce était aussi vide qu'un tombeau ouvert. Il ne restait que quelques traces sur le sol, là où les sacs noirs avaient été posés.

Au retour des deux hommes, une lumière rose pointait au-dessus du terrain vague et s'étirait vers la maison. Jude, étendue sur le canapé du salon, les entendit monter les marches jusqu'à la porte d'entrée.

— Nos amis irakiens récupéreront l'argent à la frontière ce soir, disait Rafan. Demain matin, il sera en Syrie. Les Américains sont toujours vigilants. Du coup, on se retrouve chaque fois à un endroit différent. C'est le cheikh qui organise tout.

Une clé tourna dans la serrure.

— Tu comptes faire ça encore combien de fois ? demanda Salim en arabe.

Son frère lui répondit par des paroles indistinctes. Jude crut entendre *ma baraf* – qui sait ?

Ils passèrent devant elle et Rafan entra dans sa chambre. Quand la porte se referma, elle sortit de la pièce et appela doucement :

— Salim.

Le nom lui laissa comme un goût étrange lorsqu'elle le prononça. L'espace d'un instant, elle regretta de ne pas l'avoir appelé ainsi auparavant. Il sortit de leur chambre, et sa silhouette sombre se découpa dans l'encadrement de la porte.

— Qu'est-ce que tu fais encore debout ?

Il avait un air coupable, comme un garçon ayant fait une blague qui aurait mal tourné.

— Je n'arrivais pas à dormir, répondit-elle. Où étais-tu ? J'étais inquiète.

— Nulle part. Ne sois pas stupide, j'aidais juste mon frère à faire une livraison. Ce n'est rien.

Mais ses traits étaient tirés et son regard fuyant. Elle entendit le mensonge dans sa voix.

— Une livraison.

Jude sentait sa colère bouillonner, mais elle la contint. *Ce n'est pas de cette façon que je peux l'atteindre.*

— Des sacs d'argent qui quittent notre maison en pleine nuit, là où dorment nos enfants. Et pour acheter quoi, Sal ?

Il ne répondit pas.

— Tu le sais, n'est-ce pas ? Des armes pour tuer d'autres enfants, dans d'autres maisons. C'est ça que tu veux ?

Il secoua la tête.

— Jude, tu te trompes. Rafan fait de la politique, c'est tout. On aide les réfugiés.

Il avait parlé sur un ton de défi, mais il passa la main sur ses yeux d'un geste las.

— Tu ne peux pas faire ça, lui dit-elle, s'armant de tout son courage. Je sais que c'est ton frère et que, quelle qu'en soit la raison, tu l'aimes. Mais si tu pars dans cette voie, tu nous abandonnes.

Il se figea un instant avant de répondre.

— C'est moi qu'on a abandonné, Jude. D'abord, ma maison. Ensuite, ma mère. Et après, la récompense qu'on m'avait promise ici, pour mon travail. Les gens de ma famille pensent que je suis un traître. Maintenant, mon fils me dit qu'il me hait et qu'il préférerait apprendre une prière juive qu'un salut en arabe. Alors en quoi ce que je fais peut bien t'intéresser ?

Jude posa la paume de Salim entre ses seins, dans le sillon où il avait tant de fois appuyé sa tête et déposé des baisers.

— Tu te souviens du jour où tu m'as demandée en

mariage ? demanda-t-elle, le cœur battant. Tu n'avais même pas défait tes valises. Tu as pris ma main et tu m'as promis que tu m'achèterais une alliance dès le lendemain. Que nous serions heureux, qu'on vivrait à notre façon. Et tu as tenu toutes tes promesses. Jusqu'à aujourd'hui.

Le visage de Salim était blanc et défait, ses yeux brillants.

— Je sais ce que je t'ai promis, commença-t-il d'une voix altérée par le chagrin. Mais c'est devenu trop dur. Tu peux faire comme s'il n'y avait pas de guerre, si tu veux, mais elle est partout autour de nous. Et regarde ce que je suis devenu, pendant que je m'aveuglais en poursuivant mes grands rêves. Je ne suis pas un Anglais, mais je ne suis pas un vrai Arabe non plus. Toi aussi, tu as changé. Avant, tu me comprenais sans que j'aie besoin de parler. Et maintenant, regarde-nous.

— Je t'aime toujours autant, répondit-elle, mais ses mots semblaient emplis de lassitude. Nous n'étions que des enfants, alors. Si provocateurs, comme Marc. Aujourd'hui… nous avons mûri.

— Tu l'as entendu. Il préférerait ne pas être mon fils.

— Marc est un enfant, répliqua-t-elle, au bord de l'épuisement. Il est comme ton ombre. Il a éperdument besoin de toi. S'il te plaît, demande à Rafan de partir. Si tu veux te battre pour quelque chose, bats-toi pour nous. C'est un combat que tu peux gagner, Sal.

Le cœur de Jude cognait dans sa poitrine.

— Je parlerai à Marc, répondit-il. Dieu sait que mon père ne l'a jamais fait.

Il avait les larmes aux yeux et elle devina ses pensées. *Pourquoi l'histoire ne répète que les peines et non pas les joies ?*

— Il veut aussi que tu t'intéresses à ce qui est important pour lui. Son spectacle, la danse. Il veut pouvoir se dire que tu ne l'estimes pas uniquement pour son nom de famille.

Salim eut un rire amer.

— D'accord, fit-il.

Jude ne sut dire s'il capitulait par amour ou par lassitude.

— Rafan… Je vais m'en occuper. Va te coucher, maintenant.

Elle ouvrit la bouche pour lui répondre, mais il l'en empêcha.

— S'il te plaît, vas-y, et ne t'inquiète pas. Je te rejoins.

Il passa devant elle et, le dos voûté, entra dans la cuisine. Jude se retira à pas lents dans sa chambre, où la photo de l'oranger captait les premiers rayons du matin.

Salim attendit le léger déclic de la porte qui se refermait, indiquant que Jude avait fini de veiller. Il ouvrit le robinet de la cuisine et s'aspergea le visage d'eau tiède. Éclairées par les premières lueurs de l'aube, les gouttes brillèrent au bout de ses doigts.

La fenêtre donnait sur le mur de la résidence. Il était recouvert de vignes desséchées venant de la villa d'à côté qui, à cette heure, semblait endormie. Salim eut soudain un rêve fou : s'il franchissait le mur et allait se coucher dans le paisible foyer des voisins, lui aussi pourrait se réveiller le matin, serein et heureux.

Jude dormait lorsqu'il pénétra dans leur chambre pour prendre la photo de la maison aux Orangers.

Le cadre à la main, il alla voir ses enfants. *Ils devraient avoir chacun leur chambre*, pensa-t-il en ouvrant la porte. Il était temps. Ils étaient presque adultes. *On pourra peindre celle de Marc de la couleur de son choix. On pourra le faire ensemble.*

Leurs têtes dépassaient de sous les couvertures. Les cheveux noirs et blonds recouvraient leurs joues rondes, leurs bouches étaient pincées comme celles des bébés, tandis que les draps se soulevaient au rythme doux de leur respiration. N'étaient-ils pas deux miracles, ces survivants improbables aux grands bouleversements cruels qui avaient séparé tant de gens ?

L'amour balaya sa douleur, comme le courant de retour après le passage d'une vague puissante. Il s'assit près du corps recroquevillé de Marc. Il semblait si petit, sous les couvertures, son expression dénuée de tout défi. Le lit craqua et l'enfant ouvrit les yeux. Ils étaient doux et sombres comme ceux de Salim.

— Qu'est-ce qu'il y a ? demanda-t-il d'une voix rauque.

Il s'assit, serra ses genoux contre lui, et Salim vit ses traits se redessiner, l'expression de méfiance qu'il connaissait si bien réapparaître.

— Rien.

Salim resta à côté de lui, perdu et indécis. Il contempla le visage de son fils, où l'arrogance de l'âge adulte luttait contre l'incertitude de l'enfance.

— Je voulais te parler, dit-il précipitamment avant de pouvoir se rétracter. Pour… pour te dire pardon. De t'avoir giflé. C'était mal.

Marc écarquilla les yeux, et ses mains s'agrippèrent plus fort à ses genoux. Salim attendit qu'il lui réponde. *Aide-moi à faire ça.*

— Tu es tout le temps en colère contre moi.

Marc s'était exprimé d'une voix fluette, celle d'un petit garçon, et Salim sentit sa gorge se nouer, comme étranglée par la culpabilité. Il cligna des yeux pour chasser les larmes de ses cils.

— Je sais, fit-il. C'est l'impression que ça donne. Mais ce n'est pas ta faute. Je veux juste que tu comprennes ton histoire, c'est tout. Ça me blesse quand j'ai l'impression que ça ne t'intéresse pas.

— Mais tu ne parles jamais de rien, répliqua Marc, les yeux humides, lui aussi. Tu ne nous racontes rien. Tu veux juste qu'on soit de ton côté, quoi qu'il arrive. Ce n'est pas juste.

— Je sais, répondit Salim.

Il lui tendit la photo et vit les yeux de son fils s'écarquiller comme ceux du bébé, dans le cadre.

— Il t'arrive de parler de rentrer à la maison. Moi, je voulais te montrer la mienne. Celle qu'on nous a volée quand j'étais un petit garçon, encore plus jeune que toi. C'était un endroit magnifique, tu vois ? La mer se trouve juste derrière, et il y faisait toujours bon. Cet oranger, là, a été planté à ma naissance. Les oranges de Jaffa sont les plus délicieuses du monde.

Salim sentit qu'il avait toute l'attention de son fils.

— J'ai perdu ma maison et je n'ai plus que toi, aujourd'hui. Toi et Sophie. Alors je suppose que j'attends beaucoup de vous. Peut-être trop.

Fasciné, Marc passa ses doigts sur la photo.

— Ça a l'air bien, dit-il.

— Ça l'était.

Le chagrin rattrapa brusquement Salim, sans prévenir.

— Je ne veux pas être un Palestinien ou un Juif, déclara Marc. Sophie et moi, on n'est pas comme ça. On ne veut pas être mêlés à toutes ces guerres. Tu ne nous demandes jamais ce qu'on veut, qui nous voulons être.

— Très bien. Alors qui veux-tu être ?

Marc fit une pause, et son visage était un tel mélange de scepticisme et d'espoir que Salim eut presque envie de rire.

— Un danseur, admit-il. Je suis vraiment, vraiment bon. Tu n'es jamais venu à une seule de mes répétitions, pour mon spectacle. Maman vient la semaine prochaine à la représentation organisée pour les parents, mais je parie que tu n'es même pas au courant.

Je l'étais, mais j'étais trop en colère pour m'y intéresser.

— J'ai dit à ta mère que j'essaierais de venir. Elle et moi, on n'arrive pas à communiquer, c'est tout. Ta mère n'est pas très douée pour ça. Peut-être que moi non plus, d'ailleurs.

— Alors, tu viendras ? C'est deux semaines avant la première, pour voir ce qu'il nous reste à améliorer.

Sophie commençait à remuer dans le lit voisin. Salim leva les yeux vers les rideaux tirés et la lumière blanche qui filtrait à présent au travers.

— Je serai là, c'est promis. On reparlera plus tard. J'y tiens. Vraiment.

Il aperçut l'ombre d'un sourire se dessiner sur le

visage de Marc, une expression de chaleur contrastant avec sa pâleur. Puis le jeune garçon hocha la tête.

— OK. Marché conclu.

Salim se pencha pour embrasser sa joue lisse et respira l'odeur douce-amère du sommeil.

— Un danseur, alors ? dit-il en se levant.

Sophie, assise dans son lit, était en train de s'étirer.

— Exactement, affirma Marc avec une pointe de défi dans la voix.

— Tout ce que tu voudras, répondit Salim. Du moment que tu restes mon fils.

La représentation pour les parents était prévue le mercredi soir. Salim posa l'invitation dans leur chambre à coucher, à côté de la photo de la maison aux Orangers. C'était une carte dorée avec, imprimée, la photo d'un garçon ailé. *Ce truc est absurde*, songea Salim. *Typique des Anglais de l'étranger.* Cet enfant, un esprit inspiré d'un conte de fées, ne représentait pas Marc, mais il en avait l'essence. Ses yeux plongeaient au-delà de Salim, vers un monde merveilleux.

Salim avait solennellement promis qu'il viendrait. Depuis, Marc était transporté d'une joie que ses parents lui avaient rarement connue. Il s'entraînait avec acharnement dans sa chambre après l'école. Sophie était sa fervente assistante ; elle l'encourageait, l'aidait à gagner en assurance et s'occupait de la musique sur son nouveau radiocassette offert par Rafan. Les quatre soirs suivants, Marc mangea avec voracité au dîner. Il décrivit à Rafan les difficultés des mouvements de danse et lui expliqua qu'il était le plus jeune à avoir jamais joué un rôle aussi important.

— L'un des rôles principaux, dit-il entre deux bouchées d'agneau à la cannelle.

Rafan lui tapota le dos et rit.

— Ce petit prendra soin de toi quand tu seras vieille, dit-il à Jude. Il a les yeux dans les étoiles.

Salim observa sa femme sourire poliment, ce demi-sourire qui avait gagné ses yeux et pris possession de son visage au cours des dernières semaines.

La veille du spectacle de Marc, Salim décida de parler à Rafan et d'imposer une date limite à son séjour. Hassan l'approuva ; lorsque Salim l'appela ce matin-là pour lui souhaiter une bonne fête de l'aïd, ce dernier émit un reniflement en apprenant que leur plus jeune frère était encore là.

— *W'Allahi*, tu es plus généreux que moi, Salim, lui dit-il au téléphone. Je vais te donner un conseil gratuit : ce garçon n'apporte que des ennuis, et il ne t'apportera que des ennuis. Pour une fois, ta femme a raison. Demande-lui de faire ses valises.

Quand il raccrocha, Salim remarqua un bout de papier adhésif glissé sous le téléphone. Trois mots se détachèrent. *École en Angleterre.*

Il tira dessus pour le regarder de plus près. Le mot avait été rédigé par Sophie de son écriture soignée : *Maman, oncle Tony a appelé pour les projets d'école en Angleterre. Bonnes nouvelles, rappelle-le vite.* Il sentit sa nuque se hérisser.

Salim se retourna vers la cuisine et aperçut l'éclat de la chevelure blonde de Jude tandis qu'elle mettait la table. *Projets d'école en Angleterre.* De quels projets parlait-elle ? Le poids de l'angoisse lui enserra la poitrine.

— Papa ! appela Marc.

Son fils souhaitait avoir son opinion sur sa chorégraphie. Habité par une joie et une excitation bouillonnantes, il lui attrapa le bras et l'entraîna sur le patio.

— D'après ta mère, tu es parfait, lui dit Salim en souriant. Pourquoi as-tu besoin de mon avis ?

— Maman dit toujours que je suis parfait, répliqua Marc, et il appuya sur la touche « Play » du radiocassette. Mais toi, tu me diras la vérité.

Salim observa son fils bondir dans l'air de la nuit, et son cœur bondit aussi, comme s'il était pris de vertige en volant sans filet. Mais le bout de papier, dans sa poche, était pareil à une pierre l'attirant vers le sol. *Projets d'école en Angleterre. Rappelle-le vite.* Jamais. Jude ne ferait jamais des plans pour leur départ sans lui en parler, elle ne le trahirait jamais de cette façon. Pendant que Marc tournoyait et virevoltait devant lui, il essaya d'imaginer toutes les possibilités sous une forme plus rassurante. Mais il avait la bouche sèche et, finalement, il dut demander à son fils de s'interrompre pour faire une pause.

Il buvait son vin fait maison sur le patio en tentant de ravaler ses craintes, lorsqu'il aperçut Rafan sortir de l'obscurité et venir le rejoindre. Les murmures de la nuit – le chant des grillons, le léger bourdonnement des moustiques – étaient à peine perceptibles. Le silence s'étira entre eux comme un fil métallique. *Je vais m'occuper de Rafan*, avait-il promis. Il ouvrit la bouche, mais les doutes, sur Jude, sur l'amour et la loyauté l'oppressaient.

— J'ai reçu un message, aujourd'hui, dit enfin Rafan.

Salim ne pouvait distinguer que les contours de ses traits, son nez busqué sous son front étroit.

— Des Irakiens.

Ses paroles ramenèrent Salim à la nuit qu'ils avaient passée dans le désert – leur voiture sur une route solitaire, les visages impassibles des hommes déchargeant les sacs de Rafan du coffre, la sueur dégoulinant de son front.

Rafan lui fit face.

— Il faut qu'on fasse un autre voyage jusqu'à la frontière, demain. Ce sera le dernier.

Tandis que son frère poursuivait ses explications, Salim fut envahi par une profonde lassitude.

— Le lieu de rendez-vous est plus éloigné que le précédent. Je pense qu'on en a au moins pour cinq heures de route. Il faudrait partir en tout début de soirée. Dès que tu seras rentré du travail.

— J'ai promis à Marc de l'accompagner, demain soir, répondit Salim.

L'air autour de lui semblait mouvant, comme la course du temps, mais une course où l'avenir aurait été happé par le passé.

— *Ma'alish.* Quelle importance. Il n'est qu'un enfant, tu es un homme. Il y aura plein d'autres occasions, pour vous deux. Mais pas pour ça.

Salim prit sa tête entre ses mains. Il était fatigué de devoir prendre des décisions : chacune ressemblait à un nouvel examen de conscience, une remise en question de la personne qu'il voulait être.

— Prends la voiture et vas-y seul.

— Je ne peux pas. Je n'ai pas d'identité, ici. Si on

m'arrête, je suis perdu, grand frère. Tu es le seul à qui je peux faire confiance. Je n'ai que toi.

Salim scruta son frère. Il essaya de reconnaître en lui le petit garçon qui avait l'habitude de dormir à ses côtés, la nuit, et qui criait dans son sommeil. *Ce n'est pas la même personne. Le garçon n'existe plus, et cet homme se sert de moi.*

— Va te faire foutre, Rafan. Ça suffit, toutes ces conneries. Tu as choisi ta route, laisse-moi choisir la mienne.

— Tu sais quel est ton problème, Salim ? lui demanda Rafan avec mépris. Tu es intelligent mais tu n'es pas malin. Tu croyais que les gamins blancs allaient t'accepter parce que tu avais des diplômes et un passeport britannique ? Ils ne l'ont pas fait. Tu crois que ta femme juive peut oublier ses origines et élever tes enfants arabes ? Elle ne l'a pas fait non plus. Et tu crois que toi, tu peux oublier d'où tu viens en vivant ailleurs ? Eh bien non, tu n'y arrives pas. Tu sais ce que je vois, quand je te regarde ? Un homme qui ne sait pas qui il est.

Salim pressa ses paumes contre ses yeux. Les mots qu'il avait écrits à Rafan le jour où il avait quitté le Liban lui apparurent, brûlants et cruels. *Je suis désolé, mais mon chemin n'est pas ici.* Se serait-il senti mieux, plus libre et moins perdu s'il ne les avait pas écrits ?

— Je sais qui je suis, dit-il, s'adressant autant à Rafan qu'à lui-même. Je dois penser à ma famille.

— Tu te trompes toi-même. Tu le sais, mon frère. C'est une jolie femme et tout le reste, mais à la fin, elle fera ce qu'elle voudra. C'est ce qu'ils font toujours, ces gens-là. C'est pour ça qu'à chaque fois ils gagnent et que nous, on perd.

Rafan lui serra l'épaule. *Projets d'école en Angleterre. Rappelle-le vite.* Un barrage céda en lui, la colère s'échappa en un flot glacial. Sa main que Jude avait posée sur sa poitrine, l'autre nuit, sa femme qui lui parlait d'amour, qui lui demandait de la choisir. Et durant tout ce temps, elle avait gardé ses secrets ? Organisé une vie sans lui, un monde où il n'aurait pas de place ?

Rafan poursuivait :

— Je ne te raconte pas de conneries, Salim. Moi, je sais qui tu es. Tu es mon frère. On est du même sang. Les hommes que nous aidons, c'est pareil. Oublie ce jeu du *mari blanc* que tu essaies de jouer. S'ils t'aiment vraiment, ils ne se mettront pas en travers de ta route. Tu veux récupérer ce qui t'appartient ? Alors il est temps de payer le prix.

Salim ferma les yeux. Il eut l'impression d'être irréel ; d'être un fantôme qui hantait le présent, pendant que Rafan et Jude se dressaient devant lui, effrayants et puissants. Derrière eux, il vit du sang couler sur la place de l'Horloge, les bombes s'abattre au-dessus de la mer et les enfants se sauver dans Chatila pendant que les tanks pénétraient dans le camp. Il vit l'ombre des nouvelles colonies réduire encore le minuscule foyer de Nadia. *Notre terre, notre sang*, les mots hurlèrent par-dessus le crépitement des armes à feu. Il vit Meyer jeter nonchalamment le nom d'Omar à la poubelle. Et Jude, sa femme, laisser brûler les flammes de l'ennemi dans les yeux de ses enfants.

Il toucha le bout de papier dans sa poche. *Projets d'école en Angleterre. Rappelle-le vite.* Il l'avait tant aimée, toutes ces années auparavant, par-delà tout ce chemin parcouru, lorsqu'elle avait tourné son visage vers le sien sous le froid soleil londonien. Ce souvenir était encore si vivace – la douceur de Jude, le bonheur d'entrer dans une chambre inconnue qui devenait soudain la sienne. Mais à présent, leur maison était pleine d'étrangers. Les portes s'étaient refermées et plus rien ne lui semblait familier.

— Une dernière fois.

Les mots s'échappèrent avant qu'il ne s'en rende compte, nés du doute plus que par conviction.

— Encore une fois, pour Jaffa.

Salim retournait l'ultimatum de Jude contre elle et refusait d'entrer dans son jeu. Il en éprouva une satisfaction destructrice. L'aimait-elle vraiment, ou était-ce plutôt l'idée qu'elle se faisait de lui ? Il n'y avait qu'une seule façon de le savoir.

Pourtant, tandis que Rafan hochait la tête, Salim eut l'étrange impression de plonger de nouveau dans son rêve récurrent, celui où il voyait son foyer, tout près, mais où une paralysie soudaine et inexplicable le saisissait, l'empêchant de le rejoindre. Ses pieds étaient immobilisés, figés dans le sol. *Me voilà totalement démuni, enraciné comme le tronc d'un arbre.* Et il lui était impossible d'avancer à moins de s'arracher à la terre.

À dix-huit heures, le soir du spectacle, Jude demanda à Marc de monter en voiture pendant qu'elle retournait chercher Sophie dans la maison. La jeune fille était dans sa chambre et appliquait avec soin du rouge à lèvres rose. Jude lui fit une petite tape moqueuse sur la tête.

— Allons, mademoiselle*, on ne va pas à un défilé de mode, tu sais.

— Je ne vois pas pourquoi on se presse, répondit Sophie avec légèreté en étalant le rose du bout du doigt. Papa n'est même pas rentré.

— Je sais, ma puce.

Le ventre de Jude se noua. *Il ne peut pas rater ça. Il l'a promis à Marc.*

L'appel de Tony, au milieu de l'après-midi ce jour-là, avait mis son esprit en ébullition. Il lui avait annoncé que deux écoles, proches de leur ancienne maison dans l'est de Londres, étaient susceptibles d'accepter les enfants après le début officiel de l'année scolaire. Chacune d'elles exigeait un examen d'entrée en novembre. *Dans moins d'un mois.* Sinon, il leur faudrait patienter une année supplémentaire.

— Réfléchis bien, lui avait dit Tony. Je peux t'aider si tu décides de rentrer. Je ferai tout mon possible pour t'être utile.

— Je n'en sais rien, Tony, avait-elle répondu. Il a promis de demander à son frère de partir. S'il le fait, comment pourrais-je m'en aller ?

Tony avait hésité un instant puis il avait repris la parole.

— On dirait que tu es à un carrefour, *bubbellah.* Tu es la seule à savoir quelle direction prendre. Sache simplement que je serai là pour toi dès que tu auras sauté le pas.

Lorsqu'elle entendit le moteur d'une voiture qui

entrait dans leur allée, Jude ressentit un flot de soulagement.

— Allez, viens, dit-elle en attrapant Sophie par le bras, papa est arrivé, on va pouvoir y aller.

Elle se précipita dehors dans la lumière déclinante du jour, sa fille sur ses talons. Elle aperçut Marc sortir de la banquette arrière de leur voiture, le visage rayonnant.

Quelque chose cloche. Rafan sortit de sa chambre et passa à grandes enjambées devant elles. Il portait sur l'épaule l'un de ses gros sacs noirs et lança à Jude un rapide regard en coin. Il y avait une déchirure dans le cuir épais, laissant entrevoir à l'intérieur des billets vert pâle. En un instant, son cœur se glaça.

Le regard hésitant, Salim attendait près de leur voiture en bras de chemise. Rafan l'interpella.

— *Yallah*, Salim. Allons-y. On prendra les autres plus tard.

La main de Jude se posa sur sa bouche.

— Tu ne peux pas faire ça, dit-elle à Salim.

Il leva brusquement la tête et la fixa droit dans les yeux. Pour la première fois de leur vie commune, elle ne reconnut rien – rien du tout – dans son expression. La voix de Marc surgit entre eux en un cri aigu.

— Que se passe-t-il ? Où tu vas ?

— Je suis désolé, répondit Salim à son fils. J'ai quelque chose de très important à faire. Je viendrai voir ta pièce une autre fois.

— Tu avais dit que tu viendrais ce soir. Tu l'avais dit.

Jude entendit les larmes avant de les voir couler.

Son fils, ce jeune garçon, en était encore réduit à pleurer comme un petit enfant. Elle s'approcha de Salim et le prit par le bras. Ses doigts, songea-t-elle, auraient voulu griffer cet étranger afin qu'elle retrouve sous cette peau l'homme qu'elle avait épousé.

— Ne pars pas, Salim.

Pour la troisième fois, elle venait d'utiliser son vrai nom, songea-t-elle. La première, c'était le jour de leur mariage, quand elle l'avait pris pour époux.

Il parut ébranlé par un dernier vestige de culpabilité. Mais il se dégagea, fit volte-face et marcha jusqu'au portail. La dernière vision qu'elle eut de lui, ce fut sa chevelure noire lorsqu'il tourna au coin de l'allée et que Rafan l'entoura de son bras avec allégresse avant de l'entraîner.

Cette nuit-là, sur scène, Marc vola comme un oiseau. Ses ailes, déployées au-dessus de son visage grimé, étaient semblables à un arc-en-ciel aux couleurs scintillantes. Son regard était intense et son corps semblait trop léger pour toucher le sol. Chaque fois qu'il apparaissait, le cœur de Jude s'arrêtait de battre ; sa poitrine se serrait comme un étau, et elle luttait contre l'envie irrépressible de se jeter sur lui pour l'attraper et le maintenir au sol.

Ils ne restèrent pas après le spectacle, ni pour partager un verre avec Helen ni pour écouter les louanges de M. Trevellian. Ils rentrèrent sans échanger un mot. Sophie posa sa tempe contre la vitre arrière et Marc s'écroula sur la banquette. Jude savait que lorsque Salim rentrerait plus tard cette nuit-là ou la suivante, ils vivraient dans un monde différent. S'il rentrait.

Quand ils pénétrèrent dans l'allée, la maison, baignée par l'obscurité silencieuse de la nuit du désert, était vide. Marc se rendit à pas lents dans la chambre des jumeaux et ferma la porte. Sophie le regarda disparaître puis se tourna vers sa mère. À travers la pâle lumière, Jude vit une faible trace de scintillement rose sur les lèvres de sa fille.

— Où sont-ils allés, cette nuit ? demanda Sophie d'une voix ferme. Papa et oncle Rafan. Tu le sais, hein ?

En contemplant sa fille, si belle dans les derniers soubresauts de l'enfance, Jude se souvint de sa Bat Mitzvah lorsqu'elle avait exactement le même âge. *Le jour où tu cesses d'avoir peur, celui où tu prends ta place en tant que femme parmi ton peuple.* Ce jour était arrivé pour Rebecca sur une charrette cassée, pour Jude, au chevet de sa grand-mère. Maintenant, c'était au tour de Sophie, ici, dans le désert. Même à des milliers de kilomètres, la tradition perdurait.

— Ils apportent de l'argent aux amis de Rafan, dit Jude.

Une femme avait droit à la vérité.

— Les combattants palestiniens.

Sophie hocha la tête et serra ses bras autour de son corps comme si elle avait soudain froid.

— On ne peut pas continuer comme ça. Tu le sais, maman.

Puis elle pivota pour suivre son frère dans leur chambre, sa jupe flottant dans l'air immobile.

Quand les enfants furent au lit, Jude alla s'allonger dans sa chambre. Elle eut la sensation de quitter son corps, d'évoluer dans un rêve où elle planait au-dessus d'une large route serpentant au milieu des champs hivernaux. D'autres chemins bifurquaient et se divisaient pour partir dans toutes les directions.

Sur l'un d'eux, une charrette tirée par un cheval arriva en grinçant. À l'intérieur, une petite fille dodelinait de la tête en cadence avec l'animal. Jude éprouva l'intime conviction qu'elle devait les suivre. Elle se dépêcha, le cœur battant, mais dans la panique si typique des cauchemars, elle se rendit compte que la charrette était déjà passée. Et bien qu'elle essayât encore et encore, qu'elle courût jusqu'à perdre haleine, elle ne put voir quel chemin, parmi les nombreuses routes, la charrette avait pris.

Jude se réveilla avant l'aube. Elle sauta de son lit et ouvrit le tiroir où elle avait caché la ménorah de Rebecca. Depuis que Rafan l'avait subtilisée pour la montrer à Salim, elle n'avait jamais songé à demander à son mari s'il l'avait remise à sa place.

L'ancienne cachette était vide. Elle ouvrit chaque tiroir, fouilla frénétiquement parmi les vêtements et les vieilles boîtes.

Elle finit par la retrouver sous le lit. Elle la serra contre elle et se mit presque à pleurer de soulagement, mais aussi de surprise, car Salim avait finalement décidé de la conserver. Durant tous ces derniers mois, le chandelier était resté près d'elle pendant son sommeil, comme un vigile silencieux.

Brusquement, son désespoir se durcit pour se muer en détermination. *Sois courageuse. Sois une* mensch. Le temps était venu de se jeter à l'eau sans crainte.

Dans la chambre de Rafan, elle ne trouva plus que deux sacs. Alors que chaque cellule de son corps vibrait, à l'écoute d'un possible bruit de moteur, elle les traîna jusqu'au jardin et les vida sur le sable.

Des piles de billets verts attachés par des ficelles tombèrent sur le sol comme d'un puits sans fond, des dizaines de milliers de dollars, qui s'amoncelèrent en un large tas à ses pieds.

Quand tu choisis la paix, tu choisis le camp des vaincus. C'était peut-être vrai. Mais Rafan ne gagnerait pas non plus.

Elle entra dans la cuisine et attrapa un bidon de kérosène rangé sous l'évier. Une boîte d'allumettes était posée près de la cuisinière à gaz. Elle emporta le tout dans le jardin où les billets s'agitaient dans la brise. Leur mouvement cessa lorsque Jude versa le carburant.

Elle recula, fit craquer l'allumette et observa la flamme minuscule qui vacillait au bout de ses doigts.

Elle l'avait utilisée des centaines de fois pour célébrer la vie lors des anniversaires, pour allumer les bougies au cours de leurs prières secrètes du sabbat. À présent, elle allait s'en servir pour les libérer tous.

Ses doigts lâchèrent l'allumette ; elle tomba, et le feu se mit à ronfler en s'élevant comme pour la rejoindre. Jude était hypnotisée ; au milieu des flammes, des voix l'appelèrent. *Allez, Judit, vas-y ! Bon sang, ma fille.*

Elle tourna le dos au brasier et courut jusqu'à la chambre des enfants.

— Que se passe-t-il ? demanda Sophie quand Jude les secoua par l'épaule.

Marc se leva promptement, le visage brillant dans l'obscurité.

— Préparez vos affaires, dit Jude en tirant leurs valises du haut de l'armoire. On va à l'aéroport. Oncle Tony vous a trouvé des écoles, et vous passerez un examen d'entrée le mois prochain.

Sophie, livide, mit la main sur sa bouche. Jude lui prit le bras.

— Tu avais raison, dit-elle. Il est temps de trouver un endroit où nous serons heureux – tous ensemble.

Des larmes roulèrent sur les joues de la jeune fille tandis qu'elle acquiesçait, l'une de ses mains serrant sa couverture imprimée de chevaux bondissants.

— Mais, et papa ? s'empressa de demander Marc à sa mère.

La supplique dans sa voix, son ton affolé, la firent presque renoncer. Elle s'agenouilla à côté de lui et prit son visage entre ses mains.

— Ton père doit prendre une décision importante, déclara-t-elle. Jusqu'à ce qu'il la prenne, on doit se mettre à l'abri. Je vous expliquerai tout dans la voiture, mais maintenant, on doit se dépêcher.

— Et mon spectacle ? demanda-t-il. Mon spectacle ?

Elle le prit dans ses bras.

— Je suis désolée, Marc. Parfois, la vie est tellement dure, je sais. Mais je te le promets, il y a d'autres choses qui t'attendent, des choses merveilleuses et excitantes. Tu me fais confiance ?

Marc hocha la tête. Pourtant, son corps s'affaissa, comme le petit citronnier dont il s'était occupé avec tant de soin. Il avait dû deviner, pensa Jude, quand son père avait franchi leur porte quelques heures auparavant, que son grand moment serait pareil au personnage de Puck : rien qu'une chimère.

Lorsque leurs affaires furent prêtes et rangées dans la voiture, il faisait jour. À travers le désert silencieux, Jude les conduisit à l'aéroport koweïtien pour la dernière fois.

Le monde était endormi et, quelque part, Salim faisait route vers une maison vide. Comme si elle lisait en Jude, Sophie chuchota de la banquette arrière :

— Est-ce qu'il nous pardonnera un jour ?

— Oui, il le fera.

Je sais qui il est, même si lui l'a oublié.

— Il nous aime plus que tout. Il a seulement besoin de se souvenir de ce qu'il ressent.

Jude baissa la vitre pour laisser pénétrer le vent frais. Il siffla dans ses oreilles, comme les bourrasques près du fleuve Wear lorsqu'elle était enfant, comme les cris de la foule lors du championnat de natation qu'elle avait imaginé dans l'obscurité de sa chambre.

Puis soudain, une sensation l'envahit, entre le souvenir et le souhait : ses orteils étaient posés au bord de la piscine, l'eau miroitait à ses pieds et, prête à s'élancer, elle attendait le coup de sifflet.

Tout se déroula à la perfection, exactement comme cela aurait dû se passer : le splendide bleu de l'eau, la lumière qui faiblissait, les encouragements enthousiastes, et les bulles d'anticipation qui montaient en elle, l'entraînant dans la course. Le réconfort qui l'attendait à l'arrivée, puis les bras joyeux qui se joignaient aux siens lors du retour à la maison, sous l'immense ciel du Nord.

Tandis que le monde se brouillait et que la route défilait, elle les vit tous, nettement, courir à ses côtés : Kath et Peggy, Jack et Dora, Sophie et Marc, même

Salim et Rafan. Ils se hâtaient de rentrer chez eux, et les nuages se bousculaient au-dessus de leurs têtes, se poursuivaient vers un avenir inconnu. Puis ce fut le silence, un vide remplacé doucement par une autre présence, qui emplit Jude de joie et de soulagement. *Tu es là.* Rebecca marchait à ses côtés. Et soudain, Jude comprit : elle était parvenue à l'endroit où elles devaient se retrouver, celui où Rebecca n'avait jamais cessé d'attendre, afin que Jude, sur sa longue route, la rejoigne. Alors Jude se tendit, portée par tout son amour, pour attraper la main de sa grand-mère ; elle était enfin prête à les guider toutes les deux jusqu'à la maison.

IV

RETOUR À LA MAISON

Si vous voulez hériter de votre terre natale,
Rangez votre épée et prenez un arc.

Naphtali Herz Imber

Et nous avons marché sur le chemin éclairé par la lune, la joie nous précédant,
Et nous avons ri ensemble comme deux enfants,
Et nous avons couru et poursuivi nos ombres,
Puis après l'euphorie nous avons repris conscience et nous nous sommes réveillés.
Si seulement nous ne nous étions pas réveillés.

Ibrahim Nagi, *Les Ruines*,
chanté par Oum Kalthoum

1987

Londres

À son retour, la maison était plongée dans un profond silence. Il n'y trouva qu'un tas de braises incandescentes dans l'allée, des vêtements éparpillés dans la chambre et une lettre de Jude. Lorsqu'il la tint entre ses doigts engourdis, il vit Rafan s'éloigner des vestiges du feu, tandis que les cendres s'échappaient de ses mains. Sur le sol du perron gisait un sac noir abandonné. Rafan, les avant-bras noirs de suie, le ramassa et le secoua.

Sal, tu as rompu ta promesse, avait écrit Jude. *Je fais ça pour sauver notre famille. Je nous ramène chez nous. Comment as-tu pu être aussi aveugle ? Quelle importance que nous soyons juifs ou arabes ? Comment oses-tu faire participer nos enfants à une guerre qu'ils n'ont pas déclenchée ?*

Mais la fin était plus douce, et il y retrouva celle qui, autrefois, lui avait ouvert son cœur aimant. *Tu es toujours mon mari*, poursuivait-elle. *Je te connais, je crois en toi, en l'homme que j'ai épousé. Tu nous appartiens, Sal, à Sophie, à Marc et à moi, et non pas à ton frère ou au passé. C'est à toi de choisir. S'il te plaît, rentre à la maison. Ce n'est pas trop tard. Rentre à la maison, pour nous.* Dans la dernière phrase, elle écrivait qu'elle l'appellerait de chez Tony à son arrivée en Angleterre.

Il sentit la main de Rafan sur son épaule. Sa voix lui parvint comme venant du bout d'un long tunnel.

— Je te l'avais dit, grand frère. Ils prennent tout. La maison, l'argent, l'histoire. Même tes enfants. Tout. Il n'y a qu'une seule chose qu'ils ne peuvent pas nous prendre.

Salim, la lettre serrée dans son poing, se tourna lentement vers lui.

— Et qu'est-ce que c'est ? demanda-t-il, alors que le sang battait violemment à ses tempes.

— Notre vengeance.

Rafan tendit la main pour lui arracher la lettre.

Plus tard, Rafan traîna les vêtements de Jude hors de la maison et les jeta dans le terrain vague. Salim l'observa s'activer avec rage tandis qu'il lançait les robes d'été sur des piles de pneus.

— Il faut que je parte d'ici, lui dit-il plus tard. Aujourd'hui. Ils ne croiront jamais que j'ai perdu l'argent. Quelle garce.

Le masque avenant qu'il avait posé sur son visage avait disparu, pour laisser la place à une horrible expression de fureur.

— Je peux sauter dans un avion pour Amman. Il y a des frères, là-bas aussi. On pourra rester en contact, ne t'inquiète pas.

Sa main se referma sur le poignet de Salim.

Dans la maison vide, après le départ de Rafan, Salim prit la photo de la maison aux Orangers et se recroquevilla sur le lit. Il s'endormit et rêva d'oranges qui mûrissaient, de nourriture qui l'attendait sur la table. Lui et Hassan ressemblaient à Sophie et à Marc, et tandis qu'ils mangeaient en famille, sa mère riait des plaisanteries d'Abou Hassan. Lorsqu'il se réveilla, la nostalgie qu'il éprouva était presque insoutenable.

Deux jours après, elle l'appela.

— Tu t'attendais à quoi ? demanda-t-elle.

Jude lui parut très calme. Il avait espéré des remords, des larmes, mais sa voix, blanche et lisse, ne lui laissait aucune prise.

— Rafan est parti, dit-il.

Il l'entendit inspirer profondément.

— J'étais sûre que tu prendrais la bonne décision.

Maintenant, son ton avait retrouvé sa vivacité.

— Attends… quelqu'un veut te parler.

La ligne resta muette pendant un court instant, puis il entendit une respiration saccadée et angoissée.

— Papa ?

— Marc.

Il s'était attendu à parler à Sophie et, pris de court, il ne sut trouver les mots.

— Tu es fâché contre nous ? demanda le garçon.

Salim sentit sa gorge se serrer. Oui, avait-il envie de dire. Oui oui oui.

— Non, je ne suis pas fâché.

— Tu viens en Angleterre ?

— Je ne sais pas.

Marc se tut. Salim regarda dans le jardin, derrière le coin noirci où Jude avait mis le feu. Marc avait dansé à cet endroit trois jours plus tôt. Salim revoyait sa silhouette bondissante, semblable au fantôme d'une joie disparue.

— Tu sauras quand ?

La voix de Marc était pressante, comme celle d'une petite fille, et Salim en conçut un regain de culpabilité.

— Toi et Sophie, vous êtes trop jeunes pour comprendre. Il vaut peut-être mieux que nous restions séparés pendant quelque temps.

— Mais… et les larmes vinrent. Mais tu as dit qu'on irait mieux si on parlait, tous les deux. Et c'est vraiment bien, ici, poursuivit-il. Je vais passer une audition pour White Lodge. C'est la meilleure école de ballet en Angleterre. Si je suis admis, un jour je deviendrai célèbre.

Salim se mit à rire. C'était ainsi que les choses allaient évoluer : leurs vies s'épanouiraient loin de lui. On lui arrachait ce qu'il avait de plus précieux avant qu'il ait eu la moindre chance de pouvoir le revendiquer.

— Il faut que tu reviennes, disait Marc. C'est ce que veulent maman et Sophie. Et moi aussi.

Salim serra le téléphone. Marc. Rafan. La Palestine. La maison aux Orangers. C'était trop pour un seul homme, trop de décisions pour un seul esprit. C'est alors qu'il repensa à la discussion qu'il avait eue avec Jude Chez Virginia, des années-lumière auparavant. *Qui pourrais-tu être*, lui avait-elle demandé, *si tu acceptais d'abandonner tout ce que tu es maintenant ?*

Il lui avait répondu qu'il était impossible d'estimer

la valeur de ce qu'on allait sacrifier sans connaître le prix de ce qui était à venir.

— On trouvera une solution, finit-il par répondre à son fils. Tu as raison, nous devrions être ensemble.

Mais plus tard, ces paroles qui avaient paru si vraies lorsqu'il les avait dites à Marc l'emplirent de dégoût. Les jours suivants, il se réveilla chaque matin brûlant de colère. L'injustice de la situation le rendait fou. Jude lui avait forcé la main. S'il refusait de rentrer, elle dirait que c'était *lui* qui avait décidé de les quitter.

— Tu ne peux pas m'obliger à vivre en Angleterre, lui dit-il quand ils discutèrent de leur avenir. Mais tant que les enfants sont petits, je ferai en sorte de leur rendre souvent visite.

Elle parut décontenancée. « *Tu t'attendais à quoi ?* » avait-il envie de lui jeter à la figure.

Il emménagea dans un petit appartement de Koweït City et prit un emploi à mi-temps afin de pouvoir rendre visite à sa famille quelques mois par an. La première fois qu'il atterrit à Heathrow, Jude et les enfants l'attendaient à l'aéroport. Ils vinrent se jeter dans ses bras et, pendant un bref instant, tout redevint comme avant lorsque les jumeaux, dans les premières années de leur enfance, ne connaissaient que l'amour. Cette nuit-là, dans leur lit de jeunes mariés qui exhalait l'odeur chaude de sueur et de peau nue, Salim resta étendu auprès de Jude à contempler son visage endormi. La troisième année de leur séparation, il s'installa dans la chambre d'amis. Et les enfants ne vinrent plus à l'aéroport pour l'accueillir. Seule Sophie le serrait encore dans ses bras quand il passait le seuil de la porte. Et Marc, pris dans les cruels tourments de l'adolescence, lui demandait de signer une feuille de papier où il s'engageait à ce qu'il n'y ait aucune dispute pendant son séjour.

Mais les querelles éclataient malgré tout. Les nombreuses fois où il ne pouvait s'empêcher de l'accuser – de froideur, de trahison, de rejet –, Jude ne cédait pas. Elle refusait de s'excuser. Elle avait pris la bonne décision. Dans cette maison, chacun avait un but. Elle avait trouvé sa place en enseignant l'anglais, en racontant de vieilles histoires à des enfants de toutes les couleurs. Des Juifs, des Arabes et tous les autres, aimait-elle à préciser. Sophie faisait partie de ses jeunes élèves passionnés. Et Marc vivait toujours ses rêves. Bientôt, il rejoindrait l'école du Royal Ballet et les quitterait. L'intensité de leurs vies projetait une ombre sur celle, semée d'échecs, de Salim. Il ressassait inlassablement jusqu'à ce que ses pas, aussi douloureux que sur un chemin de croix, le ramènent à Heathrow.

Un jour, Salim arriva de l'aéroport pour trouver la maison vide. Jude n'était pas rentrée du travail. Les chambres des jumeaux étaient plongées dans l'obscurité. Il se souvint alors de cette sombre matinée dans le désert, quatre ans auparavant : les chambres vides, les portes fermées.

Il ouvrit son sac et en sortit le cadre de la maison aux Orangers. Il retira ceux de Jude un par un du manteau de la cheminée du salon : clichés posés au hasard de pique-niques familiaux à Al-Saraj, de Marc en tenue de ballet et de Sophie à cheval. Une fois la tablette vide, il installa révérencieusement sa photo. Il avait acheté un nouveau cadre doré au Koweït, mais son aspect brillant donnait à la vieille image décolorée un aspect encore plus fantomatique.

Lorsque Jude rentra une heure plus tard en compagnie de Marc, elle s'excusa pour son retard.

— J'ai dû l'emmener chez le médecin pour faire d'autres examens, expliqua-t-elle. Ils pensent qu'il a besoin d'aide pour se concentrer et rester calme. Pas vrai, mon chéri ?

Marc, les yeux rivés au sol, haussa ses épaules étroites.

— Les professeurs sont des imbéciles, répliqua-t-il. Les danseurs ne sont pas censés être calmes.

C'est alors que la tablette nue et la photo solitaire captèrent le regard fugace du jeune garçon.

— Qu'est-ce que ça fait là ? demanda-t-il.

— C'est notre maison, en Palestine.

Salim vit le front de Marc se plisser et attendit que les protestations débutent. Mais le regard du garçon passa du cadre à son père.

— Je m'en souviens, fut tout ce qu'il répondit.

Un an plus tard, lors du quarante-cinquième anniversaire de Salim, la photo disparut. Il devait retourner au Koweït le jour suivant. Jude était au travail et Sophie à la maison avec un rhume. Elle l'aidait à faire ses bagages. Dans le chaos de la chambre d'amis, il lui tendait des vêtements qu'elle pliait, de ses bras couleur sable brun, comme celui des plages de Jaffa. Il devait se rappeler que la petite fille qu'il lançait autrefois en l'air quitterait bientôt le lycée avec une année d'avance sur ses camarades. Sa vive intelligence l'émerveillait et l'effrayait en même temps, car l'enfant dont il se souvenait était en train de s'éloigner de lui.

À présent, elle lui faisait la leçon.

— Tu n'en as pas marre, de tous ces allers-retours ? demanda-t-elle en rangeant une chemise dans la valise. Qu'est devenu le projet de revenir ici pour de bon ?

— Vous en auriez vite assez de moi, répliqua-t-il d'un ton léger, mais elle lui jeta un regard interrogateur.

— C'est la meilleure excuse que tu aies trouvée ?

Il détourna les yeux. Que Sophie, malgré son teint foncé, ressemble tellement à Jude le déconcertait : elle avait la même constance obstinée.

— Tu ne comprends pas, Sophie.

— Quoi ? Que maman et toi avez des problèmes ? Que Marc est compliqué ? J'ai grandi dans cette famille, tu sais. Je me souviens.

— Tu ne te souviens que de ce que tu veux, répondit-il sur la défensive. Ou de ce que ta mère t'a raconté. Ce n'est pas toujours la vérité.

— Tu nous en veux d'avoir voulu revenir ici. Depuis le début.

Salim sut qu'elle avait raison avant même d'ouvrir la bouche pour protester. Mais Sophie ne lui laissa pas le temps de répondre.

— On voulait seulement rester dans un endroit où on serait heureux. Toi en particulier, tu devrais le comprendre. Je veux dire, après nos histoires de famille, tous ceux qui ont fui d'un endroit à un autre – toi, oncle Rafan, les ancêtres de maman. Peut-être qu'à l'époque tu n'avais pas le choix, mais maintenant nous, on l'a.

— C'est ce que tu crois, répondit-il sans réfléchir.

Elle leva les yeux au ciel et regagna le salon. Une fois dans la pièce, elle s'écria :

— Papa, tu as déjà rangé ta photo ? Je ne l'ai pas vue.

Inquiet, il la rejoignit. Sur l'étagère, les cadres de Jude avaient été remis en place après une énième violente dispute. Mais au milieu, il y avait un espace vide, là où la maison aux Orangers était habituellement posée.

Salim fut gagné par l'affolement. Jude l'avait finalement jetée. Comment avait-elle pu lui faire ça ? Alors qu'il fouillait les poubelles puis les placards de la chambre de Jude, il sentit le goût âcre de la peur. La photo était introuvable.

De désespoir, il ouvrit la porte de Marc. Le lit était fait et le mur couvert d'affiches de danseurs, dont les corps cambrés à l'extrême semblaient insensibles à la douleur.

Salim remarqua sur la table les pilules que son fils devait prendre quand il souffrait de ce qu'il appelait ses migraines colériques. Jude avait insisté pour qu'il les prenne après la lettre d'avertissement que leur avait envoyée le Royal Ballet : Marc avait essayé de mettre le feu dans le parking de l'école, près de la voiture d'un professeur avec lequel il était en désaccord.

Près du flacon, Salim trouva la photographie de la maison aux Orangers sortie de son cadre. À côté, il y avait un autre cliché, une copie de celle de Salim, de deux fois sa taille. Mais celle-ci avait été défigurée, découvrit-il avec horreur. Marc y avait collé d'autres photos aux couleurs vives : Jude et Sophie se tenaient à côté de son arbre, des livres dans les bras. Marc était près d'elles dans une pose de danseur, et un tutu rouge et des chaussons dorés avaient été coloriés. Dans un coin de la photo, Salim tenait une orange. Une étoile de David avait été dessinée sur la porte. Marc avait le doigt pointé sur l'étoile tandis que de son autre main il désignait son père.

Au moment où Salim, stupéfait, se saisissait du montage de Marc, il entendit la porte s'ouvrir. Il se retourna et découvrit son fils en tenue de ballet sur le seuil, tel un oiseau prêt à s'enfuir.

— C'était pour ton anniversaire, finit-il par dire. C'est mieux que de regarder cette vieille photo tout le temps. Tu devrais en avoir une de nous tous pour l'emporter avec toi.

Salim lui tendit le cliché.

— Tu as mis une étoile de David sur ma maison.

Marc se frotta le front et pencha la tête en avant, traçant du bout du pied un chemin irrégulier sur le sol.

— En quelque sorte. Mais il ne faut pas le voir comme ça.

— Ah bon ? Et il faut voir ça comment ?

Le soulagement qu'avait éprouvé Salim en retrouvant sa photo était peu à peu balayé par la colère.

— Je pensais que tu comprendrais ! lui jeta Marc avec défi. C'est nous tous et la maison, tous ensemble. Tu as dit que c'était *notre* maison. Ça veut dire celle de maman aussi, et l'étoile, c'est pour elle.

— Et toi ?

Salim vit de la peur dans le regard bleu de Marc. Il désigna la photo de son fils en tutu.

— Tu veux être un Juif, comme les garçons de ton

école ? C'est pour ça que tu t'es habillé de cette façon ? Pour me rappeler que tu ne peux pas être un Arabe ? Tu crois que je laisserais un Juif hériter de quoi que ce soit qui m'appartienne ?

— Je ne suis pas juif. Je suis juste un danseur.

— Il n'y a pas de danseurs de ballet arabes, Marc.

— Alors, je serai le premier.

Salim posa les yeux sur la photo de son fils, les orteils en pointe, le tutu, et sa colère se mua en un mélange de pitié et d'angoisse.

— Non, tu ne le seras pas. *Mieux vaut qu'il comprenne vite, avant qu'il soit trop tard.* Tu n'es pas comme les gamins anglais de ton école. Tu es un Al-Ishmaeli, que tu le veuilles ou non. Tù peux leur ressembler et te comporter comme eux. Et ils t'accepteront tant que je paierai tes frais de scolarité. Mais tu ne feras jamais partie des leurs. C'est pour ça qu'il n'y a pas d'autres Arabes dans ton école. Ils savent que c'est inutile d'essayer.

Marc avait commencé à s'essuyer les yeux.

— Tu mens, répondit-il, le regard baissé. Tu ne sais rien.

— Un jour, tu verras que j'ai raison, dit Salim en lâchant la photo et en avançant pour saisir l'épaule de son fils. Je te le dis. Ça ne marchera pas.

La gorge de Salim se serra, et il jeta le collage de Marc sur le sol.

— Un Arabe blanc en tutu. Pour eux, tu n'es probablement qu'un objet de moquerie. Et tu échoueras à chaque fois, comme moi, si tu continues à faire croire que tu es quelqu'un que tu n'es pas.

— Je sais qui je suis ! hurla Marc.

— Qui, alors ? répondit Salim en criant à son tour. Dis-moi ! Tu n'es ni un Arabe ni un Juif. Ni un homme ni une femme. Alors qui ?

Le silence qui résonna vibrait d'émotion. Les yeux de Marc étaient rouges quand ils trouvèrent ceux de son père.

— Je sais qui je suis, murmura-t-il.

Puis, tel un tourbillon blanc, il se retourna violemment, ne laissant derrière lui que l'écho du claquement de la porte d'entrée.

En cet après-midi d'été, l'école était fermée et les jumeaux se trouvaient à la maison. Assis au salon dans un confortable fauteuil couleur crème, Salim lisait un nouveau contrat qu'il n'avait pas encore signé. Une entreprise américaine dans le bâtiment installée au Koweït avait besoin d'un comptable pour un an. L'intitulé de poste indiquait « Assistant financier ». Chaque page qu'il tournait semblait le narguer. *Un jour, j'ai été directeur de projet*, avait-il envie de hurler.

Jude avait remplacé la moquette aux spirales marron par une autre de couleur abricot, et les murs étaient vert gazon. Le soleil de fin de journée jouait sur les meubles. On aurait pu s'imaginer dans un verger, un verger très anglais, empli de fruits d'été, de baies et de chants d'oiseaux.

Sophie était assise à la table et découpait quelque chose dans un journal. Jude s'activait dans la cuisine ; la porte était ouverte et, lorsqu'il leva la tête au son de ses talons, il eut une vision fugitive de ses jambes. Pour la première fois depuis des mois, il remarqua à quel point elle était belle.

Sophie vint le voir en lui tendant une feuille.

— Tiens, papa, dit-elle. C'est une histoire que j'ai trouvée dans le *Times*. C'est à propos de Jaffa.

Il lui prit l'article des mains et le parcourut du regard. Un reportage si typique du *Times*, qui racontait comment les Juifs et les Arabes travaillaient ensemble pour sauver la vieille ville. Il y avait une photo en noir et blanc de la tour de l'Horloge qui rappelait sa grandeur passée, avant l'avènement des jours sanglants, des ruines et du déclin.

Il lui redonna le papier.

— Très intéressant.

Sophie fut vexée, et Salim se sentit coupable. Mais soudain, alors que Jude entrait dans la pièce, il fut saisi par une nouvelle idée.

— Et pourquoi tu n'irais pas ? demanda-t-il à sa fille. Tu as fini tes examens. Tu devrais aller rendre visite à tante Nadia et oncle Tareq, ils s'occuperont bien de toi. Tu verras par toi-même ce dont il est question, dit-il en désignant la coupure de presse.

Ce fut un simple mouvement qui gâcha tout : la brève seconde durant laquelle Sophie tourna sa tête brune vers Jude et leva les sourcils.

Marc entra dans le salon au moment où Sophie disait prudemment :

— Ça pourrait être génial ! Je pourrais emmener une amie ? J'ai promis de partir avec mes copines, cet été.

— Marc, dit Salim en ignorant sa fille, pourquoi tu n'irais pas avec Sophie à Jaffa ?

Le jeune garçon se tourna vers sa sœur, le front plissé par l'étonnement. Elle lui répondit par un clin d'œil.

— Allez, Markey, ça va être marrant !

Celui-ci ne croisa pas le regard de son père. Ils s'étaient à peine parlé depuis leur dispute, cet après-midi-là. Quand Salim était retourné plus tard dans la chambre d'amis, il avait retrouvé la photo de Marc sur le lit, soigneusement découpée en petits morceaux.

— Je passe des auditions à l'école, marmonna-t-il. Je ne peux rien prévoir.

— S'ils ne peuvent pas t'attendre une semaine ou deux, c'est que tu ne les intéresses pas, répondit Salim, sentant sa mâchoire se contracter en un réflexe familier. Ou est-ce que tu essaies juste de te défiler ?

— Ce n'est pas comme ça que ça marche ! lança Marc, soudain écarlate.

Tandis que Jude posait la main sur son bras, prête à le retenir, Salim put presque voir la tension, tels des fils électriques, parcourir le corps mince de Marc.

— Est-ce que tu sais à quel point il faut travailler dur pour réussir comme danseur ? Si je rate les auditions, c'est fini pour moi.

— Tu ne penses pas que ton histoire est importante ?

Salim se leva, et les pages du contrat s'éparpillèrent sur le sol.

— Ce n'est pas ce que j'ai dit, répliqua Marc. Pourquoi est-ce que tu déformes toujours tout ?

— Parce que l'unique raison pour laquelle je ne suis pas à Jaffa en ce moment même, c'est toi. Tu te souviens ? Quand ta mère s'est enfuie avec toi, et que tu m'as supplié de vous rejoindre ?

— C'est sacrément gonflé de me le reprocher !

hurla Marc, livide. *Tu* nous as laissés tomber au Koweït ! *Tu* m'as dit que je n'étais pas un vrai homme ! *Tu* as dit que j'allais tout rater ! Alors pourquoi j'irais m'emmerder à Jaffa ?

Il s'avança tout près de son père, poings serrés. Salim se rendit alors compte, ébahi, que son garçon essayait de le défier d'homme à homme.

— Non, Marc ! hurla Jude.

Mais ce fut Sophie qui s'interposa entre eux.

— Arrêtez, tous les deux. S'il vous plaît. S'il vous plaît.

Salim la repoussa. Durant un instant, il crut que Marc allait le frapper. Mais à mesure que les secondes s'égrenaient, il vit le courage du garçon l'abandonner, comme il s'y attendait et, dans ses yeux bleu pâle, la peur remplacer la colère. L'attitude de son fils se modifia ; il recula. La tête de Salim lui tournait. Aucun coup n'aurait pu le blesser davantage que la violence de sa peine et de sa déception. Il entendit Marc s'éclaircir la gorge.

— Je ne sais pas pourquoi tu continues comme ça, avec cette espèce de maison débile. Ce n'est pas comme si elle t'appartenait encore.

Elle ne t'appartient plus. Soudain, il prit conscience de l'absurdité de la situation. Les visites et les compromis n'avaient servi à rien. Il avait perdu sa famille depuis des années.

Cette nuit-là, il déchira les pages du nouveau contrat avec l'entreprise américaine. Quand Jude le trouva en train de faire ses bagages, elle lui demanda :

— Mais, tu ne rentres pas au Koweït aujourd'hui ?

— Non, pas au Koweït. En Palestine.

Et alors qu'il ouvrait la porte pour partir, Marc surgit de sa chambre. Il avait l'air égaré et son visage était livide.

— Où est-ce que tu vas ? demanda-t-il en haletant.

Jude se tenait au fond de la pièce, impuissante, les bras le long du corps. L'étoile de David pendait sur sa poitrine, enroulée autour de la chaîne aux lettres arabes que Salim lui avait offerte peu après leur rencontre. Elle s'efforçait de la porter quand il était là. Salim ignora Marc et désigna le cou de Jude.

— Tu devrais retirer l'une des deux, dit-il, et il perçut le venin qui altérait sa voix.

Elle soutint son regard. Son visage était serein mais fatigué.

— Elles font toutes les deux partie de moi, répondit-elle calmement.

Il secoua la tête. Marc ouvrit la bouche, mais aucun son n'en sortit. Et il ne resta rien d'autre à faire que de fermer la porte.

Jaffa

Ce fut à la fin du long été méditerranéen que Salim rentra au pays.

Sur le balcon de Nadia, bercé par la musique nocturne qui montait de la rue, il regardait vers l'ouest. Le chant de la mosquée, les vendeurs de rue et les moteurs de voitures se mêlaient aux gémissements d'un disque qui tournait sur la vieille platine. Depuis les hauteurs de la colonie juive de Nazareth Illit, les ombres avançaient jusqu'à la vieille ville puis s'étiraient le long des côtes de la Galilée. Autrefois, seules les collines et le ciel dominaient ce refuge. *Fais attention, petite fripouille*, lui disait alors Nadia. *Là-haut, Allah a une vue bien dégagée.*

Salim entendit sa sœur l'appeler de l'intérieur. Elle n'aimait pas le voir assis tout seul là dehors. *À ruminer*, disait-elle. Mais il ne ruminait pas. Il faisait des plans.

— C'est bientôt l'heure de dîner, *ya* Salim, dit-elle d'une voix chantante. Ça va être froid.

— Une minute, répondit-il.

Il entendit la voix de Tareq qui criait au téléphone en hébreu. Le titre de propriété de la maison aux Orangers était étalé devant lui.

La musique de Nadia le perturbait. C'était la même chanson qu'il avait entendue à Beyrouth, à l'époque de sa jeunesse naïve où il avait choisi de rejoindre la femme qu'il aimait. Mais, comme bien d'autres choses, cela s'était révélé un faux espoir.

À table, Nadia leur servit de grosses portions de chou épicé et d'agneau. Tareq, dont les lunettes étaient embuées et dont les cheveux, autrefois noirs, avaient blanchi sur les tempes, sermonna Salim sur ce que Hassan appelait son « projet complètement dingue ».

— Ce que j'essaie de t'expliquer, Salim, c'est qu'il est très compliqué de récupérer une propriété ayant appartenu à des Arabes. Les individus ne gagnent pas de procès contre l'État. Et c'est une démarche éprouvante.

Tareq secoua la tête, retira ses lunettes et les essuya sur un coin de veste.

— Éprouvante.

Ses yeux étroits au regard empli de bonté scrutèrent Salim.

— Pour moi, c'est très simple, répondit ce dernier.

De hautes piles de papier s'entassaient sur la table, parmi lesquelles les dossiers d'autres affaires de propriétés que Tareq avait pu se procurer grâce à une relation au tribunal.

— Notre maison a été vendue aux Juifs par un homme qui n'en était pas propriétaire. Un enfant pourrait voir que le titre est un faux. C'était une arnaque pure et simple. Ils nous doivent des comptes. Et il y a eu des précédents, j'ai lu des choses là-dessus.

Depuis que Jude et Marc, sur le seuil de leur porte, l'avaient regardé partir, Salim n'avait quasiment lu que ça.

Tareq posa ses mains bien à plat.

— Dans un autre pays, tu aurais raison. Ici, tu te bats contre une véritable stratégie. Les Juifs ont créé des lois pour s'approprier les terres, pour s'assurer que les Arabes ne pourraient jamais revenir. Ils appellent ça des mesures de sécurité. Ou encore, la promesse de Dieu. Maintenant, tu penses que tu peux les persuader de changer d'avis, toi, Salim Al-Ishmaeli ? Tu as peut-être un passeport britannique, mais au bout du compte, tu restes un Arabe.

Salim frappa du poing sur la table.

— J'emmerde les Israéliens ! cria-t-il. C'était la guerre, tout le monde fuyait. Est-ce que les Juifs ne se sont pas enfuis aussi, lorsque les nazis sont arrivés ? Et quand les nazis ont volé ce qu'ils avaient dû abandonner, est-ce que les Juifs ont dit que *ça*, c'était juste ?

— Écoute, Salim, reprit Tareq, je ne suis pas un spécialiste en la matière. Je suis un avocat en droit de la famille. Tu as besoin de quelqu'un pour t'aider. J'ai quelques idées. Mais je crois que tu dois modérer tes attentes.

Salim savait que Tareq et Nadia n'approuvaient pas ses démarches. Ils étaient comme Hassan : compatir à ses problèmes, se plaindre du destin et partager de tristes souvenirs leur suffisaient. Mais pour eux, ces luttes restaient vaines.

Rafan, lui, comprenait. Il savait pourquoi Salim était là.

— Ne t'occupe pas de tous ces gens qui essaient de t'endormir avec leurs lamentations. Reste bien éveillé. Tu verras, le monde a beaucoup mieux à t'offrir, lui avait-il dit le jour où il avait quitté le Koweït.

Salim posa sa main sur le bras de Tareq.

— Je sais que tu ne veux que mon bien. Toi et Nadia, vous représentiez plus pour moi que mes propres parents. Mais ne me demande pas de modérer mes attentes. Je n'en peux plus de vivre comme un mendiant, de devoir remercier des hommes qui me jettent les pièces qu'ils m'ont volées. Rien n'est plus important pour moi que ce projet.

Tareq baissa les yeux sur ses papiers, dont il tripotait les coins. Salim sentit venir le reproche.

— « Rien » est un grand mot, Salim, finit-il par dire. Pour un homme qui a une famille.

— Je ne compte pas, pour eux, et ils n'ont pas besoin de moi, répliqua-t-il. Ils m'ont quitté.

— Tu sais que ce n'est pas vrai.

— Tu n'étais pas là, répliqua Salim, soudain tenaillé par l'amertume. Tu ne sais pas ce qu'il s'est passé, alors s'il te plaît, ne dis rien.

Tareq haussa les épaules et soupira.

— Comme tu veux. Alors je vais donner quelques coups de fil, si tu es sûr.

— Je suis sûr.

Tareq hocha la tête en soupirant avant de se lever. Salim observa son corps encore mince mais à présent courbé. Il avait toujours considéré Tareq comme un homme grand ; il se souvint qu'il devait lever la tête pour lui parler, qu'il était sans cesse en quête de ses réponses, de son approbation et de ses conseils. Mais les souvenirs étaient trompeurs. Aujourd'hui, il se baissait pour regarder Tareq, tout comme la colonie juive qui dominait de sa hauteur la vieille ville entravée de Nazareth.

Les informations ne parlaient que de jeunes garçons qui, dans les rues occupées de Jérusalem-Est, lançaient des cocktails Molotov sur les tanks israéliens. Ils avaient l'âge de Marc, des bandeaux noirs autour du front et la même attitude de défi et de rage au fond des yeux.

Salim retourna sur le balcon pour assister au coucher du soleil. Sous les cieux de la Galilée, il murmura de nouveau, pour lui-même : *Je suis sûr.* Mais ces mots lui parurent dérisoires, semblables à une supplique.

Il lui vint alors à l'esprit que sa mère avait pu prononcer exactement la même phrase à cet endroit, tant d'années auparavant, quand elle avait décidé de réaliser son vœu en l'adressant à l'infini du ciel. *Je marche sur tes pas, maman. Est-ce que tu serais fière de moi ?* Il essaya de se remémorer son visage, mais tout ce qu'il vit, ce fut Jude, ses yeux bleus durs et froids. Puis son image s'effaça, comme les collines, à l'ouest, englouties dans l'obscurité du crépuscule.

Le jour suivant, Tareq prit sa voiture pour se rendre à Tel-Aviv et déposer une requête auprès du tribunal.

Ce recours, expliqua-t-il, servait à contrer la prescription sur le droit de réclamations des terres.

— Normalement, tu as vingt-cinq ans pour déposer une plainte contre l'État. Après quarante ans, c'est sans espoir. Mais dans ton cas, il est possible que tu puisses me dire merci ! Laisse-moi t'expliquer.

L'année précise où Salim était parti pour l'Angleterre, Tareq avait persuadé Abou Hassan de déposer une plainte pour contester la saisie de sa maison.

— C'était au cas où il y aurait eu la moindre

chance, tu comprends. Même si, honnêtement, ton père n'avait plus le cœur à ça.

Peu après, Abou Hassan était tombé malade et avait enchaîné les attaques. Mais toutes les années durant lesquelles ce dernier pouvait à peine tenir une cuillère ne devaient pas retirer à son héritier le droit de faire une réclamation. C'est ce que Tareq voulait mettre en avant aujourd'hui.

Une fois Tareq parti, Salim fit les cent pas dans la pièce pour apaiser ses nerfs.

Dans la cuisine, Nadia formait des boulettes de *labneh*, des portions de yaourt égoutté, modelées dans une forme ovale de la taille d'une paume de main et plongées dans un bocal d'huile d'olive salée. L'odeur aigre du babeurre s'échappait de la cuisine tandis que les mains de Nadia, dans une danse muette, battaient encore et encore, pressaient et malaxaient les boulettes.

Salim décrocha le téléphone pour appeler l'ami de Rafan, l'homme qui, selon son frère, pourrait l'aider. Rafan vivait désormais en Jordanie.

— Je mène une vie tranquille, grand frère, lui avait-il dit. Je n'ai rien d'autre à faire, ici, qu'élever des moutons et les manger. La prochaine fois que tu me verras, je serai devenu gros.

Salim en doutait.

Le nom écrit à côté du numéro était *Jamil*. Rafan le surnommait Jimmy.

— Il faut que tu fasses sa connaissance. Il est originaire de Haïfa. Il est venu vivre à Tel-Aviv après la guerre. Il écrit pour tout le monde. Même pour *Haaretz*, le journal libéral juif. Ils l'adorent. C'est un homme à plusieurs facettes, tu vois ce que je veux dire ?

Salim le savait parfaitement. *Avec tous tes masques, comment peux-tu te souvenir de qui tu es ?*

La voix de Jimmy, au bout de la ligne, était grave, imposante et joviale.

— Salim Al-Ishmaeli ! tonna-t-il, faisant rouler les mots dans sa bouche. Oui, je connais ton frère. C'est un ami proche. Il m'a rendu quelques services et m'a rapporté des histoires plutôt intéressantes. Tu en as peut-être une autre pour moi, aujourd'hui ?

Salim expliqua son projet pendant que Jimmy ponctuait ses paroles par des encouragements.

— *W'Allahi, habibi*, dit-il à la fin. Quelle histoire. Je connais ce gars, Abou Mazen. Il est mort depuis longtemps, paix à son âme. Ou peut-être que je ne devrais pas dire ça ! s'exclama-t-il avant d'éclater d'un rire rauque et sonore. Mais son fils est toujours dans le coin, à créer des problèmes.

Salim revit le visage gras et les boucles brunes.

— Je ne veux pas le voir, déclara-t-il.

— Bien sûr. Tu as de plus gros poissons à pêcher. Rafan m'a demandé de t'aider, et je vais le faire. D'abord, il faudrait qu'on se voie. Pourquoi tu ne viendrais pas à Jaffa, demain ? On pourrait prendre un café et discuter de tout ça.

Quand Tareq revint de Tel-Aviv cet après-midi-là, il semblait satisfait de lui-même et du travail accompli. Il avait déposé deux motions : l'une au tribunal pour contester la prescription dans l'affaire de Salim, et une autre pour poursuivre en justice Amidar, la société gouvernementale de logement qui avait récupéré leur terre.

— En fait, ça se présente mieux que je ne le croyais, annonça-t-il à Salim au cours du dîner. Et j'ai même une surprise pour toi.

Nadia et Salim eurent beau le presser de parler, il ne voulut rien dévoiler. Il se contenta de secouer la tête et de sourire.

— Plus tard, plus tard, j'ai fait une promesse.

Salim lui parla de Jimmy en se gardant de mentionner Rafan. Tareq se montra hésitant mais reconnut que la presse palestinienne pouvait s'avérer utile.

— Ici, les Arabes ont encore beaucoup de journaux et de stations de radio, bien que les Israéliens ne s'y intéressent pas. Mais *Haaretz* pourrait nous aider. Ils traitent pas mal de sujets sur les Arabes. Et j'ai peut-être quelque chose d'intéressant pour toi à Tel-Aviv. On verra bien.

Ils se mirent en route le lendemain dans la Nissan de Tareq, descendirent les pentes rocheuses de Galilée avant de rejoindre les larges plaines maritimes. Salim, la tête posée contre la vitre, regardait le paysage devenir plus régulier et plus vaste.

Les voitures les dépassaient les unes après les autres, éclatantes dans la lumière bleue du jour. La route défilait devant eux comme un ruisseau argenté serpentant à travers champs. Ils dépassèrent des stations-service et des résidences sécurisées, métal et verre là où, autrefois, seule croissait la végétation. *La terre s'est fait dévorer*, songea Salim. *Dévorer par les*

Juifs, et me voilà en train de les supplier d'en recracher une bouchée.

Lorsqu'ils atteignirent Tel-Aviv, une succession d'immeubles blancs étincelait à la lumière ; des centaines de fenêtres, tels des yeux vides, regardaient vers la mer. Le ciel était piqueté de hautes tours semblables à celles qui se dressaient sur le front de mer des cheikhs du Golfe.

Mais tout n'était pas parfait. Lorsqu'ils longèrent le quartier des affaires pour se rendre dans ceux, plus anciens, de la ville, Salim put constater des signes d'usure. Les bâtiments de style Bauhaus de Tel-Aviv avaient autrefois suscité la jalousie de Jaffa. Même le maire, Heikal, avait fait l'éloge de leurs larges courbes et de leurs angles singuliers, de leur blancheur pareille à l'écume marine. À présent, des stores fatigués pendaient au-dessus des balustrades, et le sel avait laissé des marques brunes et jaunâtres sur les murs. Devant cette vision, Salim se sentit étrangement triste.

Ils atteignirent le carrefour qui menait de Tel-Aviv à Jaffa. Salim retenait son souffle, comme pour empêcher les souvenirs de ressurgir. *Je suis là*, se dit-il. *Chez moi.*

Ils continuèrent leur route, dépassèrent des immeubles qu'il ne connaissait pas, puis se retrouvèrent dans un quartier qui semblait avoir été conçu pour les touristes. Les briques jaunes effritées de Jaffa avaient été retirées, emportant avec elles les effluves de narguilé et de café, et de nouvelles pierres polies en un grès brillant et net les avaient remplacées.

Les yeux avides, Salim baissa la vitre. Il aurait tant voulu que Tareq ralentisse afin qu'il puisse retrouver quelque chose de familier, un endroit sur lequel ancrer tous ses espoirs. Il scruta les rues inconnues, observa des couples âgés avec des appareils photo, des jeunes filles aux jambes bronzées qui déambulaient en bandes sur les trottoirs. Tous ces gens lui donnèrent l'impression d'être ridicule, comme un enfant qui aurait attendu bras ouverts une étreinte qui ne pouvait lui être donnée.

Puis enfin il la vit. La tour de l'Horloge de Jaffa. Toujours belle, elle siégeait désormais avec un air d'excuse au milieu d'un carrefour bondé.

Le soulagement l'envahit lorsqu'il put suivre des yeux ses lignes bien droites. Elle était plus petite que dans son souvenir, mais quelle importance cela pouvait-il bien avoir ? Ici, ils s'étaient assis pour lécher le sirop du *kanafi* du souk Attarin coulant sur leurs doigts ; ici, au milieu du vacarme de la mosquée Mahmoudiya, il avait joué aux osselets. Ici, les fumeurs de narguilé l'avaient fait déguerpir à coups de pied après que Mazen l'avait défié d'aller perturber leur jeu de backgammon. Et ici, il avait retiré des morceaux de décombres après la bombe de l'Irgoun, sans jamais se douter qu'un désastre plus grand allait tous les frapper.

À présent, des touristes gras et blancs s'y promenaient en prenant des photos. D'autres, assis aux terrasses des cafés, se détendaient sous le soleil automnal.

Ils devaient rencontrer Jimmy dans l'un d'eux, appelé Beitna. C'était le journaliste qui avait suggéré le lieu. Il avait trouvé l'idée amusante car le nom signifiait « notre maison » en arabe et en hébreu.

— Les patrons sont juifs, mais ne t'inquiète pas. Je

les connais, ils sont progressistes. Et la fille qui dirige est une beauté.

Il avait raison. De jeunes femmes aux longues jambes vêtues de hauts à manches courtes servaient des cafés à des garçons rieurs aux yeux noirs.

À leur entrée, un homme énorme se leva. Sa bedaine renversa la tasse de café turc posée devant lui, et le liquide sombre se répandit dans un cendrier débordant. Ses bras de géant se tendirent vers Salim puis ses grosses mains l'attrapèrent.

— Salim Al-Ishmaeli, rugit-il, et la moitié du café se tourna vers eux pour les regarder. Qu'est-ce que tu ressembles à ton frère !

Jimmy insista pour leur offrir du café et des gâteaux avant de parler affaires.

— Les Européens ont tous une mauvaise digestion, dit-il. Ils ont les intestins aussi durs que leurs cerveaux. Ils gardent la bouche fermée quand ils mangent, comme si c'était une honte d'avoir faim. Mais un Arabe donne le meilleur à table, comme dans sa chambre à coucher, pas vrai ?

Tareq remua sur son siège et s'éclaircit la gorge. Le regard en coin qu'il jeta à son beau-frère semblait demander : *qu'est-ce que c'est que cet animal ?*

Pour illustrer ses paroles, Jimmy mangeait et parlait en même temps.

— Je ne suis pas un avocat, poursuivit-il en essuyant les miettes d'un gâteau au miel sur sa bouche après que Salim lui eut résumé la situation. Alors je vous laisse gérer cet aspect-là.

Il hocha la tête en direction de Tareq, qui lui rendit son geste avec circonspection.

— Mais j'ai des amis, continua Jimmy, disons une petite organisation qui s'intéresse de près aux droits de propriété, par ici. Vous êtes au courant que les autorités continuent d'expulser les gens des vieux quartiers arabes. Des taudis, ils les appellent. C'est une vraie question politique. C'est à l'initiative de Shlomo, le maire.

Il tapota sa cigarette au-dessus du cendrier.

— Beaucoup de monde vient nous demander de l'aide, mais ton histoire est… comment dirais-je ? fit-il en adressant un sourire à Salim. Poétique. Je ne connais personne qui serait capable de déposer une plainte pour un dossier datant de 1948. Personne ne l'ose.

— Rafan m'a dit que tu pourrais m'aider, tenta Salim avec prudence. Quel genre d'aide apporte ton organisation ?

Jimmy se renfonça dans son siège. Ses mains se posèrent sur le sommet de son ventre.

— Un soutien moral, répondit-il.

Salim lui jeta un regard dépité. *Est-ce qu'il croit que j'ai besoin d'une épaule pour pleurer ?*

— Nous rallions les gens à votre cause. On les y intéresse – la presse, l'administration locale. On fait pression sur les tribunaux pour qu'ils ne puissent pas vous ignorer. C'est ça, qu'on fait.

— Et en contrepartie ? demanda Tareq, qui n'avait pas touché à son café.

Jimmy haussa les épaules.

— Ce qui est bon pour vous est bon pour nous. On est tous des frères, ici.

Salim se raidit à ce mot. Il se souvint de Farouk,

à Beyrouth, avec ses yeux noirs et son sac plein de munitions. Aujourd'hui, dans les territoires occupés, il y avait une nouvelle *Najjada*, une armée de gamins : le Hamas, les Fervents. On aurait dit le nom d'un club de jeunes. Mais ce club envoyait des adolescents munis de pierres et de cocktails Molotov affronter des soldats israéliens armés de fusils automatiques.

Salim reposa délicatement sa tasse et scruta l'homme assis en face de lui.

— Soyons très clairs, Jamil, quoi que Rafan ait pu te dire, tout ce que je veux, c'est récupérer ma maison. J'apprécierais ton soutien, que ce soit par voie de presse, ou avec tout ce qui pourra m'aider à défendre mon affaire. Mais rien de plus.

Jimmy éclata de rire et posa ses mains à plat sur la table.

— Rafan m'avait bien dit que tu étais un homme intelligent ! Non, rien de plus. Nous soutenons nos frères qui se battent en Cisjordanie. Mais de manière légale, car aujourd'hui, nous sommes des citoyens israéliens. Nous nous battons pour obtenir un traitement juste et un partage du pouvoir. Ça paraît équitable, non ?

Salim, toujours tendu, se cala contre sa chaise.

— Alors, que veux-tu que nous fassions ?

— Tenez-vous prêts et continuez de me tenir au courant. Je vais écrire quelques articles et, dès que vous aurez vos premières auditions au tribunal, on pourra peut-être mener une action plus importante. Il y a beaucoup de gens ici qui sont prêts à soutenir une cause. Tous mes amis ne sont pas arabes, vous savez. Hé, Osnat ! cria-t-il en direction du comptoir, faisant sursauter Salim. Cet homme veut que l'État lui rende sa maison. Est-ce qu'on va l'aider à la récupérer ?

Une jeune Juive à la peau mate, au regard gris et serein, leva la tête. Du sucre maculait son tee-shirt noir et ses cheveux étaient noués par un bandana. Un sourire apparut sur son visage.

— Bien sûr, dit-elle. Pourquoi pas ?

Tandis que Salim observait Jimmy sortir du café en se dandinant, il se sentit rongé par le doute. Pourquoi cet ami de Rafan se montrait-il si désireux de l'aider ? Il avait peur de lui faire confiance, et pourtant, il était las de se battre seul.

Tareq tapota sa montre avec anxiété.

— Salim, nous devons retourner à Tel-Aviv. Je dois te montrer quelque chose.

— Je ne suis pas encore prêt à partir. J'ai besoin d'un peu de temps pour moi, ici.

Tareq vérifia de nouveau sa montre.

— D'accord. Voilà ce que je te propose. Retrouvons-nous ici dans une demi-heure. Je peux faire un aller-retour et revenir te chercher. La surprise que je veux te montrer peut se déplacer, dit-il en souriant légèrement.

Alors que son beau-frère regagnait sa voiture, Salim partit à pied, dépassa la tour de l'Horloge et les bâtiments aux fraîches odeurs de peinture blanche. Son instinct le guida vers le sud, comme si l'esprit de son enfance s'était doucement glissé dans ses pas.

La vieille ville était entourée par un haut mur, dont dépassait la flèche d'une église. Vers la gauche, les immeubles commencèrent à devenir plus délabrés et les touristes disparurent. Salim contourna le mur pour se diriger vers l'ouest, où d'après ses souvenirs se trouvait la mer.

Il reconnut les lieux. Il passa devant le vieux cimetière à sa droite puis repartit vers le sud. Le port et la mer s'offrirent enfin à sa vue. Autrefois, avec Mazen, il avait longé la digue jusqu'à la place de l'Horloge pour aller acheter des bonbons. Mais aujourd'hui, l'accès était bloqué par de longues rangées de conteneurs métalliques. Tout au bout, un grand parking avait été construit. Des oiseaux volaient au-dessus, portés par l'air vif.

Plus loin encore, il déboucha dans le vieux quartier d'Al-Ajami, ou dans un endroit qui, autrefois, l'avait été. Après la guerre et la Catastrophe, tous les Palestiniens de Jaffa y avaient afflué. Salim avait été fier d'avoir vécu dans le dernier rempart arabe de Jaffa, jusqu'à ce qu'il apprenne la vérité : le quartier était devenu la première prison de leur défaite.

Aujourd'hui, les immeubles tombaient en ruine, des fils de fer couraient de l'un à l'autre, comme les ficelles de marionnettes qu'on aurait arrêtées au milieu d'une danse pitoyable. Si la quasi-totalité de la terre en bordure de mer avait été défrichée, des bandes brunes de broussailles s'étendaient encore dans la pente, vers l'ouest, jusqu'aux vagues déchaînées.

À travers la brume, la mer était pâle et limpide. Salim n'aperçut aucune voile sur les eaux agitées. Il n'y avait plus de navires, ils n'avaient plus de raison de venir ici. La douceur talée et amère de la saison des récoltes n'emplirait plus jamais l'air. C'étaient les camions qui emportaient désormais les oranges de

Jaffa vers le port moderne israélien d'Ashdod, à plus de soixante kilomètres au sud.

Le soleil était bas dans le ciel, mais son éclat aveugla Salim. Deux petites routes menaient vers le rivage. Il prit la seconde et marcha jusqu'à un croisement. Le chemin avait été goudronné et, si cela lui parut étrange sous les pieds, il savait que c'était mieux ainsi.

La voilà. Le portail était toujours là, noir et solide. Derrière lui, la maison se dressait sur ses deux étages. La vieille bougainvillée, adossée contre le mur de la villa, était devenue énorme, et ses fleurs éclataient d'un rouge enivrant.

Le choc qu'il ressentit – cette violente collision entre la mémoire et le monde réel – lui coupa le souffle. Les couleurs envahirent tous ses sens et le submergèrent : les fleurs, le ciel bleu, la pierre blanche éblouissante. Ils consumèrent l'image déjà pâlie, si longtemps chérie dans son esprit, et l'effacèrent comme une ombre sous la pleine lune. Il s'avança jusqu'au portail et posa sa paume sur le métal froid, s'attendant presque à percevoir un battement de cœur. C'était là que ses rêves s'étaient toujours arrêtés. Il n'y avait pas d'étape suivante.

Il appuya sur la sonnette. Un petit chien se mit à aboyer à l'intérieur, un jappement aigu et furieux. Quelqu'un lui répondit en hébreu à l'interphone. Il ouvrit la bouche mais ne parvint pas à parler. Pourtant, le portail cliqueta et s'ouvrit.

Elle était jeune, peut-être de l'âge de Jude. Ses cheveux bruns étaient noués en chignon. Elle portait un pantalon et une chemise dont elle avait roulé les manches et avait enfilé un gant en caoutchouc sur une de ses mains. Elle lui sourit à travers l'ouverture de la grille. Derrière elle, les arbres bruissaient. Leurs branches se courbaient sous le poids des oranges éclatantes, prêtes à être cueillies. Le soleil du soir les éclairait, mouchetant le jardin verdoyant de taches sombres et lumineuses.

Il devina qu'elle lui demandait de nouveau ce qui l'amenait chez elle, et il répondit en anglais.

— Je m'appelle Salim, dit-il. Salim Al-Ishmaeli.

— Oui ? demanda-t-elle d'un air interrogatif avec un fort accent hésitant. Je peux vous aider ?

Il tendit la main vers les murs blancs dissimulés derrière les arbres. Elle recula, surprise, et les mots jaillirent des lèvres de Salim malgré lui.

— C'est ma maison. C'était ma maison, autrefois.

Le visage de la jeune femme se contracta sous l'effet de la surprise, et ses yeux s'écarquillèrent. Salim secoua la tête. Il n'avait pas l'intention de lui faire peur.

— Tout va bien, dit-il, la gorge nouée. Je voulais juste la revoir.

— Oh, mon Dieu ! s'exclama-t-elle. Quand ? Quand avez-vous vécu ici ?

Elle s'était exprimée en anglais, d'une intonation européenne aussi prononcée que celle de la mère de Jude.

— Avant la guerre, répondit-il.

Il sentit les larmes lui monter aux yeux et cacha son visage entre ses mains.

— Oh, mon Dieu, répéta-t-elle, et elle posa la sienne sur l'épaule de Salim.

Il se raidit immédiatement. *Que fait-on, mainte-*

nant ? Les yeux bleus de la jeune femme exprimaient un chagrin sincère. *Elle n'a pas l'air israélienne.*

— Depuis quand habitez-vous ici ? demanda-t-il.

— Pas depuis très longtemps. Je viens de Hongrie. Mes parents sont arrivés après la guerre. Je suis venue pour rester près d'eux.

Il comprit que, lorsqu'elle mentionnait la guerre, elle ne parlait pas de la même. *La leur, celle contre l'Allemagne.* Pour chacun de leur peuple, il y aurait toujours une seule guerre.

Elle avait ouvert grand le battant, et tout son visage exprimait la compassion.

— Venez. Je peux vous montrer la maison, ou vous faire du thé ?

Il éprouva un soudain dégoût à l'idée d'entrer. Il secoua la tête.

— Non, merci. Je dois… Je dois y aller.

S'il gagnait son procès, elle allait devoir partir. Il n'en éprouva aucun sentiment de victoire.

Elle lui adressa un sourire triste et agita la main en signe d'au revoir. Il se retourna pour partir et entendit le portail qui se refermait.

Brusquement, il fit volte-face.

— Une chose encore ! S'il vous plaît. Est-ce que je pourrais…

Il désigna un oranger, dans le jardin. L'un d'eux était le sien mais il était incapable de savoir lequel.

— Est-ce que je pourrais cueillir une orange ? On avait l'habitude de le faire, quand on était enfants. C'était une… une tradition.

— Je vais aller vous en chercher une, répondit-elle.

Il l'observa marcher jusqu'à l'arbre le plus proche,

tendre son long corps mince vers les branches et les secouer. Lorsqu'elle revint, elle tenait dans sa paume une belle orange ronde qu'elle offrit à Salim.

Ils restèrent silencieux un instant, puis elle hocha la tête.

— Bien, alors au revoir.

Le portail se referma. Salim demeura immobile, comme enraciné dans la terre. L'orange pesait au creux de sa main, aussi lourde que tous les chagrins qu'il avait emportés de cet endroit. Il en sentit l'âpreté, mais aussi toute la douceur. Il courba la tête.

Salim n'avait toujours pas bougé lorsqu'il entendit le bruit d'une voiture derrière lui. Il se retourna en s'essuyant les yeux et vit alors la Nissan de Tareq arriver à sa hauteur, et son beau-frère sortir du véhicule.

— J'étais sûr qu'on te trouverait ici, dit-il en se précipitant vers lui. Tu vas bien ? Tu n'as rien fait de stupide ?

Salim pressa le bras de Tareq pour le rassurer. Il se rendit vaguement compte qu'une autre personne se tenait derrière la portière ouverte.

— Écoute, lui dit Tareq, il faut y aller. On doit discuter de plein de choses. Et j'ai emmené ta surprise. Tu ne l'as donc pas vu ? demanda-t-il en désignant la voiture.

L'homme s'avança. Il était grand et pâle, ses cheveux se clairsemaient, mais ses yeux étaient aussi noirs que ceux d'un faucon. Il sourit. Et, bien qu'il soit à présent un homme mûr, Salim le reconnut instantanément. *Elia.*

— Salim, comment vas-tu ? demanda-t-il en arabe.

Je n'arrivais pas à y croire, quand Tareq m'a annoncé que tu venais.

Ils se prirent dans les bras. Le mélange de joie et de tristesse qui assaillit Salim lui donna la nausée. Il songea à tous ces souvenirs qu'ils ne pourraient plus jamais vivre ensemble.

— Elia.

Salim essaya de parler, mais tout ce qui lui vint à l'esprit, ce fut ce prénom.

— Elia.

— Salim.

Les yeux brouillés de larmes, son ami d'enfance lui souriait.

— Tu sais, je suis avocat, maintenant. J'ai fait du chemin depuis la boutique de confection. Je m'occupe des affaires de propriétés. Si je le peux, je t'aiderai.

Il serra l'épaule de Salim, les ancrant tous deux dans la terre.

— Je te le promets, mon ami. Je t'aiderai à obtenir justice.

L'audition préliminaire dans l'affaire Al-Ishmaeli était fixée à la première semaine de novembre. Les matins de Nazareth étaient désormais gris et froids. Mais Salim savait qu'au bord de la mer les cieux seraient d'un magnifique bleu hivernal.

Il mit une chemise, noua une cravate et enfila un blazer en lainage léger. Le miroir de la chambre d'amis était rayé et mal éclairé. Face à son reflet, il observa le visage qui lui renvoyait son regard.

Pas encore vieux. Les joues, assombries par une

barbe de trois jours, étaient plus minces qu'il ne l'avait imaginé. Il remarqua pour la première fois les mèches grisonnantes à ses tempes et les toucha avec une déférence troublée.

Elia avait promis de les retrouver au tribunal. Il était chef de famille à présent. Sa femme était assistante sociale. Quant à lui, il s'était donné pour mission de récupérer des parcelles de terre arabe de la poigne de fer d'Israël. La tâche était ardue ; depuis des années, avait-il expliqué, Israël faisait passer des lois pour s'assurer que des affaires comme celles de Salim ne soient jamais jugées.

— Ça ne leur suffit pas d'être les propriétaires de la terre. Ils veulent faire en sorte qu'à l'origine elle n'ait jamais été à toi.

Cependant, il restait encore quelques raisons d'espérer.

— Le nom de ton père est inscrit dans le registre régi par le Code foncier ottoman. Ce vieux registre prouve que le titre de propriété utilisé pour vendre la maison est faux. Et qu'il y a lieu de poursuivre l'État pour négligence afin d'obtenir un dédommagement pour ce que tu as perdu.

Cependant, comme Elia l'avait répété à Salim, il ne pouvait pas faire de miracles.

— Je vais te donner la différence entre les Arabes et les Israéliens, avait-il dit. Les Arabes veulent être jugés par la loi, rien que la loi. Je parle de celle qu'on nous enseigne, enfants, où le bien s'oppose au mal comme le jour à la nuit, et où tout délit mérite une punition. Mais la loi n'est pas la même en Israël. Là, tout est question d'articles, de clauses et de sous-clauses, avec une kyrielle d'interprétations possibles et un net parti pris contre toi. Dieu n'a rien à voir avec ce genre de loi. Et la justice non plus.

Salim avait cogité sur ces paroles. *Un dédommagement pour ce que j'ai perdu. Qu'est-ce que ça peut bien signifier pour moi, aujourd'hui ?* Il avait perdu bien plus que de l'argent, bien plus que sa terre. Parfois, il s'imaginait en train d'ouvrir la porte de son ancienne chambre et d'y découvrir tous ses espoirs déçus : un autre lui-même débordant de confiance en soi, une femme joyeuse, des enfants, et sa mère, les bras grands ouverts.

Le tribunal de Tel-Aviv était un ensemble de carrés et de rectangles gris, illustration parfaite d'une autorité insondable et inaccessible. La cour située devant le bâtiment était ornée de sculptures en métal aux formes inidentifiables, augurant les nombreux désarrois réservés aux plaignants à l'intérieur.

— Eh bien, c'est curieux, remarqua Tareq lorsque lui et Salim s'approchèrent de l'entrée sécurisée.

Une foule peu nombreuse mais énergique était maintenue à distance des portes par trois gardes. Salim distingua deux pancartes en hébreu et en arabe. Sur l'une d'elles, on pouvait lire : *Justice pour les Al-Ishmaeli !* Sur l'autre : *Justice pour Jaffa !*

Jimmy. Ils avaient discuté la veille.

— Ne t'inquiète pas. Mes camarades seront là, avait-il dit.

Salim se faufila parmi le groupe qui l'encourageait et lui donnait des tapes dans le dos. Il voulait leur parler, mais Tareq l'entraîna. Au moment où il allait protester, il aperçut Elia qui les rejoignait.

— Tu as vu les gens devant la porte ? demanda Salim, sa joie débordante se muant en une nouvelle assurance.

— C'est sympathique, répondit Elia, mais à moins qu'ils ne soient tous avocats... Enfin, j'espère que les juges arriveront par un autre accès. Les émeutes en Cisjordanie donnent une mauvaise image du militantisme arabe.

— Ce n'est pas une émeute, répondit Salim en se tournant vers les pancartes. C'est de la publicité. Quel mal y a-t-il à ça ?

Elia, dédaigneux, haussa les épaules.

La salle d'audience au plafond bas était faiblement éclairée. Le juge fit son entrée sans cérémonie. Il était mince, avec des yeux tombants et un double menton. Sa robe noire flottait par-dessus sa chemise blanche autour de laquelle était nouée une fine cravate noire.

Les hommes plus jeunes qui étaient assis sur le banc opposé étaient des membres de la société de logement Amidar.

— Ce sont les administrateurs de la propriété de l'État, chuchota Elia. Le gouvernement en costume.

Salim les observa. *Quand j'ai perdu ma maison, ces hommes étaient de petits garçons, à peine capables de lire et écrire.* Quelle absurdité : les enfants de la guerre avaient grandi pour se combattre sur des sujets dont ils se souvenaient à peine.

Le procès se déroula en hébreu et dura moins de quinze minutes. Elia exposa ses arguments afin que la plainte déposée par le père de Salim puisse encore être prise en compte. Les avocats d'Amidar soutinrent au contraire que sa durée avait expiré.

Le juge, voûté dans sa robe noire, ne parla qu'une seule fois : il posa une question à Elia en désignant Salim. Même quand celui-ci entendit prononcer son nom, il garda les yeux fixés sur les avocats. Il croyait entendre des cris à l'extérieur. *Justice pour Jaffa !*

Brusquement, aussi vite qu'il était venu, le juge se leva et sortit. Salim comprit que l'audience était terminée. Mais comment cela était-il possible ? Ils n'avaient rien décidé. On ne l'avait même pas laissé parler !

— Ne t'inquiète pas, lui dit Elia en souriant lorsqu'il remarqua son expression. En fait, c'est bon signe. C'est l'audience préliminaire. Je connais le juge, il déterminera rapidement si oui ou non il y a lieu de continuer. Nous aurons une deuxième audience. Peut-être dans quelques semaines. Peut-être moins.

Se montrer patient. C'était ce que Salim se chuchotait à lui-même tous les matins au réveil. Mais c'était plus facile à dire qu'à faire.

— Merci, dit-il à Elia en ravalant son orgueil blessé et en lui serrant la main. Tu en as tellement fait pour nous. J'ignore pourquoi, mais merci.

Elia commença à ranger ses dossiers dans sa mallette. Sans lever les yeux, il répondit.

— Ma mère, paix à son âme, parlait sans arrêt de la tienne. Elle venait dans notre boutique et elles discutaient de plein de choses, toutes les deux. Rien de spécial, des trucs de femmes.

Un petit sourire apparut sur ses lèvres.

— On trouvait que ta mère était la plus belle femme qu'on avait jamais vue.

— Elle l'était, répondit Salim. Mais ça n'a pas duré.

— Peut-être, répondit Elia en se levant. Rien ne dure. Mais à cette époque, vous nous avez aidés à nous sentir moins seuls. Les Juifs de Tel-Aviv traitaient mon père comme un moins que rien. Nos voisins de Jaffa ne nous faisaient pas confiance. Mais ta mère, et toi, vous étiez nos amis. Nous n'avons pas oublié.

Il posa sa main sur l'épaule de Salim.

— On se voit bientôt.

Salim le vit redresser son buste étroit et sortir de la salle.

Le lendemain, Jimmy appela.

— Est-ce que tu as apprécié la manifestation devant le tribunal ?

— Formidable ! répondit Salim. Qui étaient ces gens ?

Un rire éclata à l'autre bout de la ligne, avant de se transformer en quinte de toux.

— Je te l'avais dit, fit-il d'une voix rauque. Notre organisation compte beaucoup d'amis : des Arabes, des Juifs. Des bouddhistes !

Il toussa de nouveau.

— On organise aussi des interviews pour la presse. Et j'aimerais que tu viennes prendre la parole dans des réunions. Juste devant un petit groupe de gens dévoués.

— Et c'est pour quand ?

Parler avec Jimmy lui rappelait la comptine que les jumeaux chantonnaient, quand ils étaient enfants. *Qui a peur du loup ? Pas nous, pas nous. Qui a peur du loup ? C'est nous, sauvons-nous.* Salim avait l'impression que toute personne qui tournerait le dos à ce prédateur deviendrait vite son dîner.

— Je t'appellerai, dit Jimmy. Et, au fait, regarde les infos demain. Il y aura peut-être quelque chose qui te concerne.

Il n'eut pas besoin d'allumer la télévision. Le lendemain après-midi, Tareq se chargea personnellement de le prévenir en tapant violemment à la porte de sa chambre. Salim était en train de rêver de Jude, toute jeune, son collier avec l'étoile de David autour du cou, une lueur dorée brillant dans sa chevelure.

— Salim ! hurla Tareq, furieux, en le tirant de son sommeil.

— Qu'est-ce qu'il y a ?

La porte s'ouvrit et son beau-frère resta sur le seuil, les lèvres pincées.

— C'est ton ami, Jimmy.

— Eh bien quoi ?

Les narines de Tareq frémirent et il leva les mains vers le ciel.

— J'ai reçu un coup de fil d'Elia. Il y a eu un incident devant la maison.

Salim, engourdi par le sommeil, ne comprit pas.

— Quelle maison ? De quoi parles-tu ?

— La maison, la maison !

Tareq semblait avoir envie de le secouer.

— Il y a eu une manifestation. Elle a commencé par un rassemblement place de l'Horloge. Après des discours sur les droits de propriété à Jaffa, la foule a défilé jusqu'à la maison de ton père. Et des gens ont peint sur les murs des inepties comme *Justice pour Jaffa*. La police est arrivée et a arrêté quelques personnes.

— C'est incroyable.

Salim dut baisser la tête pour dissimuler sa joie.

— Non, tu te trompes. Souviens-toi de ce qu'a dit Elia. Quand les gens voient des Arabes en colère, ils ne pensent pas à des militants. Ils pensent à des terroristes.

— Jimmy est un ami de Rafan, répondit Salim. Je vais parler à mon frère. Je m'assurerai que la situation ne nous échappe pas.

Cette nuit-là, il regarda la manifestation à la télévision. La maison aux Orangers était méconnaissable. De la peinture rouge barbouillait ses murs et un groupe de jeunes gens aux visages décidés bloquait la porte. Une femme, face à la caméra, parlait en hébreu et faisait de grands gestes. Elle portait un keffieh palestinien. Sa peau et ses cheveux étaient aussi sombres que ceux de Sophie. Cette pensée déclencha en lui une douleur si vive que Salim porta la main à sa bouche et ferma les yeux.

Le téléphone sonna et Nadia se pressa d'aller décrocher. Le présentateur du journal était passé à des scènes d'émeutes que l'on commençait à nommer *Intifada*. De nouvelles lois d'urgence avaient été votées à la Knesset. Quelque chose troublait Salim, en lien avec la voix de Nadia, derrière lui. Puis il comprit. Elle parlait en anglais.

Il se retourna lentement vers elle et croisa son regard.

— Oui, je te le passe tout de suite, dit-elle.

Elle lui tendit le téléphone.

La voix était méfiante et pourtant, il se laissa bercer par le son.

— J'espère que je ne te dérange pas, lui disait-elle.

— C'est bon, répondit-il.

Elle marqua une pause et prit une inspiration – le bruit d'un souffle qu'il connaissait bien. Ils ne s'étaient pas parlé depuis son départ pour Israël.

— J'ai entendu dire que ton procès se passait bien. Hassan m'a raconté que tu avais eu ton premier jour d'audience, au tribunal.

— Je ne savais pas que tu parlais encore à Hassan.

— Je parle encore à tout le monde, Sal.

Il ferma les yeux. *Pourquoi m'appelle-t-elle ? Nous reste-t-il quelque chose à nous dire ?*

Le silence s'installa de nouveau, puis elle reprit :

— Tu n'as pas eu mon message ?

Salim regarda Nadia qui s'affairait dans la cuisine. Elle lui avait bien laissé un mot, quelques jours plus tôt, qui mentionnait l'appel de Jude et qu'il avait laissé traîner sur son lit, mais il n'avait pas eu le courage de la rappeler.

— J'ai été débordé, excuse-moi. Qu'est-ce qu'il y a ?

— Bon sang, Salim.

Les larmes qu'il entendit dans sa voix le surprirent. Que s'était-il passé ?

— C'est Marc. Il a été renvoyé du Royal Ballet. Il a été impliqué dans une bagarre avec un autre élève.

Bien que choqué, Salim se mit à rire.

— Marc qui se bat ? Je ne pensais pas qu'il en était capable.

Jude lui répondit d'une voix glaciale.

— Il a griffé le visage du garçon suffisamment fort pour le faire saigner, Sal. En fait, je pense que tu y es pour quelque chose. L'élève est juif et, d'après Marc, il aurait fait une blague sur les Palestiniens. Quand je suis allée le récupérer à l'infirmerie, il était en train de délirer, il racontait que tu lui avais dit qu'on se moquait toujours des Arabes mais que lui, il ne comptait pas se laisser faire. Depuis ça… je ne sais pas, dit-elle d'une voix tendue. Je suis inquiète pour lui. Il affirme qu'il prend ses médicaments mais je ne crois pas qu'il le fasse. Et puis hier, la police l'a ramené, il avait mis le feu à l'affreuse vieille cabane, en bas de la rue. Ils m'ont dit qu'il y avait jeté un cocktail Molotov.

— Wouah ! fit Salim en riant presque. Cet endroit méritait d'être réduit en cendres. Il a bien fait.

— Mais qu'est-ce qu'il te prend ? répondit-elle en criant. Ce n'est pas drôle. Ce renvoi, c'est la fin de son rêve. Le rêve d'une vie. Bon Dieu, Sal, tu ne te souviens donc plus ce que c'est, d'avoir des rêves ?

— J'en ai eu tellement, toutes ces années, répliqua Salim.

Et ce qu'il ressentit alors fut pareil à un vent chaud soufflant sur les braises de sa douleur et de son ressentiment.

— Pour Marc, ce n'est que le premier, poursuivit-il. Crois-moi, il s'en remettra.

— Comme toi, tu t'en es remis, tu veux dire ?

Le sarcasme fit mouche.

Il se remémora les yeux de Marc qui s'emplissaient de larmes, ce jour-là dans sa chambre. Salim n'avait rien éprouvé sur le moment mais, à présent, un profond chagrin pour son fils commença à s'insinuer en lui.

— Je suis désolé pour Marc. Mais qu'est-ce que tu veux, Jude ? Il n'a pas besoin de moi.

— Tu es son père. Son avenir est incertain, il a besoin de ses parents. Il est perturbé, Sal, et il a honte. Un jour il me dit qu'il va voyager, le jour suivant il me demande si tu vas rentrer. Il veut que tu reviennes, même s'il est incapable de te le dire en face. Ça ne te rend pas heureux ?

Ça le devrait. Ce serait si facile, juste de dire oui, de sauter dans un avion et de leur faire la surprise. Mais alors, il entendit le présentateur, derrière lui, et il se souvint de la peinture rouge sur les murs de la maison aux Orangers. *Justice pour Jaffa !* Il avait pris une décision, il avait un but. Il ne pouvait pas laisser tomber, pas pour Marc, pour personne.

— Si tu as parlé à Hassan, tu dois savoir que je ne peux pas partir maintenant, rétorqua-t-il, et les mots semblèrent plus durs qu'il ne le souhaitait. On est en plein milieu d'un combat. Si je pars, j'aurai fait tout ça pour rien. Je dois rester. Tu comprends ? Il faut que tu l'expliques à Marc.

Elle garda le silence. Il imagina ses grands yeux bleus, son teint si clair et pur. Enfin, elle reprit la parole, d'une voix lasse et résignée.

— Je ne suis pas sûre de pouvoir lui expliquer, parce que je ne comprends pas moi-même. Ton fils a besoin de toi. Qu'est-ce qui pourrait être plus important ?

— Je le fais pour lui, répondit-il malgré la culpabilité et la frustration qui l'étreignaient. Pour son avenir, pour notre héritage. Ça devrait compter, à ses yeux. Il doit comprendre.

— D'accord, Sal, dit-elle d'un ton plus calme. Reste et mène ta bataille. J'espère que ça te rendra heureux. Tu sais où nous trouver. Au revoir.

Il entendit un déclic, puis la tonalité régulière indiqua la fin de la conversation.

Tandis qu'il reposait le téléphone, il vit Nadia dans l'encadrement de la porte de la cuisine, les mains croisées au-dessus de sa poitrine généreuse, le regard plein de reproches.

— Je ne te comprends pas, dit-elle d'une voix vibrante de tristesse. Qu'est-ce que tu fais ici ?

— Que veux-tu dire ? Toi plus que n'importe qui, comment peux-tu me poser une question pareille ?

— Tu n'aurais pas dû venir. Au fond de ton cœur, tu le sais. Le frère que je connaissais n'aurait pas abandonné sa famille. Il l'aurait protégée avant tout.

Ses yeux étaient rouges et ses mains tremblaient, comme si sa soudaine témérité l'effrayait.

— Comment peux-tu pleurer sur son sort ? cria-t-il. Tu ne la connais même pas. Tu n'es pas venue à notre mariage, tu lui as à peine parlé pendant toutes ces années. Tu ne l'as jamais appréciée. Alors pourquoi ces larmes aujourd'hui ? Ce n'est pas un peu tard ?

— Ce n'est pas pour elle que je pleure, répliqua Nadia en levant vers lui son visage, un visage usé par trop de bonté jamais récompensée. Quel genre d'homme es-tu, pour prêter attention à ce que les autres pensent de ta femme, de ton choix ? C'est pour toi que je pleure. Oh, mon petit frère.

Les larmes, incontrôlables, ruisselèrent sur ses joues.

— Tu avais tout, tu avais tant de belles choses. Et regarde-toi. Tu as tout gâché.

Des années auparavant, alors que Salim n'était encore qu'un enfant, il était monté à bord d'un bateau de pêche pour apprendre le fonctionnement des filets. Ils étaient partis juste avant l'aube, lorsque la mer et le ciel avaient la même couleur et que le monde émettait son premier souffle. Pendant plus d'une heure, tandis que la coque en bois oscillait, ils avaient remonté des filets vides. Salim, accroché au plat-bord pour lutter contre le mal de mer, avait somnolé, nauséeux, bercé par le calme immense. Puis soudain, un cri avait retenti. Un filet argenté, qui brillait dans l'éclat des premiers rayons du soleil, avait été déversé au fond du bateau. Le sol avait frétillé à ses pieds, et les poissons, partout, s'étaient mis à sauter, voler et à fendre l'air comme des centaines de petits couteaux. Et de là-haut avaient surgi les voleurs silencieux, les mouettes qui s'étaient abattues sur le pont pour dérober leur part du butin, qui avaient crié lorsque les pêcheurs les avaient chassées à coups de bâton.

Quand Elia téléphona pour annoncer la date d'audience, il ressentit de nouveau l'excitation et la peur de la mêlée le submerger. Ce sentiment noya la culpabilité qui le rongeait depuis l'appel de Jude, ainsi que les inquiétudes insaisissables qu'il éprouvait pour Marc.

— Le juge va entendre encore une fois les deux parties, expliqua Elia. Il a promis que nous ne partirions pas sans obtenir de jugement.

La date avait été fixée au 21 décembre. Dans deux semaines, la partie commencerait ou s'achèverait.

De son côté, Jimmy s'activait aussi. Son organisation s'enflammait, dit-il à Salim avec ravissement.

— Tu es un orateur-né, dit-il en mordant dans un sandwich pita aux falafels et pickles.

De la sauce harissa déborda aux coins de ses lèvres et goutta sur son col.

— Où étais-tu caché, *habibi* ? Si seulement les élections municipales démarraient maintenant, tu m'aiderais à soutenir un parti ou un autre. Mais *ma'alish*. Au moins tu es avec nous aujourd'hui, et celui qu'on choisira pour se présenter dans deux ans aura des leçons à prendre, *sah* ?

Alors qu'il essuyait son double menton, Salim s'imagina disparaître au fond de son énorme gosier. *Le géant de Jaffa. Il me mange et chie un siège pour le conseil municipal.*

Jimmy avait préparé un planning de manifestations qui devaient les conduire jusqu'à l'audience finale.

— C'est juste assez et pas trop, annonça-t-il de sa voix joyeuse de basse. Les gosses sont débordants d'énergie, que Dieu les bénisse. Quand je les ai laissés à Jaffa, ils peignaient des slogans sur des tentes qu'ils vont attacher sur le toit de leurs voitures. Ils comptent les utiliser pour leurs défilés. Pourquoi des tentes ? je leur ai demandé. Tu sais ce qu'ils m'ont répondu ? C'est un symbole de l'exil. Une fois qu'ils auront fait le tour de la ville en voiture, ils vont les détacher et faire ce que les Américains appellent un *sit-in*. Ils ont l'intention de camper devant ta maison ! Ils en font un outil de publicité et de protestation ! Ce sont les gamins juifs qui en ont eu l'idée. Voilà notre problème, Salim. On ne voit pas plus loin qu'une pierre ou une bombe. Les Juifs sont plus raffinés, c'est pour ça qu'ils ont gagné à la fin.

Jimmy était fidèle à ses engagements. Le mouvement prenait de l'ampleur à Jaffa. Chaque jour, Salim était conduit dans l'une des voitures de Jimmy pour aller parader et raconter son histoire devant ses militants ; il s'émerveillait de voir ces jeunes gens juifs et arabes l'écouter si attentivement.

Pour lui, ils se ressemblaient tous, de la même manière que les Anglais ne savaient pas distinguer les étrangers les uns des autres. Salim ne percevait qu'un mélange de visages bronzés et de corps dégingandés, d'hommes et de femmes portant le keffieh avec la même nonchalance ; les filles arboraient des tenues identiques et décontractées – jeans et hauts amples – et les garçons portaient les cheveux longs ou extrêmement courts. Ils étaient tous jeunes, mais les Juifs étaient soit les moins âgés, soit les plus vieux du groupe. Tous ceux qui avaient dix-huit ans étaient partis faire leur service militaire, ils avaient revêtu les couleurs vertes des forces de défense israélienne et s'entraînaient à tirer sur les Arabes dans les territoires occupés.

Un soir, Salim vit les tentes à la télévision. Fixées en équilibre instable sur les toits de voitures roulant en longues files, elles bringuebalaient le long des rues de Jaffa et de Tel-Aviv. Des mégaphones hurlaient et, sur un tiers des tentes, il aperçut son nom écrit en arabe et en hébreu. Le reportage fut vite interrompu pour laisser place à une interview virulente de Shlomo Lahat, maire de Tel-Aviv depuis plus de quinze ans. *Du hooliganisme*, tonna-t-il, indigné, et sa mèche blonde balaya son front tandis que ses sourcils blancs se fronçaient. Puis il assura au journaliste que de grandes choses étaient mises en place pour Jaffa et que des investissements allaient être attribués au quartier pauvre d'Al-Ajami. Ses paupières frémirent lorsqu'il fut suggéré que les tribunaux d'Israël ne s'intéressaient pas à la justice.

— Ce sont tous ceux qui veulent maintenir le désordre à Jaffa qui ne s'intéressent pas à la justice, déclara-t-il.

L'apothéose était programmée pour le dimanche, un jour avant le jugement définitif du tribunal. Salim devait prendre la parole au cours d'une conférence de presse qui se déroulerait devant la maison aux Orangers.

— Fais-moi confiance, *habibi*, lui dit Jimmy, ce sera mémorable.

Le samedi matin, Rafan téléphona. Nadia tendit le combiné à Salim en plissant le nez de déplaisir.

— Je suis très content que Jimmy ait fait du si bon boulot, grand frère, fit la voix grésillante. Même jusqu'ici, dans cette grande ferme, on en entend parler.

— Jimmy m'a beaucoup aidé. Merci de me l'avoir présenté.

— Pas besoin de me remercier, grand frère. Tu m'aides, je t'aide. Et ainsi de suite.

C'était justement cela qui faisait peur à Salim.

— Je suis désolé que tu ne te plaises pas en Jordanie, dit-il, cherchant une excuse pour écourter la conversation. C'est dommage que tu ne puisses pas être là.

— Si ça se trouve, tu vas pouvoir te réjouir bientôt.

Salim perçut son sourire à travers les centaines de kilomètres de câbles métalliques.

— C'est un grand jour pour mon frère. Comment pourrais-je rater ça ?

Salim repensa à ce matin de pêche, aux oiseaux qui avaient fait un piqué du ciel, becs et serres tendus. Il n'y avait rien qu'il souhaitait moins, à ce moment précis, que le retour de Rafan. Mais peut-être était-il déjà présent en esprit à travers Jimmy, son groupe et leurs plans secrets.

— Ne prends pas le risque de traverser la frontière, répondit-il, affolé. Tu as dit que les Israéliens t'avaient repéré. Pourquoi te mettrais-tu en danger ?

— Pour toi, fit Rafan en riant. Je ferais n'importe quoi pour toi, grand frère. Tu as fait le premier pas en créant ce mouvement à Jaffa. Je vais te dire, on peut faire beaucoup de choses avec ça. Alors ne t'inquiète pas. Jimmy n'est pas le seul Palestinien qui a plusieurs visages. *Insha'Allah*, je te verrai demain.

Tandis que le soleil déclinait ce soir-là, avant que Jimmy ne l'emmène à la dernière manifestation, Salim regarda les films de sa famille sur le vieux projecteur de Tareq.

Il avait emporté toutes les bobines du Koweït en Angleterre puis ici. Sur chacune d'elles, une légende avait soigneusement été inscrite. *La crique. Al-Saraj. La fête d'anniversaire de Sophie. Le jardin de Marc.* Il vit leur image trembloter à travers les années, leurs corps grandir et changer, leurs visages s'éclairer de rires silencieux. Les rides se dessinaient autour des yeux de Jude, les cheveux de Sophie poussaient. Le corps chétif de Marc s'allongeait et se remplissait. Puis, d'un coup de manivelle, il inversa le temps, les ramenant dans l'enfance et l'innocence. Jude, sur la plage, les joues parsemées de taches de rousseur, lui souriait. Sophie sautillait autour du feu et Marc courait pour la rejoindre, et ses bras s'évanouissaient dans la lumière dorée. Il passa les films en boucle, à la recherche d'une vérité perdue, dissimulée dans leurs visages. *À quel moment est-ce que tout a basculé ?* À cette époque, il ne rêvait que d'orangers et de mer chaude. Mais les orangers avaient disparu et la mer était encerclée de béton. À présent, il avait envie de rêver des cheveux blonds de Jude, des yeux de Sophie, de Marc bondissant en l'air. Mais ses nuits étaient vides, et quand il se réveillait, elles ne laissaient aucune trace derrière elles.

Jimmy vint chercher Salim après le crépuscule. Le prospectus de la soirée annonçait comme thème : *Justice pour Jaffa.*

Salim s'assit et regarda défiler les champs et les stations-service. Un mauvais pressentiment le taraudait.

Jimmy s'éclaircit la gorge.

— Salim, il y a une surprise qui t'attend, ce soir.

Ses grandes mains serrèrent le volant.

— C'est un vieil ami. Je pense qu'il peut nous apporter beaucoup, peut-être pour les prochaines élections.

Salim fut immédiatement sur ses gardes.

— De qui parles-tu ?

— Mazen. Le fils Al-Khalili.

Le ventre de Salim se noua comme s'il avait reçu un coup de poing. *Il plaisante.*

— Comment peux-tu imaginer que j'aie envie de le voir ?

Salim avait haussé le ton, et Jimmy se tourna pour l'observer de son regard insondable.

— Lui et sa famille. Ils nous ont trahis.

— Attends une minute, *habibi*, répondit Jimmy d'une voix qui se durcit imperceptiblement. Soyons clairs, qui a trahi qui ? Ce sont les Juifs qui ont créé tout ce gâchis. Les autres n'ont fait que ce qu'ils avaient à faire. J'ai parlé à Mazen, il est vraiment désolé pour ce qu'il s'est passé. Maintenant que son père est mort et enterré, paix à son âme, il n'a plus beaucoup d'argent. Visiblement, les Al-Khalili ne sont pas très doués en business. Mais il appartient à une vieille famille de Jaffa et, une fois qu'on l'aura bien décrassé, il fera parfaitement l'affaire.

— L'affaire pour quoi ?

— Pour nous. Pour Jaffa, pour les élections. On a besoin d'un représentant originaire de la ville à tes côtés, un homme qui puisse rassembler l'opinion publique derrière lui. Toi et Mazen, vous êtes amis d'enfance. Tout ce qu'il nous faut, c'est qu'on vous voie ensemble. Après tout, continua-t-il en jetant à Salim un regard à la fois amical et glaçant, j'ai fait une faveur à ton frère, sur ce coup-là. On devrait tous y gagner quelque chose, non ?

Ils arrivèrent dans la salle de réunion, en banlieue

de Tel-Aviv. Avant que les tanks ne rasent tout, c'était là que se trouvait le quartier de la vieille Manshiyya. Ils passèrent la porte, et de jeunes inconnus serrèrent la main de Salim.

Il avait parcouru la moitié de la foule quand il le vit. Salim s'arrêta devant lui, et Mazen cligna doucement des yeux en remuant d'un pied sur l'autre.

Les boucles noires serrées n'avaient pas changé, mais toute sa graisse pendait à présent de son ventre et de ses joues. Ses lèvres autrefois si rouges et insolentes étaient abîmées et gercées. Ses vêtements rappelèrent à Salim non pas ceux de l'élégant Abou Mazen, mais les costumes miteux de son propre père, tachés par la sueur de l'incertitude.

— Salim Al-Ishmaeli, dit Mazen.

Il s'éclaircit la gorge et tendit la main d'un geste embarrassé. Il fallut une seconde à Salim, sous l'œil attentif de Jimmy, pour se décider à la serrer. La paume de Mazen était moite et molle.

— Qui l'aurait cru, après si longtemps ? J'ai entendu dire que tu étais devenu un homme important, à Londres.

— Je ne suis plus un *fellah*, répliqua Salim.

Mazen rit, mais son regard était anxieux lorsqu'il lança un coup d'œil vers Jimmy.

— *Ya* Salim, je ne peux pas croire que tu te souviennes de ça.

Ce dernier ne le quittait pas des yeux.

— Je me souviens de tout, dit-il, et les mots laissèrent comme une brûlure dans son cœur. Même de ce jour, à Tel-Aviv.

Il eut la satisfaction de voir le visage de Mazen s'empourprer.

— Tu ne te rappelles pas comment c'était, répondit-il, le regard fuyant. Après l'arrivée des Juifs à Jaffa, nous étions des prisonniers, du bétail derrière des fils de fer barbelés. Pendant que tu vivais dans ce chouette appartement de Nazareth, on devait chier dans des trous parce qu'on était tellement nombreux que les canalisations débordaient. On ne pouvait rien faire, à part obéir à leurs ordres.

Il leva les yeux vers Salim.

— Les Israéliens ont essayé de nous monter les uns contre les autres, poursuivit-il. C'est vrai. On devrait se soutenir, maintenant.

— OK, ça suffit, c'est l'heure, intervint Jimmy. Vous finirez votre conversation plus tard. Ils nous attendent.

Quand Salim eut fini de parler, ce soir-là, Jimmy fit monter Mazen sur l'estrade pour lui faire raconter sa propre histoire. Et lorsque Mazen tendit la main à Salim sous les regards enthousiastes des jeunes spectateurs, ce dernier la prit, salué par les exclamations. Mazen, transpirant, souriait. Après que leurs mains se furent séparées, Salim sentit persister une trace collante de sueur dans la sienne. Et il se souvint alors des frères* qui récompensaient les garçons par un spectacle de marionnettes, chaque samedi matin. Salim, assis avec Mazen et Hassan, riait en regardant leurs rictus grimaçants et leurs petites danses saccadées. L'espace d'un instant, il s'imagina parmi la foule, en train de se regarder, les yeux pleins de mépris.

Il était près de minuit quand Jimmy gara sa voiture devant l'immeuble de Nazareth. Ils n'avaient pas échangé un mot pendant tout le trajet. Salim essuya ses mains l'une contre l'autre, mais il sentait toujours la sueur de Mazen sur sa paume.

— Qu'est-ce qu'il y a, Salim ? demanda Jimmy. Tu as presque retrouvé ta maison. Tous les journalistes de Tel-Aviv ont confirmé leur venue à la conférence de presse de demain. Lundi, tu auras ton verdict. Et ensuite, le vrai travail commencera. Qu'est-ce qui pourrait mal tourner ? Tout va bien se passer.

Qu'est-ce qui pourrait mal tourner ?

— Toute ma vie, j'ai voulu que Mazen paie pour ce qu'il avait fait, dit Salim. Mais ce soir, je lui ai serré la main. Qu'est-ce que ça fait de moi ?

— Ça fait de toi un homme intelligent. Écoute-moi, mon ami. Ici, tu ne vois pas les barbelés et les postes de garde comme en Cisjordanie. Mais nous sommes toujours un peuple en état de siège. On ne peut pas se permettre de se battre les uns contre les autres pour des histoires qui appartiennent au passé. Tu as fait ce qu'il fallait, *habibi*. Et demain, tu vas voir.

À mesure que Salim montait les escaliers, il avait l'impression d'entendre des murmures surgissant de l'obscurité pour l'avertir, lui révéler des choses importantes, mais les mots restaient inaudibles.

Épuisé, il prit sa clé et ouvrit la porte de l'appartement de Nadia. Une silhouette se leva précipitamment d'un fauteuil et lui fit face. Salim se figea sur le seuil. Le visage tendu et émacié, Marc le fixait.

Salim fut abasourdi. Le jeune garçon était presque squelettique. Un jean flottait autour de ses hanches et un tee-shirt noir trop large tombait de ses épaules décharnées. Ses bras nerveux étaient finement musclés et sa tête relevée dominait son long cou. La pose du danseur.

— Tu es surpris ? demanda-t-il.

Il était étrangement immobile, à l'exception de ses doigts, longs et pâles, qui se fermaient et se tendaient de façon répétitive.

Salim s'avança vers lui.

— Marc…

Il s'arrêta brusquement lorsque son fils intervint.

— Non. Non. Je ne suis pas venu pour ça.

Salim essaya d'embrasser du regard l'inconnu qui lui faisait face. La longue ossature et les yeux fiévreux étaient ceux d'un jeune homme qu'il n'avait jamais vu. Il ne restait presque plus rien de l'enfant qu'il avait quitté quelques mois plus tôt. Il tressaillit en contemplant les lèvres gercées, les poignets maigres et la pâleur des cheveux.

— Alors pourquoi es-tu venu ? demanda-t-il en craignant d'entendre la réponse. Ta mère est au courant ?

— Elle va l'être. J'ai dû lui prendre de l'argent, dit-il en riant, et son rire retentit comme un aboiement. Je suppose qu'elle t'a dit ce qu'il s'est passé ? J'ai échoué. Finalement, tu avais raison. Tu es content ?

Salim chercha ses mots.

— Je n'ai jamais voulu ça.

— Je l'ai fait pour toi, tu sais, poursuivit Marc, dont l'ombre se détachait dans la lumière réfractée par la cage d'escalier. Je croyais qu'on était amis, mais un jour, il a dit que les Arabes étaient des chiens, et à son expression, j'ai compris qu'il le pensait vraiment. J'ai voulu lui tenir tête, comme tu m'avais dit de le faire. Maintenant, je suis foutu. Ils ne me reprendront jamais.

Salim sentit une colère familière monter en lui.

— Ne me le reproche pas, Marc. Tu as pris ta décision tout seul. C'était peut-être la bonne, si quelqu'un t'a insulté. Il y aura d'autres écoles de danse, tu ne crois pas ?

Marc rit de nouveau, mais quelque chose se transforma dans son regard, le glissement d'une émotion à une autre – peut-être de la fureur aux larmes. Dans la semi-pénombre, c'était impossible à voir.

— Quand ça s'est passé, maman a dit que tu allais revenir. Elle pense encore que tu te sens concerné. Elle se fait des idées. Je lui ai dit. Tu t'en fiches complètement, et depuis toujours. Mais j'aimerais savoir pourquoi.

— Tu ne sais pas de quoi tu parles.

— Allez, tu peux le dire, maintenant. Tu n'as jamais été heureux avec nous. Est-ce que c'était à cause des cours d'arabe ? Ou parce que tu n'arrivais pas à garder un boulot plus de cinq minutes ? Ou alors tu étais trop en colère contre tout pour pouvoir nous aimer ? Pauvre petit papa, et sa pauvre petite maison que les méchants Juifs ont prise.

La voix de Marc était rauque.

— Tu es fou, répliqua Salim, mi-inquiet, mi-furieux. Marc, tu ne vas pas bien. Tu devrais rentrer à la maison. Il n'y a rien pour toi, ici.

Le jeune homme leva la tête. Ses yeux étaient fermés, mais ses doigts continuaient de s'agiter.

— Rien. Je sais. Tu as raison. Mais je voulais te voir. Pour te dire quelque chose.

Il parlait si vite que les mots semblaient jaillir de sa bouche.

— Quand ils m'ont viré, j'ai essayé de comprendre… pourquoi je n'ai jamais été heureux. Je ne me souviens pas l'avoir été. Sauf en dansant. Là, j'avais l'impression que rien ne pouvait m'arrêter. Mais maintenant, je sais pourquoi. Je te le dis ? Ça t'intéresse ?

Salim entendit la voix de Marc se briser.

— Vas-y, répondit-il. Si c'est tellement important pour toi.

Dans la pièce mal éclairée, les yeux bleus de son fils étaient plus sombres que les siens, d'un noir infini.

— C'est à cause de toi, dit Marc. Tu n'as jamais voulu qu'on forme une famille heureuse. Tu voulais toujours être ailleurs. Et moi j'essayais de combler tes manques. Mais ce n'était jamais assez pour toi. Bien sûr, tu avais raison, papa. Je ne pouvais rien combler du tout.

Ils restèrent muets un instant. Puis Marc souleva un grand sac à dos posé par terre et le glissa sur une épaule. L'ombre se fondit dans celle du jeune homme sur le mur derrière lui, un jeu de lumière à la fois monstrueux et menaçant.

— Il paraît que tu as une conférence de presse, demain. Devant la célèbre maison.

— C'est exact, répondit Salim. Je te dirais bien de venir, mais je suppose que tu n'en as pas envie.

Marc haussa les épaules.

— J'aimerais peut-être voir cet endroit. Comment tu l'as appelé ? Ton héritage. C'est le mot juste. Elle a toujours été davantage ton enfant que moi.

Quelque part, au plus profond de sa mémoire, Salim entendit ses propres hurlements et les mots qu'il avait jetés à la figure de son père dans ce même appartement. *C'est ta faute ! Tu l'as rendue malheureuse ! Tu as tout raté !* Ils résonnèrent dans son crâne tandis que Marc passait devant lui dans une même attitude de douleur et de défi.

Son instinct le poussa à saisir le bras de son fils. Il fut brusquement submergé par le désir de tout abandonner, de convaincre Marc qu'il était aimé, qu'ils l'étaient tous, qu'ils pourraient trouver un endroit pour prendre un nouveau départ. Marc s'arrêta un très bref instant, une partie de son visage tournée vers lui, l'autre, plongée dans l'obscurité. Mais ce fut trop rapide pour Salim ; les conférences de presse et autres projets se bousculaient dans sa tête, et les mots dont il avait besoin étaient enfouis si profondément en lui qu'ils ne purent trouver le chemin pour se libérer. Marc dégagea violemment son bras et passa la porte. La dernière vision que Salim eut de son fils, ce fut sa main, accrochée à son sac, tandis qu'il disparaissait dans l'obscurité de la cage d'escalier.

— Au revoir, papa.

Puis, comme dans un rêve, Marc ne fut plus là.

Le lendemain, Jaffa resplendissait. À midi, sous le beau soleil de décembre, la maison aux Orangers baignait dans un embrasement de lumière.

Salim s'arrêta au bout du chemin. Il eut l'impression de regarder la maison à travers un cadre, comme si elle n'existait qu'en photo, coupée du monde réel.

Des plantes grimpantes couraient le long des murs

du jardin, légèrement agitées par une brise fraîche. Les grandes fenêtres cintrées du dernier étage surplombaient la mer. Leur vue dominait les hauteurs de la nouvelle et sordide Jaffa, puis le port aux lumières déclinantes, jusqu'à la magnifique vieille ville.

Une véritable pagaille régnait autour de la maison. Des tentes peintes par les militants de Jimmy étaient plantées dans les buissons comme des melons pas encore mûrs. Le portail était sous la garde de deux officiers de police. D'autres se tenaient près de leurs véhicules pour bloquer la rue. Les sirènes tournoyaient silencieusement en lançant des éclats bleus et blancs.

Des badauds continuaient d'affluer pour assister au spectacle. En ce dimanche matin oisif, ils arrivaient par petits groupes. La plupart gardaient leurs distances, chuchotant bras dessus, bras dessous, derrière les barrages de police. D'autres, plus téméraires, se promenaient en riant parmi les tentes, se montraient les pancartes et prenaient des photos.

Dans le quartier d'Al-Ajami déchu et en ruine, les cloches sonnaient pour le sabbat chrétien. À sa grande surprise, Salim vit une bougie brûler à l'une des fenêtres du haut de la maison. *Une ménorah.* Puis il se souvint. On était le 20 décembre, le sixième jour de Hanoukkah. Le surlendemain, quelqu'un allumerait la huitième bougie pour célébrer le jour où les Juifs s'étaient rebellés et avaient repris le Temple. *Quelle ironie.*

— Elle est partie, tu sais.

C'était Jimmy, qui avait surgi derrière lui, un gros

morceau de *manquish* au fromage à moitié mangé dans la main.

— Qui ça ?

— Elle.

Jimmy agita son bout de pain vers la lueur qui brillait à la fenêtre.

— La femme qui habitait là, avec son fils. Seulement pour aujourd'hui, il paraît. J'imagine qu'elle n'avait pas envie de retrouver sa photo dans les journaux. Je peux la comprendre.

Salim revit son sourire hésitant, sa main sur son épaule. Il éprouva de la peine pour cette autre âme contaminée par la souffrance et la perte.

— On ne va pas s'en faire pour ça maintenant, *habibi*. On a du travail, aujourd'hui. On parlera plus tard. *Yallah*, je vais chercher Mazen. Vous avez l'air si bien ensemble. Je le veux sur les photos.

La foule et les bruits s'amplifiaient. Salim se rendit sur l'estrade. L'un des militants de Jimmy était en train de la recouvrir du drapeau palestinien. Salim se rappela que l'étendard avait été conçu par un diplomate anglais nommé Sykes à l'époque de la révolte des Arabes contre les Turcs. Tareq trouvait que c'était une sacrée blague, un autre sale tour de l'Empire britannique pour faire croire aux Arabes qu'ils formaient un peuple.

Il repensa à Mazen qui, un jour sur le marché, lui avait montré comment étrangler un poulet.

— Ils sont idiots, avait-il dit tandis que l'oiseau caquetait, une corde autour du cou. Ils essaient de se sauver en courant et ils ne se rendent pas compte que le nœud se resserre de plus en plus.

Salim crut sentir la pression d'un lien invisible sur sa gorge et il la frotta. Peut-être que Rafan, ou Jimmy, tiraient de l'autre côté. Ou pire, il était possible qu'il le fasse lui-même. *Je suis plus stupide que le poulet*, songea-t-il. *Je n'ai rien compris pendant quarante ans.* Toute la réunion lui parut soudain aussi dérisoire que l'estrade enveloppée de son drapeau. *J'ai tourné le dos à mon fils pour ça ?*

Il aperçut Elia qui se faufilait à travers la foule. Son visage était soucieux et ses yeux plissés sous l'éclat des lumières.

— Il y a du monde, fit-il en secouant la tête. J'espère que ça te sera bénéfique, Salim. Mais je te l'ai déjà dit, je ne pense pas que ce soit la bonne méthode.

— Je sais, répondit Salim d'une voix assourdie par la tristesse. C'est déjà allé très loin… trop loin.

Elia lui jeta un regard inquiet.

— Qu'est-ce qu'il se passe ? Tu n'as pas l'air bien. Il est arrivé quelque chose ?

Mon fils est venu me voir et je l'ai laissé tomber, eut-il envie de dire. Mais à quoi bon l'avouer à Elia ? Quand tout serait terminé, après le jugement du lendemain, il irait tout arranger.

Il contempla la maison, la lumière qui brillait à la fenêtre. Un instant, il eut envie de croire en Dieu, en une présence plus sacrée qu'un tas de briques pour l'obliger à tenir sa promesse.

Elia lui pinça le bras et fit un signe de tête en direction de Jimmy, qui venait vers eux en compagnie de Mazen. Derrière, Tareq suivait de mauvais gré. Mazen croisa le regard d'Elia, et Salim vit son visage passer d'un froncement de sourcils perplexe à l'amertume lorsqu'il le reconnut.

— Elia, bon Dieu, s'exclama-t-il, toujours à traîner avec les Arabes.

Celui-ci se détourna en un réflexe instinctif pour se protéger, comme lorsqu'ils étaient enfants.

— On est du même côté, aujourd'hui, Mazen. Il ne s'agit pas de politique. On est là pour Salim.

Mazen émit un grognement.

— C'est ça, on est du même côté, dit-il en redressant les épaules. Un maître et ses chiens.

— Les garçons, les garçons, intervint Jimmy en les repoussant. S'il vous plaît. Je dois parler à la vedette du spectacle.

Son menton tremblota quand il secoua la tête et attira Salim dans un coin.

— Il y a un message qui vient juste d'arriver de Jérusalem, dit-il à voix basse. Ton frère a besoin de toi.

Il lui tendit un bout de papier plié au milieu, que Salim prit à contrecœur. Le mot à moitié ouvert était comme une porte, et il savait parfaitement où elle menait. *Je ne suis pas obligé de la franchir.*

— Il a réussi à passer la frontière. Mais après, on nous a trahis. Ils ont attaqué notre planque en Cisjordanie ce matin et ils ont embarqué tout le monde.

Salim mit la main sur sa gorge et sentit de nouveau la corde se serrer. Autrefois, Rafan avait passé ses bras autour de son cou – mais dans un geste d'amour, celui d'un petit frère effrayé. Salim pleura pour son cadet, pour Marc, pour lui, pour tous les petits garçons dévorés par cette terre insatiable.

Jimmy lui donna une petite tape sur la joue.

— Hé, réveille-toi. C'est très grave. Ça peut vouloir dire le Mossad, et peut-être la vie de ton frère. Il leur a expliqué qu'il était là pour toi, fit-il en se penchant vers Salim, juste pour rendre visite à sa famille. Il s'est servi de papiers d'identité britanniques. Après notre réunion, on va au commissariat. Il faut que tu confirmes son histoire.

Salim ouvrit lentement le mot. Il était écrit en anglais : *Grand frère, souviens-toi : je t'aide et tu m'aides. Viens dès que tu peux. Je t'attends. Rafan.*

Salim regarda vers l'ouest, au-delà de la foule, jusqu'à la mer. Un bref instant, il crut reconnaître le visage de Marc dans un coin de la scène, un visage pâle et lumineux. Puis il disparut. Salim le chercha partout, en vain. Marc avait-il vraiment été là ?

Il se tourna vers Jimmy.

— Quand tout ça est terminé, je dois retrouver mon fils.

Et il remit le mot dans la grosse main de Jimmy avant de marcher vers l'estrade.

Tareq, Elia et Mazen se tenaient à côté, toujours pris dans leur dispute. Des gens s'étaient rassemblés autour d'eux et souriaient à leurs cris. Mazen se moquait d'Elia.

— Tu veux être un Arabe, va demander à ta maman. Peut-être que la *Yehuda* blanche en a eu marre de se taper un tailleur, peut-être qu'elle est allée écarter les cuisses devant un basané de Manshiyya.

Jimmy rattrapa Salim en haletant.

— Tu plaisantes, Salim.

Ce dernier l'ignora et vint se poster devant Mazen.

Il lut sur son visage la rage profondément ancrée par des années de déception.

— Mazen, fais attention à ce que tu dis, asséna Salim. Tu parles à ma famille.

Tareq et Elia se serrèrent derrière lui, le souffle court, tandis que Mazen, sous le coup de la surprise, recula.

— Ta famille, intervint Jimmy en passant son bras autour de l'épaule de Mazen, sa voix pleine de dédain. Ta famille est assise dans une cellule, en prison, Salim, elle attend que tu aies fini ton foutu discours. Alors *yallah*, allons-y. Vous deux. Il faut qu'on vous prenne en photo.

— N'écoute pas, Salim, rétorqua Tareq. Certains chiens aboient toujours de la même façon.

Les gros yeux de Mazen passèrent frénétiquement de Salim à Jimmy puis inversement. Mais il sembla ensuite se ressaisir ; il se pencha en avant et Salim sentit le souffle de son haleine sur ses joues. L'ombre du sourire qui autrefois le hantait, le ricanement moqueur du petit garçon surgit sur les lèvres de Mazen.

— Mieux vaut être un chien qu'un âne, dit-il en lui faisant un clin d'œil.

Dans son dos, Jimmy éclata de rire.

Salim attrapa alors la tête de Mazen entre ses mains et attira son visage tout près du sien. On aurait presque dit une étreinte, et il put voir le trouble de son ami d'enfance lorsque leurs yeux se fixèrent pendant une longue seconde. À l'arrière, la silhouette floue de Jimmy parut se fondre dans celle de son père, de Rafan, de l'Irgoun avec ses bombes sanglantes, et dans celles de tous ces hommes sans visage à qui il avait donné les rênes de sa vie.

— Je ne suis plus ton âne, murmura Salim.

Puis il repoussa Mazen, et éprouva le même soulagement brutal qu'en ce jour lointain où il avait regardé leur ballon de foot s'envoler bien haut vers le ciel.

Il y eut un moment d'impact, lorsque Mazen trébucha et se cogna contre Jimmy. Le gros homme roula dans la poussière et du sang jaillit de son nez.

Un cri retentit, les appareils photo crépitèrent. Jimmy saisit la manche de quelqu'un pour se relever et la tacha de rouge. Alors qu'il se remettait sur ses pieds, ses yeux croisèrent ceux de Salim. Son regard abasourdi était plein de reproches.

— Tu les as, tes photos, lui lança Salim.

Il fit volte-face, prit le micro qu'on lui tendait et monta sur l'estrade.

Son premier réflexe fut de chercher Marc dans la foule. Mais son fils n'était nulle part. Ce devait être un effet de la lumière, un mirage né de ses désirs. Il perçut la présence, si proche, de la maison aux Orangers derrière lui. Comme dans ses rêves, l'intense luminosité blessait les yeux, et l'appel lointain de voix résonnait dans le silence profond chargé d'espoir.

Salim ressentit ce silence comme un puits sans fond. *Je sais ce qu'ils veulent m'entendre dire.* Il pouvait leur raconter la même vieille histoire : qu'il n'y aurait jamais la paix tant qu'on n'aurait pas rendu à chacun sa maison, afin que tout le monde puisse rentrer chez soi. Mais ce n'était qu'une seule vérité.

L'autre était beaucoup plus difficile à énoncer, beaucoup plus difficile à entendre. Si seulement Marc avait été en face de lui, il aurait pu trouver les mots pour l'expliquer. Il avait perdu sa première maison malgré tous ses efforts. Mais cette perte n'était pas aussi douloureuse, aussi terrible à accepter que celle du foyer qu'il avait construit puis lui-même détruit.

Il ouvrit la bouche pour parler. Mais soudain, un autre son s'éleva, balayant ses mots avant qu'ils aient pris forme.

Dans cet instant de confusion, Salim ne comprit pas. Le bruit commença comme un cri perçant poussé par un spectateur, ou par un oiseau volant au-dessus d'eux, puis une immense explosion de chaleur et de lumière retentit.

Alors il put l'entendre, ce grondement furieux, tandis qu'un flot de gens hurlaient et fuyaient. Il se retourna et vit les flammes se déverser comme des feuilles par-dessus le mur, la fumée telle une main grimper sans bruit aux fenêtres.

Puis il y eut un son plus profond, un déchaînement de souffle et d'énergie, suivi d'un gémissement à glacer le sang. Le silence éclata dans ses oreilles et ses yeux se couvrirent de poussière. Son esprit parut aussi léger qu'une plume tandis que ses jambes se dérobaient sous lui et que l'estrade s'effondrait. Il chuta lentement dans l'espace et, quand il toucha le sol, la terre de Jaffa tonna et s'ouvrit pour l'engloutir.

La mer

On découvrit le corps de Marc dans la pièce qui avait tenu lieu de cuisine.

D'après la police, il avait escaladé le mur extérieur de la propriété, était descendu de l'autre côté en s'aidant des arbres et s'était introduit dans la cuisine. Puis il avait jeté un par un son arsenal de cocktails Molotov dans les pièces du rez-de-chaussée. Il avait laissé les trois derniers brûler à côté de lui, avec la cuisinière à gaz allumée.

Personne ne sut dire s'il avait voulu mourir. Les journaux parlèrent d'acte suicidaire, mais Salim refusa d'y croire. Marc avait réservé un billet de retour pour Londres sur un vol qui partait le soir même. Puis Salim vit une lettre adressée à Sophie, postée avant la conférence de presse. Elle commençait ainsi : *Je ne m'attends pas à ce que tu me pardonnes*, et se terminait par ces mots : *Souviens-toi toujours de mon amour.* Au bas de la page, Marc avait dessiné une petite silhouette. Elle sautait vers le ciel, les bras tendus en un salut plein d'allégresse.

L'apogée éblouissant de la vengeance de Marc mit des mois à se faire oublier. La presse s'en empara, se disputa sur son histoire : il était soit un personnage tragique qui s'était vengé de la perte de son héritage, soit un aspirant terroriste qui avait mal préparé son coup et n'avait réussi qu'à se tuer lui-même. On parla beaucoup de ses troubles psychologiques, ainsi que de l'influence de son oncle, recherché depuis longtemps par le Mossad et à présent entre ses mains.

Puis vinrent les questions de responsabilités, de plaintes et de dédommagements. L'affaire vieille de quarante ans de Saeed Al-Ishmaeli et fils fut mise de côté par les tribunaux. La propriétaire de la maison pleura devant les caméras de télévision pendant que les bulldozers vinrent dégager les décombres.

— Dieu nous a sauvés, pleura la femme, agrippée au bras de son petit garçon. Nous aurions dû être à la maison.

En la regardant, Salim pria pour la première fois de sa vie d'adulte que Marc ait su la maison vide avant d'y semer la mort.

Cette année-là, il ne vit Jude qu'une seule fois, lors du procès qui suivit l'enquête criminelle. Quand le juge prononça son verdict, « Mort accidentelle », elle redressa la tête. Ses yeux bleus, assombris par la douleur, se tournèrent vers lui. Lorsque les gens se levèrent, il observa Nadia la retenir alors qu'elle essayait d'aller vers lui. Mais il vit son regard et lut les mots au lieu de les entendre, comme si elle les lui avait jetés, brûlants, au visage. *C'est toi. Tu l'as tué. Tu as tué notre petit.*

Puis, enfin, tout se tut. Les journaux passèrent à autre chose, les indemnités furent payées. Le terrain de la maison aux Orangers fut déblayé et abandonné à la mer. Des pousses vertes et des arbrisseaux survolés par les mouettes recommencèrent à apparaître. Le temps que les autorités mettraient à décider du sort de la terre, ils seraient déjà de jeunes arbres prêts à donner des fruits.

Un an après la mort de Marc, Salim marchait sur un sentier qui montait vers la mer. Le soleil était haut, et un froid vent d'ouest soufflait. Les brins d'herbe frissonnaient autour de lui tandis que des aigrettes blanches et duveteuses virevoltaient dans l'air étincelant. Les petites graines trouveraient un endroit, tout proche, où se poser et pousser de nouveau dès la première brise du printemps.

À travers la brume légère, il observa un groupe de gens réunis au sommet du terrain. Ils se tenaient autour d'un jeune arbre, fin et vert, dont la terre avait été fraîchement creusée à son pied.

Ils sont tous là. Il vit Sophie, avec sa belle chevelure noire. Elle était plus grande que Jude. Un homme était près d'elle, aussi jeune et élancé, cheveux bruns et peau claire. Il passa un bras autour de sa taille et l'attira contre lui avec amour. La pâle Gertie était là aussi, et oncle Max, et Tony, sobrement vêtu d'un costume noir, accompagné de sa femme et de ses enfants. Dora, frêle et voûtée, tenait le bras de son beau-frère Alex. De l'autre côté, elle s'accrochait à celui de Nadia, qui lui tapotait la main. Tareq était auprès de Jude, et Elia à côté de lui. Même Hassan était venu. Sa femme et ses enfants étaient avec lui et, derrière eux, trois petits-enfants s'amusaient à faire voler la poussière en donnant des coups de pied sur le sol.

Enfin, il vit Jude, sa tête blonde bien droite. Elle s'agenouilla et prit une poignée de terre de Jaffa dans une main. Elle glissa l'autre dans sa poche et en retira un tissu plié.

Il l'observa verser la terre d'Angleterre, noire et sèche contenue dans l'étoffe, sur celle, plus légère et chaude, qu'elle tenait dans sa paume. De la poussière scintillante voleta lorsqu'elle déposa le mélange au pied de l'arbre.

Salim demeura immobile à écouter le vent bruire et souffler à travers la broussaille. Il avait toujours adoré entendre ce chant doux et mélodieux.

Sophie s'avança pour rejoindre sa mère et versa l'eau d'une cruche. Elle coula, claire comme le ciel, sur le sol dur. L'arbre but, tel un bébé au sein, et la terre devint noire comme la vie.

La cérémonie s'achevait, et le groupe commença à partir. Sophie prit sa mère par le bras et toutes deux se tournèrent vers Salim. Jude embrassa sa fille avant de descendre la pente en déboutonnant son manteau bleu foncé.

La lumière brilla sur les chaînes nouées à son cou. Le cadeau de Salim était là, emmêlé avec l'étoile de Rebecca. *L'autre cadeau que je lui ai fait repose ici.* À présent, Marc appartenait à la terre.

Enfin, ils se tinrent face à face, sur le sentier. Le vent qui soufflait autour d'eux s'engouffrait dans leurs vêtements. Il aperçut alors une troisième chaîne en or blanc avec un pendentif. Un enfant aux ailes de papillon qui sautait vers le ciel.

Jude essaya de s'imprégner de l'image renvoyée par l'inconnu devant elle, de chercher les traces du garçon qu'elle avait aimé pour sa douceur, sa chaleur sincère.

Son mari était abattu, sans vie. Une silhouette grise marquée par la douleur. Une partie d'elle s'en attrista tandis que l'autre se réjouit de le voir ainsi.

— Tu te souviens, autrefois, on avait parlé de venir ici ensemble, dit-elle en se forçant à rompre le silence.

— Et je t'avais dit que c'était impossible.

— Pourtant, nous sommes là. Au fond, on ne peut jamais savoir ce qu'il va se passer, dit-elle en contemplant la mer agitée.

Derrière elle, le groupe se dirigeait vers les voitures. Sophie se tenait sur le sommet de la colline, la main de son petit ami dans la sienne. L'arbre de Marc se dressait, seul, fragile petit morceau de vie, ses bras verts se mouvant au soleil. Derrière lui, les deux villes, la vieille et la nouvelle, apparaissaient au loin.

— Je ne t'en veux pas de me haïr, dit Salim d'une voix brisée. Tu avais raison. Je l'ai tué.

Les yeux de Jude étaient secs.

— Je t'ai haï, Sal. Je te haïrais encore jusqu'à mon dernier souffle si cela pouvait ramener Marc. Mais ce n'est pas ce qu'il aurait voulu.

Sa main toucha le creux de sa gorge, là où était niché le médaillon du garçon qui sautait.

— Tu sais comment il était. Il aurait voulu qu'on se dise au revoir.

— Je sais, fit-il d'une voix douce.

Il mit la main dans sa poche de manteau et en sortit un fin rectangle enveloppé dans un tissu de soie blanche, couleur de l'innocence.

— Qu'est-ce que c'est ? demanda-t-elle avec méfiance.

— J'allais l'enterrer, répondit-il. Là où il repose.

Mais j'ai pensé qu'il n'aurait pas voulu que je vienne. Je l'ai abandonné.

Les larmes jaillirent enfin. C'étaient les premières qu'il versait et elles lui brûlèrent les joues.

— Il est venu me demander de l'aide, mais je ne l'ai pas compris. Je n'ai pas su saisir ma chance.

Elle retira le tissu et contempla la photo de la maison aux Orangers. Depuis le cadre doré, les yeux du garçonnet les fixaient tous les deux avec une douce expression de perplexité. Dans son dos, l'arbre semblait si délicat, semblable à celui qui oscillait doucement au-dessus des cendres de Marc.

En découvrant l'image, Jude se mit à rire et laissa libre cours à ses larmes.

— Wouah, Sal, dit-elle. Après tout ce temps, tu peux encore me surprendre.

Elle serra la photo contre son cœur. Au plus fort de son chagrin et de son amertume, sa seule consolation avait été de savoir que la maison aux Orangers, elle aussi, avait brûlé, qu'elle avait connu la violente souffrance des flammes. *Partie pour toujours, comme mon enfant.* Mais entre ses mains, le bébé la regardait droit dans les yeux, la ramenant en arrière, jusqu'à sa propre enfance. Ce visage, c'était Marc, Salim, c'était elle dans les bras de Rebecca. Quelque chose se libéra en elle, un poids ancien ; elle le sentit s'éloigner et s'élever vers le ciel.

Salim vit les larmes de Jude tomber sur le cadre. *Ma Jude. Je suis tellement désolé. Je n'ai pas le droit de pleurer.*

— Prends-le, dit-il. Il t'appartient, maintenant. À toi et à Sophie. Vous êtes tout ce dont je veux me souvenir.

La main de Jude caressa la silhouette du garçonnet. La dernière vision qu'eut Salim de la maison aux Orangers fut à travers ses doigts, lorsqu'elle glissa doucement le cliché dans sa poche.

— Nadia m'a appris une chose curieuse, aujourd'hui, fit-elle en se ressaisissant. Elle dit que les musulmans croient que c'est Ismaël, et non Isaac, qu'Abraham a presque sacrifié. Qu'Ismaël était son véritable héritier.

— On nous l'enseignait à l'école, répondit Salim. Au moment de l'aïd. Je n'y faisais jamais vraiment attention.

— Une sacrée histoire sur laquelle on peut continuer à se disputer, lança-t-elle avant de s'essuyer le nez sur sa manche. Quel fils fallait-il sacrifier.

Les rayons du soleil blanc de l'hiver jouaient sur ses doigts.

— J'étais tellement amoureuse de toi, autrefois, poursuivit-elle. C'était un amour improbable, mais si extraordinaire, tu ne trouves pas ? C'est lui qui a donné vie à nos enfants. Qui nous a donné Marc.

— Oui, c'est vrai.

Il revit les jumeaux enfants, se remémora sa fierté et son émerveillement lorsqu'il les tenait dans ses bras.

— Et quand Nadia m'a raconté cette histoire, j'ai pensé : toutes ces vieilles légendes pleines de haine que nous ne pouvons pas oublier, ce sont elles, le véritable ennemi, n'est-ce pas ? Alors, quoi que tu aies fait, Sal, continua-t-elle en se tournant vers la mer, qui que soit la personne à blâmer, je ne veux plus éprouver de colère.

Salim entendit la voix de Sophie appeler du haut de la colline, et le grondement des moteurs de voiture.

Jude leva les yeux, mais elle ne se retourna pas pour partir. Salim sentit une vague d'espoir monter en lui, en même temps que le fracas de la houle.

— Alors… et maintenant ? lui demanda-t-il. Vers où pouvons-nous aller ?

Elle ferma les yeux et le cœur de Salim chavira, mais il n'osa pas se détourner. Tous deux étaient à un virage, comprit-il, ils s'en approchaient à une vitesse effrayante. *J'ai raté tant de choses parce que je regardais toujours derrière moi. Je l'ai perdue parce que je n'ai pas pu trouver mon propre chemin.*

Alors, à la grande surprise de Salim, les yeux de Jude rencontrèrent les siens. Ils étaient grands ouverts, comme le jour où il l'avait vue pour la première fois à la fête, seule parmi la foule.

— Tu nous parlais souvent de la mer, près de ta maison, lui dit-elle, et il se souvint.

Ces jours qui s'écoulaient, les uns après les autres, comme cette rivière anglaise sur laquelle Sophie et Marc, allongés au creux d'une barque, évoquaient les histoires de leur foyer.

— Pourquoi tu ne me la montres pas, pendant qu'on est là ?

— Il fait froid ! s'exclama-t-il en riant. C'est l'hiver, au cas où tu n'aurais pas remarqué.

Elle mordit ses lèvres et l'ombre d'un sourire s'y dessina.

— Eh bien, tu nageras et je t'encouragerai.

Les doigts de Jude étaient encore couverts de terre. Il eut envie de tendre la main pour les saisir, mais la honte le retint, de la même manière que le chagrin la tenait à distance. Au loin, vers le sud, le muezzin commença son appel pour la prière de midi. *Il n'y a peut-être plus de routes à prendre.* Elle soupira puis commença à faire demi-tour.

— Allez, Judith Rebecca Al-Ishmaeli, dit-il. Viens faire une promenade avec ton mari. Avant qu'ils lancent les recherches.

Elle releva la tête, et il reconnut le sourire de Marc sur son visage.

Elle partit en avant, vers la plage.

— *Yallah*, arrête de lambiner ! Tu te dépêches ? lança-t-elle.

Elle était une petite lumière dans la terre désolée, elle était un enfant poursuivant un ballon de football jeté haut dans le bleu du ciel, porté par les vents vers une destination inconnue.

Il répondit – *J'arrive* – et la suivit ; il laissa la terre, ses fruits, et courut pour la rattraper. Le monde qui les observait s'évanouit derrière lui. Quand il parvint à sa hauteur, elle se retourna. Alors il le vit, plus loin, devant eux : le chemin oublié depuis si longtemps. Pour le rejoindre, ils choisirent un parcours à travers l'espace brouillé par l'éclat de la lumière. Arrivés enfin au bout de la côte, le sentier sinueux les mena plus bas, jusqu'à la mer.

REMERCIEMENTS

Il y a tant de personnes que je souhaite remercier.

D'abord, j'adresse ma plus profonde gratitude et tout mon amour à ceux qui m'ont donné leur bénédiction et bien plus encore : ma famille, Rowan, Leïla, et surtout ma magnifique mère. Sa vie est une histoire extraordinaire qui dépasse la fiction ; elle m'a donné, à moi et à ce roman, un point de départ.

À ceux qui sont déjà partis – Ethel, Nouhad, Sayed, Max, Trudy, Gerald, Anne, Marwan, les sœurs et frères Book –, et à ceux qui sont encore avec nous sur la route – Abla, Blanche, Polly, Mahmoud, Haj, Sam et mes cousins, la génération née le long du chemin : merci d'avoir porté les précieuses histoires des deux clans jusqu'aux nouveaux mondes.

Merci à mon agent Gordon Wise, pour sa confiance ; à Juliet, chez Oneworld, pour avoir osé prendre le risque, et à mes éditeurs Ros, Eleonore et Jenny, pour m'avoir aidée à faire naître cette histoire en sommeil depuis si longtemps.

Merci à Paolo Hewitt, professeur à l'université du nord de Londres : sa mise en relation a été décisive ; et aussi à Jenny Fairfax, qui m'a ouvert la porte.

Merci à Adam LeBor, pour sa gentillesse envers une inconnue et pour son merveilleux *Jaffa, City of Oranges.*

À William Goodkad, mon premier lecteur.

À Stephen Vizinczey, pour son amitié, et pour m'avoir permis de lui emprunter cette phrase d'*Un millionnaire innocent*; et pour chacun des autres mots qu'il a écrits, qui continuent de m'éblouir, comme ils ont ébloui des millions de personnes avant moi.

Enfin et surtout, merci à mon mari qui, tout en sauvant le monde, m'a donné tout son amour et aidée à faire ce long voyage. Merci, mon chéri. Tu sais ce que cela signifiait pour moi. Et merci à ma fille, qui a été ma raison d'écrire. Delilah, mon amour. Voici ton histoire.

Le Livre de Poche s'engage pour l'environnement en réduisant l'empreinte carbone de ses livres. Celle de cet exemplaire est de :
400 g éq. CO_2
Rendez-vous sur www.livredepoche-durable.fr

Composition réalisée par MAURY- IMPRIMEUR

Achevé d'imprimer en décembre 2018, en France sur Presse Offset par
Maury Imprimeur – 45330 Malesherbes
N° d'imprimeur : 232686
Dépôt légal 1re publication : avril 2019
LIBRAIRIE GÉNÉRALE FRANÇAISE – 21, rue du Montparnasse – 75298 Paris Cedex 06

64/1820/2